Nizan
Destin d'un révolté

DU MÊME AUTEUR

HISTOIRES/CULTURELLES

L'Histoire culturelle, PUF, 2004.
Le Petit Nazi illustré, Nautilus, 2002.
Le Discours gastronomique français, des origines à nos jours, Gallimard, 1999.
La Censure en France à l'ère démocratique, 1848-... (dir.), Complexe, 1997.
Pierre Larousse et son temps (dir. avec Jean-Yves Mollier), Larousse, 1995.
La Belle Illusion. Culture et politique sous le signe du Front populaire, 1935-1938, Plon, 1994.
La «Revue blanche» (éd. avec Olivier Barrot), UGE, «10/18», 1994.
Entre deux guerres (dir. avec Olivier Barrot), François Bourin, 1990.
1889, l'Expo universelle, Complexe, 1989.
L'Aventure culturelle française, 1945-1989, Flammarion, 1989.
L'Entre-deux-mai : histoire culturelle de la France, mai 1968-mai 1981, Le Seuil, 1983.
Les Expositions universelles de Paris, Ramsay, 1982.

HISTOIRES/POLITIQUES

Du fascisme, Perrin, 2003.
Une nation pour mémoire. Trois jubilés révolutionnaires, 1889-1939-1989, Presses de la FNSP, 1992.
Nouvelle histoire des idées politiques (dir.), Hachette, 1987.
Les Intellectuels en France de l'affaire Dreyfus à nos jours (avec Jean-François Sirinelli), Armand Colin, 1986.
La France allemande, Gallimard, 1977.
Les Collaborateurs, Le Seuil, 1976.

FABLES/CULTURELLES

Chartres, Ouest-France, 1995.
Doisneau 40-44, Hoëbeke, 1994.
Rennes, intelligence d'une ville, Ouest-France, 1992.
La Légende des airs. Images et objets de l'aviation, Hoëbeke, 1991.

FABLES/POLITIQUES

L'Europe ? L'Europe (éd.), Omnibus, 1998.
Dernières questions aux intellectuels (dir.), Olivier Orban, 1990.
L'Anarchisme de droite, Grasset, 1985.
De Gaulle ou L'ordre du discours, Masson, 1979.

Une première version de ce texte est parue en 1980 aux Éditions Ramsay.

© Éditions Complexe, 2005
ISBN 2-8048-0029-6
D/1638/2005/1

Pascal Ory

Nizan
Destin d'un révolté

« Destins »

Préface à la nouvelle édition

À Lothar Baier

Pour Nizan on aura donc remué ciel et terre – la terre, surtout : après tout c'était un matérialiste. Un jour du printemps 2004, un petit groupe de membres du GIEN (sous cet acronyme ne cherche pas à se cacher le très sérieux et très actif Groupe interdisciplinaire d'études nizaniennes), assisté d'habitants de la commune belge de Rochefort (Province de Namur), bourgmestre en tête, s'est retrouvé autour d'un lopin de terre non construit, au cœur d'un lotissement. Pelles, pioches, tractopelle se sont activées, sous le regard des caméras. On a sondé, creusé, retourné, en suivant à la lettre un document dessiné, vieux de plus d'un demi-siècle, comme dans la plus classique des histoires de trésor. Mais comme ceci n'est pas un conte, rien qu'une fable vraie, ce fut en vain. Le trésor enfoui là en mai 1940 ne fut pas exhumé. Pour la troisième et – sans doute – dernière fois les vivants auront échoué à faire revenir à leur surface un objet plus précieux qu'un tas de ducats ou même qu'un squelette puisqu'il s'agissait, enveloppé dans une matière supposée imperméable, d'un manuscrit, celui du quatrième et dernier roman de l'auteur de *La Conspiration*, enterré ici à la hâte par un de ses camarades survivants de l'armée anglaise, fait prisonnier par les Allemands. Les Allemands ne purent pas mettre la main sur ces papiers, mais personne d'autre depuis non plus.

Oui, décidément, la vie de Nizan se lit comme un roman, et sa mort plus encore. Cette vie, cette mort, je les ai écrites, en 1980, dans le livre qui suit. Ce livre, cette vie, je les ai relus, avant vous. À quelques corrections près, à quelques ajouts bibliographiques ou généalogiques près, je n'y ai rien changé. Certaine coquetterie des auteurs leur fait parfois dire qu'après un quart de siècle ils changeraient tout. Moi, rien. Deux colloques, plusieurs numéros de revue – à commencer par ceux de la revue du GIEN, évidemment dénommée *ADEN* –, une dizaine de monographies, la première étude de la « fortune littéraire » de notre héros : la

---

bibliothèque nizanienne est encore modeste mais elle est solide, sérieuse et, ce qui ne gâte rien, déjà très internationale. Mais dès qu'il s'agit de revenir à la part du récit, rien de ce qui s'est passé depuis ne me paraît justifier une « révision ».

Vingt-cinq ans : vingt-cinq années de nécrologie. Rirette, sa femme, est morte, après avoir écrit, fait écrire et publié ce qu'elle me racontait, avec verve, il y a trente ans, dans son petit appartement de la rue Boisso-nade. Mortes aussi la flamboyante Marianne Oswald, qui fut amoureuse de Paul-Yves, ou encore la très froide mais très fidèle Simone de Beau-voir. Anne-Marie, sa fille, est morte, également, trop jeune. Sartre venait de mourir quand j'écrivais les dernières lignes de ce livre, on le verra. L'autre « petit camarade » – et autre témoin de mariage –, Raymond Aron, s'est éclipsé un peu plus tard, après avoir rendu une dernière fois hommage, non sans élégance, à celui des trois qui lui paraissait le plus doué. Louis Aragon aussi est mort, définitivement costumé depuis sep-tembre 1939 en « plus-grand-écrivain-communiste-français », grand poète confirmé et sordide calomniateur *post mortem* – il n'y a que les platoniciens qui croient que le Beau, le Bien et le Vrai sont forcément associés. Pour le reste, la belle maison de Grandchamp s'efface, le manuscrit des « Amours de septembre » achève de pourrir en terre belge. Pas de quoi changer un iota à une Vie à la Plutarque : exemplaire, comme elles le sont toutes.

Je sais : depuis 1980, il s'est passé, par ailleurs, quelque chose. Deux choses, exactement. Rien que deux, mais deux qui comptent, deux chutes qui ont fait du bruit. Celle d'un Mur, et, conséquence logique de la pre-mière, douze ans plus tard, celle de deux Tours. À y regarder de plus près, il serait facile de jouer un petit jeu de société qui rapporterait toute cette histoire-là au destin, pourtant éphémère et lointain, du pauvre Paul-Yves. Après tout, n'est-ce pas son petit-fils, Emmanuel Todd, qui fut, dans les années 1970, le prophète français de *La Chute finale* du bloc soviétique (comme il l'est, trente ans plus tard, de l'empire américain) ? Après tout, la rupture de l'automne 1939, placée explicitement par Nizan sous l'égide de Dostoïevski, n'a-t-elle pas sa source dans le cynisme d'un Pacte où les deux totalitarismes avouaient leur solidarité en profondeur, et, par là, scellaient leur destin historique, c'est-à-dire éthique ? Il n'est pas jusqu'à la manière qu'a eue l'Occident, depuis 1989, de se gâcher son triomphe à coups de petites inquiétudes et de grandes angoisses qui ne puisse trouver des échos du côté d'*Aden Arabie* – le livre comme le lieu.

L'importance d'un artiste se mesure à sa capacité à être posthume, celle d'un intellectuel à sa capacité à avoir été vivant. Ce n'est pas donné à tout le monde, et Nizan a porté ces deux qualités à leur plus haut degré. Philosophe critique des philosophes, journaliste de profession mais romancier de vocation, accrédité auprès du Quai d'Orsay mais militant communiste encarté, stalinien officiel obsédé par la mort et l'absurde : ce modèle d'écrivain engagé, tué par un soldat du Reich hitlérien, a certainement hanté l'esprit de Sartre, jusqu'au remords. Est-ce tout à fait un hasard si le choix par celui-ci d'une existence devenue à cet égard mondialement exemplaire est consécutif à la disparition de son ami le plus intime ? Paul-Yves avait dressé de Jean-Paul, dans *Le Cheval de Troie*, le portrait d'un nihiliste bourgeois tenté par le fascisme ; le retournement, pour être méconnu, n'en est pas moins impressionnant. D'Isaac Singer à André Malraux, l'histoire des littératures ne manque pas de ces passages de relais, pour ne pas dire de ces substitutions d'identité.

Mais qu'on permette à un biographe de le dire nettement : les vraies raisons de s'intéresser encore à un écrivain cent ans après sa naissance ne peuvent être principalement biographiques : laissons cette trivialité-là aux biographies politiques. S'il peut nous « parler », aujourd'hui et demain, ce sera pour des raisons toutes littéraires. Que Racine ait été le courtisan dévôt d'un roi absolu ou Balzac un nostalgique de la branche aînée des Bourbons peut éclairer notre compréhension de *Bérénice* ou des *Illusions perdues* ; cela n'ôte ni n'ajoute une once au poids de leur qualité littéraire. Si Nizan doit passer l'examen d'entrée en XXIᵉ siècle, ce sera non comme stalinien angoissé, faisant, comme le professeur de philosophie de *Ma nuit chez Maud*, le pari de Pascal en version marxiste. Ce sera comme grand romancier du destin social et de sa fatalité, de la militance politique et de son désenchantement, ce sera comme auteur d'un des plus cinglants pamphlets jamais écrits, dans une langue, au reste, admirable, qui prouve, après d'autres, l'inanité de la thèse suivant laquelle il n'y aurait de bonne polémique, littérairement parlant, que de droite. *Aden Arabie*, et son fameux incipit, fut très lu par la génération de 68. Il mérite d'être découvert par les suivantes qui peuvent entendre dans cette voix dure, qui se force un peu à la dureté, un écho à leurs révoltes et à leurs troubles, comme elles l'entendraient, je le crois, dans *Antoine Bloyé*, *Le Cheval de Troie*, *La Conspiration*.

Bonne lecture, donc. Celle de cette biographie, puisque vous y êtes, mais n'oubliez pas, après, de commencer par le commencement : ce mort-là, deux fois tué, trois fois enterré, ce n'est pas de piété qu'il a besoin, encore moins de pitié, mais de lecteurs.

DRAMATIS PERSONAE

Paul-Yves Nizan, intellectuel.
Pierre Nizan, ingénieur.
Clémentine Nizan, née Métour, épouse et mère.
Jean-Paul Sartre, camarade de classe.
Raymond Aron, camarade d'École.
Léon Brunschvicg, professeur de philosophie.
Jean-Richard Bloch, compagnon de route.
Henriette Nizan, née Alphen, dite Rirette, compagne.
Antonin Besse, homme d'affaires nietzschéen.
Georges Friedmann, Norbert Guterman, Henri Lefebvre, Georges Politzer, Pierre
    Morhange, étudiants en philosophie.
Simone de Beauvoir, étudiante en philosophie.
Anne-Marie et Patrick Nizan, enfants.
Pierre-Gaspard Lévy, mécène.
Jean Guéhenno, directeur de la revue *Europe*.
Maurice Thorez, secrétaire général du PCF, Section française de l'Internationale
    communiste.
Léon Moussinac, cinéphile communiste.
Louis Aragon, poète français.
Elsa Triolet, sa femme.
Jacques Duclos, homme de confiance du Komintern.
Roger Ginsburger, futur Pierre Villon, homme de confiance du Komintern et de
    Jacques Duclos.
Joseph Staline, secrétaire du Comité central du Parti communiste de l'Union
    soviétique.
Gabriel Péri, journaliste communiste.
Danielle Casanova, cadre communiste.
Laurent Casanova, son mari.
André Chamson, romancier radical-socialiste.
Louis Martin-Chauffier, journaliste démocrate-chrétien.
Simone Téry, intellectuelle, amoureuse de Paul-Yves.

Yvon Delbos, ministre.

George V, roi mort.

Jean-Marie Goasmat, coureur cycliste.

George VI, roi couronné.

Neville Chamberlain, Édouard Daladier, Adolf Hitler, Benito Mussolini, munichois.

Mme Leverrier, égérie.

W. H. Prestage, lieutenant-colonel anglais.

Heinz Guderian, général allemand.

Un soldat de la 1re Panzerdivision, resté anonyme.

À Rirette.

« *Une des rares créatures que le destin met en circulation sur la terre pour son usage personnel.* » Le mot est
beau. Il fut prononcé pour la première fois, sur la scène
d'un grand théâtre parisien, un soir de novembre 1935.
L'auteur s'appelait Giraudoux, la créature, Hélène,
femme de Ménélas, amante de Pâris. Au même moment,
un roman apparaissait aux devantures des librairies, qui
s'intitulait, un fait exprès, *Le Cheval de Troie*. Son
auteur, Paul-Yves Nizan, était un jeune militant révolutionnaire très doué. Il y parlait, à son accoutumée, de
l'absurdité de la mort et du sens de la révolution.

La guerre de Troie eut lieu. Le jeune romancier fut
tué, absurdement. Le cheval révolutionnaire n'entra pas
dans la citadelle ; depuis, il pourrit au-dehors.

Nizan était de ces créatures-là.

Paul-Yves

« "Vois-tu, dit Berliac à Lucien, les vraies victimes de la guerre, c'est nous." C'était bien l'avis de Lucien, et ils convinrent qu'ils appartenaient tous deux à une génération sacrifiée. »

(*L'Enfance d'un chef*)

Un enfant naît ; une mère accouche, dans les douleurs convenues ; un père survit. La scène se passe en 1905, le 7 février, à cinq heures du soir, dans l'une de ces villes qu'on appelle paresseusement une bonne ville : Tours, métropole des Gaules, quelque part dans le plus-que-français.

Une généalogie

Côté du fils – « *Monsieur, c'est un garçon* » –, rien à signaler, si ce n'est des pierres, des moellons creusés par les escarbilles, noircis par la suie, rue Raspail, près des dépôts du chemin de fer, à bonne distance des vieilles rues archéologiques et des quartiers résidentiels. Drôle de coutume qu'ont les hommes de rattacher une naissance, l'acte le plus charnel qui soit, à une adresse, un bâtiment, une plaque sur un mur. Mais coutume pas si sotte, puisque aussi bien l'acte le plus charnel est aussi le plus social, cette irruption dans un monde construit par des traités d'obstétrique, des formules de baptême et des déclarations d'état civil.

Qu'on se rassure, il n'y a pas de plaque. La ville de Tours ignore qu'elle a donné le jour à Nizan. Nizan s'en moque. Et, surtout, il n'y a plus de rue Raspail, ou plutôt la rue Raspail d'aujourd'hui n'a plus que le nom et le tracé de communs avec celle de 1905, privée de ses ateliers, de son passage à niveau et de la statue de son révolutionnaire barbu. La guerre est passée par là. Au nord de la Loire, elle a tué Nizan, au sud, elle a écrasé sa maison natale sous les bombes. Il ne fait pas bon habiter près du dépôt, ni se trouver dans l'armée des vaincus, autour de Dunkerque, en mai 1940. *Fatalitas*. Pour le reste de l'histoire, on peut rêver quand on découvre que la rue Raspail est située aujourd'hui quelque part entre la rue Jules-Guesde et la rue Christophe-Colomb…

En attendant le jour, point si lointain, où elle sera veuve et mère d'un mort pour la France, Mme Nizan peut être heureuse. Sans doute l'est-elle. Mais surtout satisfaite. La naissance de cet enfant sanctionne le récent et inattendu retour d'affection de son mari, si éloigné d'elle ces dernières années. Elle annule presque la mort en 1903, à l'âge de six ans, d'une petite fille unique, Yvonne. Dans la mort de l'une, la naissance de l'autre, Clémentine Anaïs Métour voit bien le doigt de Dieu, qui n'a pas voulu laisser sa servante se dessécher dans la stérilité, cet enfer sur la terre de la *genitrix*. Le garçon, lui, saura très vite qu'il prend la place d'une morte, qu'il la compense, la prolonge. Une morte qui chantonnait d'étranges chansons noires :

> « *Quand les mamans ont été mortes*
> *Les papas ont tout fait à leurs enfants.* »
> « *Quand on tue les oiseaux la nuit*
> *Les oiseaux noirs se forment en pluie.* »

Il n'est pas près de l'oublier.

Le côté du père se résume tout entier dans une généalogie. S'il y a des êtres dont l'arbre familial, amont et aval, explique, déplie le destin, Paul Nizan est de ceux-là. Il naît d'ailleurs en un temps et une société où l'on s'acharne. Il ne suffit pas de léguer ses gènes, il faut encore imposer des prénoms qui, dans leur accumulation, veulent résumer des pans entiers d'histoire ancestrale. Ainsi notre garçon s'appelle-t-il, sur les registres, Paul Pierre Yves Henri.

Paul, c'est l'hommage à la lignée maternelle, les Métour, au sommet de laquelle trône alors un père redouté, solide comme un roc dans une réussite sociale dont témoigne son mépris pour les ratés, les faibles et le genre humain en général : ancien marin, il a vu son courage physique et son esprit d'initiative encadrés par le mariage d'une Élisa Fignolleau, et mis sur rail par la Compagnie du Chemin de Fer de Paris à Orléans, dont il terminera administrateur.

Pierre, Yves, c'est le salut de la lignée Nizan, dont l'héritier s'attardera maintes fois, dans ses écrits, à commenter l'itinéraire. Destinée si commune qu'elle en devient exemplaire, avec ces paysans bretons, petits fermiers et métayers de la Basse-Vilaine mis en branle par la « Révolution industrielle » des économistes. Paul ne manquera jamais d'affirmer qu'il serait l'arrière-arrière-petit-fils d'un vrai chouan, rôtisseur de pieds républicains, mort fusillé par un parti de Bleus le long du mur d'une grange, ou que la légende familiale rencontrait le nom de La Tour d'Auvergne, le soldat patriote. Moyen comme un autre de s'enraciner plus profond dans la communauté bretonne, par le biais de quelques-unes de ses figures les plus typiques, mais moyen superflu : tout paysan breton descend d'un chouan ou de La Tour d'Auvergne.

Là, du temps des Yves, n'est pas l'histoire. L'histoire, le temps des Pierre, vient après, vers le règne de Napoléon III, l'empereur des paysans et de la Haute Banque réunis. Quand la Haute Banque va au-devant des paysans, cela s'appelle un chemin de fer. À Paris, quelque part entre les Tuileries et la rue de Londres, des demi-dieux tracent des lignes noires sur des cartes d'état-major, impriment des coupons de papier cotés en Bourse. Quand le chemin de fer rencontre le métayer Jean-Pierre Nizan, le promis à Anne-Marie Bloyé – vous savez, la fille du fermier d'Allaire –, il le déracine et en fait un garde-barrière, puis un « contrôleur de route », enfin un « contrôleur chef ». Allaire, Pontchâteau, Saint-Nazaire, du village redonnais au gros bourg, et du gros bourg à la ville toute neuve, ouverte sur l'Atlantique, les colonies : c'est toute l'histoire du XIXe siècle. C'est aussi ce que l'on appelle une carrière, un mot inconnu des paysans.

Né plus de quarante ans après la rupture, Paul tiendra cependant à rappeler qu'il en est toujours comptable. Comme le Laforgue de *La Conspiration*, « *infidèle à son père qui a tant fait pour lui et qui ne se prive pas mon Dieu de le lui reprocher, il peut se consoler en s'écriant qu'il est du moins fidèle à son grand-père* »[1].

Face à l'abstraction bourgeoise et à toutes ses épiphanies, le concret du paysan, de l'artisan, fera désormais partie de sa mythologie portative, en cas de drame. Un grand-père métayer-garde-barrière est toujours utile, dans une discussion avec un fils de banquier, comme Georges Friedmann, ou un petit-fils de lexicographe, comme Jean-Paul Sartre. Dans ses crises d'identité les plus violentes, il pourra dire : « *Je suis un Français paysan : j'aime les champs ; j'aime même un seul champ* »[2] ; et la rage de saisir à la gorge « *ce petit-fils de paysans et d'artisans devant une existence consacrée à des tâches inexplicables qui ne se mesurent pas en dernier ressort à la croissance d'une moisson ou à la production d'un outil* »[3].

En aval de cette béance se tient le père, Pierre (Marie-Joseph) Nizan, premier héros personnel du fils avant d'être un quart de siècle plus tard son premier héros romanesque, sous le nom d'Antoine Bloyé. Il est né à Pontchâteau, première étape ferroviaire de l'ancien métayer, le 23 mai 1864. La liste de ses états de service à la date de 1905 est plus éloquente que bien des chapitres de roman. Elle éclaire d'un jour cru l'aliénation des hommes de l'encadrement, dressés, par un *tchin* digne des meilleures bureaucraties césariennes, à se représenter leur vie comme une suite de promotions (espérées, promises, octroyées, refusées…) infinitésimales.

Faisons grâce des passages d'échelon. Reste le beau *cursus* suivant[4] :

> 1879 : forgeron aux Ateliers de la Loire, à Saint-Nazaire ;
> 1880 : admis (17e sur 77) à l'École nationale des Arts et Métiers d'Angers ;
> 1883 : ajusteur aux Ateliers de Tours ;
> 1887 : élève-machiniste, aux appointements de 1 800 francs par an ;
> 1891 : contrôleur de traction ;
> 1893 : sous-chef de dépôt à Aurillac ;
> 1894 : sous-chef de dépôt à Montluçon ;
> 1895 : sous-chef de dépôt à Limoges ;
> 1897 : sous-chef de dépôt à Angers ;
> 1899 : contrôleur du matériel et de la traction à Tours ;
> 1901 : chef de dépôt à Brive ;
> 1901 : chef de dépôt à Limoges ;
> 1904 : chef de dépôt principal à Tours, à 4 200 francs par an.

De Tours à Tours, en passant par Tours, la boucle est bouclée, au service de la même entreprise, la susnommée Compagnie du Chemin de fer de Paris à Orléans. L'escalade et le nomadisme se poursuivront bien entendu après la naissance de Paul, puisqu'on retrouvera Pierre en 1907 chef des ateliers d'essai de Périgueux, en 1915 chef des établissements de Choisy-Bâches, dans la banlieue parisienne, en 1923 ingénieur principal des grands ateliers de Bischeim (réseau Alsace-Lorraine), au traitement de 26 000 francs par an – mais les temps ont changé, et l'inflation galope.

Pierre Nizan galope, lui aussi. Dans les interstices de ses promotions, il trouve le temps de glisser un service militaire (dans le génie, en 1885-1886, à Montpellier), un mariage hiérarchique (avec Clémentine, la fille d'un supérieur, de neuf ans sa cadette), l'année où il passe contrôleur de traction, un enfant chétif, qui sera la « petite Marie » d'*Antoine Bloyé*, un enfant qui survivra plus longtemps enfin, Paul. Il a beau ne plus être l'employé en uniforme qui déambule sur le quai d'une gare perdue, participer à l'aristocratie de la traction, l'homme en pékin que les ajusteurs saluent n'est jamais que dans l'antichambre de la bourgeoisie, si l'on accepte la définition qu'en donnera son fils : « *Les bourgeois, ce sont des hommes qui peuvent changer d'avenir et qui ne connaissent pas toujours la figure qu'il prendra.* »[5]

Cet avenir qui change et reste incertain, c'est le fils qui le connaîtra, marquant ainsi la dynamique de la famille Nizan de sa deuxième vraie rupture contemporaine, le passage de la petite bourgeoisie industrielle à la bourgeoisie intellectuelle. Et le tout donnera, cent ans après Jean-Pierre :

> un métayer, qui engendre
> un employé des chemins de fer, qui engendre
> un ingénieur des chemins de fer, qui engendre
> un agrégé de philosophie, qui engendre
> une publicitaire, mariée à un journaliste parisien de renom, qui engendre
> un chercheur et essayiste, diplômé de Cambridge, collaborateur, un temps, du journal *Le Monde*, directeur de collection chez un éditeur parisien, etc.

Oui, l'avenir change ; mais peut-être aura-t-il fallu pour cela que, sous les yeux du fils de 1905, deux autres destins aient bifurqué. Celui de son père, soudain remis en cause par le système lui-même, et celui de toute sa société, blessée à mort par des coups de feu bosniaques. Et, comme on le verra, l'une et l'autre bifurcation ne seront pas sans lien entre elles.

De bons parents

Les mères n'ont pas très beau visage, dans l'œuvre de Nizan. Mme Rosenthal, grande bourgeoise du XVIe arrondissement, fait montre d'une froideur égocentrique tout à fait remarquable. Mme Laforgue, moyenne-bourgeoise, « *est une femme décorative et frivole qui passe son temps à voir des dames de son rang et qui vit assez exactement à Strasbourg comme la femme d'un haut fonctionnaire à Hanoï ou à Casablanca* »[6]. La plus peuple de toutes, la mère de Serge Pluvinage, est « *une de ces femmes qui accablent leur mari et leurs fils d'une tendresse pleureuse, exigeante et molle* »[7], termes qui conviendraient parfaitement à la femme d'Antoine Bloyé, la plus proche à coup sûr du modèle que l'auteur avait eu sous les yeux, et contre le cœur, dans sa jeunesse.

Clémentine Nizan n'aurait ainsi influencé son fils que négativement. Pieuse, elle n'a pu l'empêcher de s'écarter de la religion catholique dès l'adolescence. Conservatrice, elle l'a vu expérimenter à la même époque toutes les solutions possibles pour faire la nique à l'ordre établi. Bornant son horizon aux tâches ménagères et à la comédie liée à son statut petit-bourgeois, elle a assisté au déploiement d'une trajectoire professionnelle et idéologique des plus anticonformistes. Mais on se méprendrait en reconstruisant le couple de Clémentine et de Paul comme le lieu d'une grandiose tragédie familiale. Mme Nizan n'a rien d'une héroïne de Mauriac, ni d'ailleurs de Jouhandeau.

Elle a su tisser autour de son mari le cocon protecteur qu'on attendait d'elle mais, écrasée par la forte personnalité de son père, elle n'eut jamais les moyens ni du matriarcat ni de la castration. Dans ces conditions il ne pouvait y avoir, de la part du fils, aux jours de l'adolescence, qu'ironie lucide, extinction progressive de l'affection, nullement rupture, aucune haine. Le ton des lettres que lui adresseront plus tard Paul et sa femme est tout empreint de gentillesse et de frivolité. Entre la pâtisserie et le tricot, entre *Ciné-Miroir* et Tino Rossi, cette petite femme trop tôt boulotte vieillira sans acrimonie, dans une grande ignorance, sembla-t-il à ceux qui l'approchèrent, des enjeux réels qui se jouaient autour de sa progéniture. Et puis, Paul avait avec sa mère une complicité fondamentale, la seule peut-être, mais de taille : ils s'étaient trouvés tous les deux, côte à côte, frappés de plein fouet par la crise d'identité du Père.

Autant en effet la mère paraît falote, autant le père s'imposera jusqu'au dernier jour avec une force singulière. Ce n'est pas un hasard si, lorsque Nizan aura à montrer, en Union soviétique, l'image du héros des temps futurs qu'il appelle de ses vœux, il se le soit représenté costumé en ingénieur[8]. Nizan, comme Sartre d'ailleurs, est un garçon qui a grandi dans un commerce privilégié avec un autre homme. Non que le père, surmené et consciencieux, fût sans cesse à la maison, mais parce que les moments d'échange entre eux deux, dans leur rareté même, semblent avoir atteint, jusqu'à un certain âge du moins, une grande plénitude.

Dans le couple parental, c'est le père qui paraît à l'enfant détenir le secret des choses, quand la mère ne semble s'entourer que de mots abstraits – religion, devoir, respect... – et d'actes creux. Dès les premiers temps, c'est lui qui s'est révélé comme détenteur du savoir. C'est au père que Nizan devra sa première berceuse, reprise par la mère, et qu'il transmettra à son tour à ses enfants : un air du Languedoc, appris lors du... service militaire. Un peu plus tard, c'est dans des catalogues de machines-outils que le petit Nizan trouvera matière à ses premiers découpages, et c'est le père, pas la mère, qui lui apprendra, non à jouer mais, beaucoup mieux, à fabriquer des jeux.

Dans la mesure où il a gardé de ses origines un contact plus fort que Mlle Métour avec la nature, c'est aussi le père qui, inversement, complémentairement, apprendra au fils à poser les collets, à ramasser les bogues, à couper le sureau. Paul évoquera plus tard avec émotion ces leçons de choses déguisées en promenades du dimanche après-midi. Souvent ils sont seuls tous les deux, car la mère, déjà pesante et vite essoufflée, préfère rester au logis. Quel contraste avec le matin, réservé à l'autre, au dieu de la grand-messe, à l'achat rituel des pâtisseries ! Combien pèse peu le mystère divin, en face du secret des semailles ou des ricochets. Quel rapport entre l'agenouillement transi sur un prie-Dieu et ce moment, inoubliable, où le père vous ramène à la maison à la tombée du jour, juché sur ses épaules, comme un géant de la Fable ?

Le pourfendeur des verbosités, des doubles langages, des hypocrisies intellectuelles n'oubliera jamais les leçons de savoir pratique où il avait appris « *à aimer les ouvrages bien conduits par la tête et les mains* »[9]. L'élève studieux, le khâgneux bûcheur, le militant omniprésent devront beaucoup à ce bourreau de soi-même dont « *toute la sagesse contenait simplement l'obéissance au travail* »[10].

Il y a donc de larges pans lumineux dans ces enfances nizaniennes, ceux-là aussi qu'éclairent, l'été, les échappées bretonnes. Redon, la petite ville endormie où se sont retirés, sur la route de Rennes, les grands-parents paternels, Auray, « *pleine de petits secrets somnolents* »[11], les routes du Morbihan, aux longs petits murs de pierre recouverts de mottes sèches, et surtout la mer, dans le « pays rosé » de Quiberon. On le traîne à Belle-Île s'extasier devant les quatre-mâts que s'obstinent à mettre en bouteille les retraités de la marine, mais ce sont les mouettes qui le fascinent et les espiègleries de ses copains de plage, les « Ritatouts » – ceux qui rient à tout –, qui le retiennent, avant qu'un peu plus tard les chastes dénuements balnéaires ne lui découvrent le désir des corps.

En foi de quoi l'enfant est du côté du père, et se fera toute sa vie prénommer Paul-Yves (prononcer « Polive »), en hommage à la souche bretonne.

Comment expliquer alors que ce garçon moyen, enfant unique d'un couple moyen, ait pu, en arrivant en cours d'année, au printemps 1916, dans une classe du lycée Henri-IV, trancher sur ses camarades au point d'avoir laissé, après quarante ans, une impression aiguë, très précise, sur la mémoire de l'un d'entre eux, l'externe Sartre Jean-Paul[12] ? Pourquoi dès cette époque arborait-il cette « *sorte d'objectivité cynique et légère* » et cette distance ironique à l'égard de ses parents, fort en avance sur son âge ?

Aucun biographe n'a les moyens d'expliquer au fond de telles mutations, en vertu du principe que les années les plus déterminantes pour la constitution d'une personnalité sont généralement celles sur lesquelles il disposera toujours des informations les plus floues. Proposons tout de même une piste. Nizan nous y invite, qui n'a cessé de parsemer ses écrits d'allusions mystérieuses à une rupture située aux alentours de 1916, parfois en termes scolaires, ironiques, tel ce désir, vers 1926, de « *retrouver la vérité perdue depuis qu'il est rentré, il y a dix ans, en 6ᵉ* »[13], plus souvent en termes d'âge : le « *j'étais tel jusqu'à douze ans, je me reconnais* » qu'il sent renaître à Aden[14], le « *entre cinq et douze ans, tous les hommes sont faits pour s'entendre* » d'*Antoine Bloyé*[15]. Ledit enfant de douze ans n'est sans doute pas encore en état de juger aussi sévèrement qu'il le fera par la suite les « *ingénieurs savants et stupides* »[16] du cercle paternel, les rentiers 3 % du cercle maternel, les petits-bourgeois recroquevillés (« *c'étaient des hommes qui aimaient les gendarmes* »[17]) de l'un et l'autre. Mais il avait pu déjà assister à l'ébranlement de son idole, sans préjudice des dégradations encore plus graves à venir.

La naissance même d'un fils, ses premiers pas, son commerce avec lui avaient-ils été l'occasion pour le père d'un premier retour sur soi-même, sur une vie aliénée au travail où l'on n'a guère qu'« *un métier et un tempérament* »[18], autant dire rien ? Avait-il été saisi, comme Antoine Bloyé, de cette intuition flagrante : « *Mon fils me vengera* »[19] ? Possible, mais improbable. Ce qui peut être aisément vérifié, par contre, c'est que le 28 juin 1914 on a assassiné à Sarajevo un archiduc autrichien et que le 7 décembre suivant, Monsieur le chef des ateliers d'essai de Périgueux reçut du détachement bordelais de l'Inspection des forges de Toulouse (artillerie) ce télégramme, pieusement conservé dans ses archives : « *Avez commis erreur dans vérification balourd obus 75. Couteaux devraient porter en dehors évidement qui peut être excentré pour corriger balourd. Arrêtez vérifications supplémentaires. Explications suivent lettre.* »

Ces mots obscurs signifiaient que, si Pierre Nizan n'était pas traîné devant les tribunaux militaires pour sabotage en temps de guerre, il n'était pas question qu'il restât longtemps à un poste d'une telle importance stratégique. Dans leur grande mansuétude, les demi-dieux de la rue de Londres reconnurent son innocence. Mais, quoi, on était en guerre. L'imparable négligence qui finit un jour par s'introduire dans tout système clos devenait du coup, sur fond tricolore, une faute grave. Il fut nommé, on l'a vu, à la tête des magasins de Choisy, quelque part parmi les voies de garage de la banlieue sud. Soixante hommes sous ses ordres, au lieu de mille cinq cents, un éloignement visible des lieux où se combinent les actes, les outils qui comptent. L'homme de la Compagnie sentit son univers se fracturer.

Il semble bien que la sanction professionnelle, aggravée chez ce quinquagénaire actif par l'oisiveté relative à laquelle on le confinait, ait exacerbé une certaine prédisposition au retour morose sur le passé. L'angoisse obscure d'avoir gâché sa vie émergea à la conscience du père. L'insomnie, la fugue le saisirent, jetant dans le désarroi Clémentine qui, la nuit, s'en allait réveiller son fils, le mot de suicide à la bouche. On voyait pourtant revenir le père au matin, plus fatigué et hérissé que vraiment hagard : « *Je n'ai pas le droit de faire ce qui me plaît ?* » Nizan aura un jour une belle phrase : « *Aussi longtemps que les hommes ne seront pas complets et libres, ils rêveront la nuit.* »[20] On ne saura jamais quels étaient les rêves du père et du fils, mais on peut deviner à quel point ces nuits de la plaine de Choisy, entre le fleuve et les voies, pouvaient ressembler pour l'un et l'autre à des cauchemars éveillés.

Dans un déchirement violent, le double échec du couple parental et du père se découvrait soudain. L'amour de Mme et M. Nizan se mit à ressembler à ce qu'il était sans doute depuis longtemps : un nom qu'on donne paresseusement à une simple « *unité d'intérêts, de recettes, de dépenses, d'économies, de jugements, de phrases toutes faites* »[21], à un « *échange de phrases et de services* »[22]. Quant au père, il se révèle à lui-même et aux autres comme un vaincu. Le secret des paroles viriles, efficaces, est désormais perdu. « *L'âge des imitations est passé* »[23], on entre dans celui de la « *confuse défiance* », où le petit Pierre Bloyé du roman découvre haineusement le désir de son père pour la bonne. Comme le Pluvinage de *La Conspiration*, il ne cherche plus dans les yeux des êtres de réponses « *mais seulement des soupçons, des jugements, des questions, du mépris, de l'orgueil* »[24]. Encore un peu de temps et les discours du père ne seront plus que du vide, l'étalage d'« *une suffisance insupportable et [d']un orgueil professionnel* »[25] accablant, à l'instar des soirées familiales, « *pleines de discours sur la fabrication des machines, la direction des entreprises et les vices sournois de la classe ouvrière* »[26] ; insensiblement,

M. Nizan se met à ressembler à M. Métour père, redoutable abatteur de lieux communs élitistes. À sa mort, comme à celle d'Antoine Bloyé, son fils pourra sans doute dire qu'ils n'étaient plus capables, l'un et l'autre, depuis des années d'échanger « *un seul mot humain* »[27].

À quelque chose malheur est bon. Grâce à ce limogeage à rebours, qui fit qu'on sanctionnera un homme de Périgueux en l'envoyant à Paris, le jeune Nizan connut soudain un horizon à la taille de son avidité et de sa colère naissantes. Bien sûr, il découvrit la capitale, ses hauts lieux, sa fébrilité excitante, bien sûr, il devint de ces jours-là le Parisien convaincu qu'aucun voyage, aucun séjour au sud, à l'est, au centre ne dénaturalisera. Mais il apprend d'abord la grande ville des hommes sur un autre livre, la banlieue sud, entre Vitry et Choisy, ces quadrilatères populeux qui paraissent descendre vers l'Italie et qui, en fait, butent sur des usines chimiques.

Fatalité des maisons de fonction ferroviaires, à laquelle n'échappe pas celle des Nizan, près du pont d'Alfortville, malgré son jardin touffu d'ombre et de fraîcheur : bon gré mal gré la petite bourgeoisie se trouve accotée à la fumée des chaudières, au tas de charbon, à la steppe de mâchefer, aux usines sales ou, pire, corrosives. Aucune cache, aucune distance. Pour un jeune enfant en quête, cette confrontation est une bonne école de révolte. Pour Paul-Yves, pas de doute : « *C'était une colère qui était là, contre les choses qu'on ne peut accepter, elle l'habite-rait peut-être toute sa vie.* »[28] La visite des ateliers sous la férule du père, qui croit dresser un futur commandeur, complète le tableau de l'exploita-tion. Du coup, les jugements à l'emporte-pièce du grand-père Métour sur les ouvriers qui, s'ils avaient connu son temps…, la méchanceté recuite des petits chefs, le ton protecteur des supérieurs hiérarchiques, tout se met à sonner faux. L'ordre des choses est cul par-dessus tête.

Le dieu qui le surplombe fait, l'un des premiers, la culbute. « *Dieu, c'est la même chose que le hasard et les gouvernements. C'est ce qui écrase.* »[29] Au-dessus, la Patrie commence à pâlir, même s'il ne faut pas prendre au pied de la lettre le seul texte où Nizan parlera de lui-même costumé en enfant de guerre, l'un des premiers, cependant, que nous pos-sédions de lui : « *Les années qui furent ornées par la présence de la guerre furent bien pour moi ces très grandes vacances, auxquelles la mort, la liberté accordée aux enfants, les jeux violents de nos aînés four-nissaient de mystérieux aliments. Ce désordre était celui de l'enfance qui s'y retrouvait, parmi les catastrophes, les deuils et les déguisements des grandes personnes. Une fantaisie enfantine régnait. On me contraignait pourtant, les jours de victoire, à me découvrir devant des drapeaux dont les destins m'étaient indifférents. »*[30]

L'armée, école du crime, dit-on parfois. La guerre, on le devine, pouvait, insidieusement, dans le dos des hommes d'ordre, fournir à la subversion des troupes fraîches et joyeuses. Elle tue les pères, réellement ou métaphoriquement, d'une balle, d'un télégramme ou d'une simple absence. Pendant ce temps-là, « *dans les nuits des raids, enflammées par les bombes, les sirènes, les hurlements des chiens dans les caves, les incendies, les enfants s'amusaient* »[31].

Parmi ce peuple vêtu de noir par le puritanisme, la dévotion ou l'état journalier des pertes, le petit Paul se costume lui aussi de sombre, mais c'est, dans la cave, pour jouer à Fantômas.

Heureusement, les pères ont des substituts à la destination spéciale des jeunes esprits rétifs. On les appelle des professeurs.

Prix Victor Duruy

Aux yeux d'un proviseur, le trajet de l'élève Nizan Paul est semblable à celui de l'ingénieur Nizan Pierre : une montée régulière jusqu'aux sommets du Parnasse universitaire. *Sic itur ad astra*, comme disait le président de la distribution des prix au futur savant Cosinus. Enfourné à six ans et demi dans l'école primaire, il entre peu après au petit lycée de Périgueux. C'est dire que ses parents lui font déjà prendre ses distances, en ce temps où l'enseignement public réussit ce tour de force d'être tout à la fois gratuit et payant aux mêmes niveaux, c'est-à-dire cloisonné : un jeune fils de bonne famille admis en 12e d'un lycée, soumis à un programme spécial, confié à des instituteurs spéciaux, ne fraiera jamais avec les enfants de la Communale.

Quand, en 1916, le fils en question arrive à Paris, ses brillants résultats périgourdins lui valent d'être admis dans l'un des deux prestigieux lycées de la capitale, Henri-IV, de cent mètres plus près du Panthéon des Grands Hommes que Louis-le-Grand.

Sans doute n'y est-il qu'interne, ce qui n'est pas une mince distinction dans cette société lycéenne où les externes sont fort conscients de tenir le haut du pavé et regardent déjà les demi-pensionnaires comme des métis, mais, enfin, il est dans la place. On sait peu de chose de cette vie de pension, dont on devine qu'elle joue un rôle majeur dans l'élaboration des rapports que l'adulte entretiendra avec la société. En tous les cas, elle est studieuse. L'exemple du père est encore là pour convaincre le fils prodigue qu'il se doit de figurer sans tarder parmi les meilleurs pour survivre, en d'autres termes passer dans la classe supérieure. Peut-être pensera-t-il à lui quand, faisant plus tard le compte rendu de l'autobiographie de H. G. Wells, il évoquera « *le ressentiment profond de l'adolescent de petite bourgeoisie, qui se sent supérieur par les dons à ceux que la condition économique et politique désigne comme des maîtres, une sorte de stendhalisme* »[32]. Disons qu'il entre dans sa période stendhalienne.

L'imitation du père n'est pas universelle. Ainsi le fils de l'ingénieur manifestera toujours une « *répugnance suspecte pour les mathématiques* »[33], bien propre à lui éviter de prendre le chemin des grandes écoles scientifiques. Pour le reste, celui qui dénoncera plus tard dans l'enseignement bourgeois l'apprentissage de la trahison de classe trahit fort convenablement.

Plus lauré, au départ, que l'externe « Jean Sartre » (devenu en 5e A, division II, l'externe Paul Sartre : on mettra du temps à savoir à qui on a affaire), il capitalise dès 1917 divers seconds prix et, en 1918 et 1920, le premier prix de composition française. Quand, cette année-là, après un détour de trois années par La Rochelle, Sartre rejoint celui qui va devenir définitivement son « petit camarade », leur amitié va se doubler d'une émulation scolaire attendrissante. En Première A, Sartre est prix d'Excellence, Nizan prix Victor Duruy (« *prix fondé par Mme Victor Duruy en mémoire de son mari, décerné à l'élève de Première qui s'est le plus distingué en histoire* »). Prix de composition française : Sartre ; premier accessit : Nizan. « *Élève distingué, à qui il ne manque qu'un peu de discipline* », dira du premier M. Georgin, l'helléniste, au troisième trimestre, élève « *certainement doué pour les lettres* »[34], dira-t-il du second.

L'année suivante, le même scénario se reproduit, en division B, mais cette fois le terrain en est la philosophie. Premier prix : Paul Sartre, de Paris, interne ; deuxième prix : Paul Nizan, de Tours, interne. Ni l'un ni l'autre n'ont cependant droit au prix d'Excellence. Comme on entre dans les choses sérieuses, les annotations magistrales se font plus serrées. Les esprits spéculatifs peuvent rêver à l'infini sur les deux appréciations de M. Chabrier, professeur de philosophie : Paul Nizan ? « *Excellent élève ; esprit curieux, déjà en possession d'idées plus étendues que bien digérées.* » Paul Sartre ? « *Excellent élève, esprit déjà vigoureux, habile à discuter une question ; mais doit compter un peu moins sur lui-même* »…

À travers ces lignes rares, sèches et rhétoriques se discerne en Nizan un élève consciencieux, un interne perfectionniste, « *préoccupé et inquiet de suivre et de faire tout ce qu'on recommande* » (appréciation de seconde), un beau gibier à classe préparatoire – il y entrera en octobre 1922 –, un futur élève de la rue d'Ulm – il y fut reçu en 1924. Monsieur le Proviseur peut refermer le dossier scolaire. Tout, de son point de vue, est dit.

Le reste appartient à des domaines moins avouables, moins chiffrables. Pour parler de Nizan, non plus tirant la langue sur une dissertation mais confiant ses convictions, ses doutes, ses espoirs tout en tournant autour des cours d'« H-4 », il vaut mieux se tourner vers d'autres sources, même si les rétrospections qui leur servirent de cadre leur confèrent à tout jamais une couleur plus crue qu'elles n'avaient peut-être.

Ce n'est pas un hasard si les deux textes autobiographiques de Sartre se révèlent comme hantés par le fantôme de son vieil ami : *Les Mots*, qui s'achèvent à peu près sur son entrée dans la classe d'H-4 où, dès la première minute, il l'attire et le retient [35] ; et, bien entendu, cette sorte de dernier chapitre des *Mots* que sont la cinquantaine de pages publiées en 1960 en « Avant-propos » à *Aden Arabie*.

Un peu dès 1916, tout à fait à partir de 1920, où cette fois ils se retrouvent tous les deux internes, les deux enfants orphelins de père (celui de Sartre, lui, est mort quasiment en le faisant), les deux petits loucheurs (« *il louchait comme moi*, dira Sartre, *mais en sens inverse, c'est-à-dire agréablement* »[36]) vont se reconnaître frères, complices en révolte intellectuelle contre les pères, grands-pères et autres *alma mater*. Ce n'est pas eux qui seront dupes, pas eux qu'on fera ressembler à ces enfants du Luxembourg « *qu'on attendrissait sur les animaux pour les endurcir sur les hommes* »[37], ah, non ! À seize ans, ils se sont confié l'un à l'autre qu'ils avaient décidé de faire leur salut par l'écriture – on sait que la genèse de cette conviction fait tout l'objet de l'examen de (mauvaise) conscience des *Mots*. En attendant ce jour béni, qui passe nécessairement par l'entrée dans une grande école littéraire, ils s'exercent à être des surhommes. Sur les tableaux noirs de Philo B, ils déposent des messages codés où Nizan devient R'hâ et Sartre, Bor'hou.

C'est Nizan qui a eu l'idée, et créé les noms, en excipant de vagues références gaéliques, surgies de son atavisme celte. Il domine le couple. Au tableau d'honneur, il peut être parfois dépassé par Sartre, mais il est visiblement le plus brillant. « *Nizan était étonnamment doué*, dira cinquante ans plus tard Raymond Aron, évoquant le temps des classes préparatoires, *beaucoup plus que Sartre. Sartre bossait sur ses dissertations,*

Nizan les faisait avec une désinvolture qui nous émerveillait. »[38] Le séjour rochelais avait fait perdre au Parisien de naissance le contact avec le fin du fin de l'avant-garde culturelle. À son retour, il constate que Nizan en est à Gide, à Giraudoux, quand lui n'est pas encore sorti de Claude Farrère et d'Anatole France. La curiosité insatiable de Paul-Yves est pour son compagnon le meilleur des excitants, l'entraîne sur les sentiers de traverse. Et quand, ensemble, ils s'en vont reconnaître dans la nuit de Paris l'étoile Aldébaran, leur préférée, quand brusquement les yeux de Nizan, qui n'en avaient pas l'habitude, « *devenaient transparents et gais* »[39], alors leur « *drôle d'amitié* » atteignait son apogée. Le premier texte romanesque retrouvé à ce jour sous le nom de Sartre, *La Semence et le scaphandre*, ne parle pratiquement que de l'Autre costumé en Lucelles. Quand, vers 1923, Jean-Paul Sartre s'avise d'écrire, il n'est occupé que de Paul-Yves, avec des mots d'amant jaloux.

Du romanesque, là-dedans, sans doute, mais celui de Julien Sorel, celui qui les fait monter un soir au Sacré-Cœur pour y prononcer en ricanant les mots propitiatoires « *Hé ! hé ! Rastignac…* »[40] Quand ils élaborent une cérémonie d'initiation à l'entrée dans la confrérie des Surhommes où ils ne sont que deux et entendent bien le rester, ces romantiques art-déco y incluront le conchiage (verbal) de l'armée française et du drapeau tricolore.

C'est qu'on est dans l'après-guerre et qu'il n'y a rien de plus insupportable à un adolescent qu'une guerre, si ce n'est un après-guerre. Le 13 juillet 1919, à la distribution des prix, le lauréat de 3e AI n'a pas pu ne pas entendre la magistrale péroraison de M. Senil [*sic*], agrégé d'allemand : « *Mieux que personne vous appréciez, par l'effet du repoussoir boche, l'immense privilège d'applaudir à une race de loyauté et de droiture, où l'Honneur est une religion.* »[41]

Il ne lui faudra pas beaucoup de temps pour estimer, au contraire, qu'il n'y a plus sous l'Arc-de-Triomphe qu'un « *gaz imbécile* »[42], pour ne mépriser « *personne plus profondément que les Anciens Combattants* »[43], pour voir dans l'Europe des traités un univers où des « *noms de châteaux et de parcs dissimulent mal le sang et les violences futures* »[44]. Assurément, voici la génération qui « *data l'histoire à partir de 1914* »[45], celle dont les aînés, à de très rares exceptions [46], ont failli.

Un professeur de seconde notait en 1920 que cet élève ne croyait « *pas assez à la vertu de la simplicité et du sens commun* ». Eh bien, non, il n'y croit pas assez. En quoi il n'est pas frère de Sartre seulement, mais aussi d'hommes qu'il rencontrera un jour et dont il connaît alors à peine les noms sulfureux, un Tristan Tzara, un André Breton, un Louis Aragon.

Trop jeune pour être Dada, trop affamé pour le suicide (il y pensa, affirme Sartre), il a le temps d'expérimenter pour son hygiène personnelle quelques déguisements variés. Vers l'âge de quinze ans, il songe aux ordres, puis s'empresse de ne derechef pas croire en Dieu : « *Ce magicien ne protège plus que les fondeurs de fers, les filateurs et les marchands de caoutchouc.* »[47] Un peu plus tard, en 1923, il envisage beaucoup plus sérieusement de se faire protestant : « *Mais tu ne crois pas en Dieu* », lui lance Sartre, « *Eh non, mais leur morale me plaît.* » Ce n'est pas la dernière fois que Nizan va choisir une Église pour sa morale.

À l'étonnement indigné de son petit camarade correspondit, il est vrai, celui de toute la famille. La mère menaça de couper les vivres. Le grand-père Métour tonna une dernière fois : « *J'ai été profondément surpris d'apprendre que le jeune homme avait eu l'idée de se faire protestant. Heureusement, il paraît être devenu plus sérieux, mais tout de même tu as joliment bien fait de le tancer d'importance.* »

Suivaient la profession de foi d'un marin breton : « *Toutes les religions reviennent en une seule, celle du "tout pour nous rien pour les autres". Alors, à quoi bon en changer ?* », et celle d'un administrateur du chemin de fer : « *Qu'il se contente de devenir un homme de valeur, ce qui est fort beau, et qu'il se garde bien des questions politiques et religieuses. Tu embrasseras bien mon petit-fils pour moi et tu lui diras que son grand-père lui recommande de ne pas se laisser griser par des idées subversives.* »[48]

Sans doute, quelques semaines plus tard, le tancé affirmait-il encore à une amie : « *Il y a dans la foi des ressources admirables. Les seules aussi.* »[49] Mais pour ajouter tout de suite : « *Les consolations qu'on adresse aux enfants sont encore celles qui valent le mieux.* »[50]

Décidément oui, ce style de conversion avait tout du subversif. Quelque temps plus tard, il se déclara « matérialiste », et s'y tint.

Mais cet âge intermédiaire est celui des grands conseils virils. Un troisième Métour, Eugène, le frère de Clémentine, intellectuel singulier installé à Annapolis, Maryland, adressera peu après à Paul-Yves qui, visiblement, ne savait à quel saint se vouer, une lettre prêchant une philosophie plus conforme à l'état d'esprit du jeune homme, en cette orée des années 1920 (il la gardera toute sa vie dans ses archives) : « *Mon cher enfant, tu t'embarques dans une voie où tu apprendras très rapidement, en développant ton cerveau, que la race humaine n'est, somme toute, qu'un ramassis d'ignorants et de fanatiques. Mettons d'imbéciles.* »

Ça, c'était encore le ton du grand-père. Mais l'oncle Eugène était dia-lecticien : « *Seulement, rappelle-toi ceci : le cérébral ne saurait vivre en dehors d'elle, tout ce qu'il saurait entreprendre ne peut se rapporter qu'à elle. En dehors des théories homocentristes, souvent ineptes, il n'y a que l'inutilité de l'effort. Il faut donc aimer ses amis et ne pas trop mépriser ceux qu'une moins grande éducation ou un moindre développe-ment cérébral rabaisse à un niveau inférieur. [...] Dieu sait si je suis un darwiniste forcené et que pour moi toutes les religions se valent, mais je t'affirme que toute science est vaine et que l'univers n'a pas de sens pour quiconque n'admet pas que les hommes doivent s'aimer les uns les autres. On y vient à la réflexion et c'est là la source de toute morale comme c'est le secret de tout ordre intérieur* [...].*

« *Ton oncle, si tu y tiens.* »[51]

Dans la même lettre était aussi évoqué le projet du neveu d'entrer à l'École normale supérieure Lettres et de poursuivre – intéressante préci-sion qu'on ne retrouvera nulle part ailleurs – par l'« École d'Athènes »[52]. Par-delà les hésitations d'une âme mystique, l'héritier Métour ne perdait donc pas toute notion du concret. C'était le principal.

Titulaire, en 1922, du baccalauréat philo-grec, Paul-Yves avait vu sa place tout naturellement inscrite par les soins de M. Daux, proviseur d'Henri-IV, dans la classe de Lettres supérieures la plus proche, celle de l'illustre Alain. Comme il fallait cependant que les surhommes, même désaffectés, se signalassent par quelque éclat, Sartre et Nizan, de conserve, entreprirent de passer à l'ennemi.

L'ennemi, c'est le lycée Louis-le-Grand, dont certains affirment, à vrai dire, qu'il prépare encore mieux à la rue d'Ulm. Comme on le voit, ces déserteurs ne vont pas bien loin. À défaut de conchier l'armée française et le drapeau, ils ont quand même réussi à vomir aux pieds de M. Daux, au sortir d'une séance de beuveries où ils avaient un peu trop copieuse-ment fêté leur succès scolaire. Il semble bien que ce vulgaire incident n'ait pas été étranger à leur départ d'Henri-IV. Comme, cependant, l'hon-neur du lycée était en jeu, et que l'idéalisme ambiant répugne à donner de l'histoire des interprétations aussi triviales, la légende s'est peu à peu imposée que nos futurs héros de la philosophie contemporaine avaient choisi Louis-le-Grand... pour ne pas devenir élèves d'Alain. Saluons comme il le mérite cet effort touchant pour balayer un vomi fort peu phi-losophique, mais constatons simplement que les témoignages des intéres-sés eux-mêmes sont loin d'en faire, à l'époque, les adversaires d'Alain qu'ils deviendront par la suite. Georges Friedmann fera leur connaissance dans cette hypokhâgne fameuse, où les deux compères s'aventuraient régulièrement, presque en cachette, pour écouter le maître, Nizan se qualifiera de « *disciple d'Alain* » en avril 1926[53], et quand Simone de Beauvoir entrera en relation avec l'un et l'autre, vers 1929, la rumeur sorbonagre les assimile encore, peut-être déjà à tort d'ailleurs, à la « *bande des anciens élèves d'Alain* »[54]. Il faudra attendre 1932[55] pour voir Nizan critiquer publiquement l'ignorance alanesque des questions économiques et les pitreries des « *singes du maître* ».

Présentement, voici donc nos deux mauvais esprits enfermés de plus belle dans la serre chaude. Toujours inséparables, malgré une courte brouille en hypokhâgne, dont Sartre ne se rappellera jamais l'origine. Et même plus proches que jamais, dormant dans le même dortoir, avant de partager, rue d'Ulm, la même turne. Leur complicité multiplie les clowneries en duo, les clins d'œil, les allusions codées[56]. Pour leurs camarades, ils vont de pair et sont promis au plus bel avenir, Nizan surtout, qui décroche en hypokhâgne le premier prix de composition française, là où Sartre doit se contenter du second accessit. Pris dans l'engrenage, il se plie sans vrai regimbement aux règles du grand jeu. « *Nous étions tous des gloires de nos lycées, nous éprouvions tous ce stupide orgueil collectif des candidats aux Grandes Écoles : nous devions être soixante-dix égaux.* »[57]

Par bouffées, il lui vient bien l'idée qu'à l'âge où son père travaillait quatorze heures par jour sur les chantiers de la Loire, lui, cultive « *des scrupules à cause de la philosophie de M. Bergson* »[58], mais l'essentiel demeure pour lui d'avoir forcé le terrible barrage des Humanités qui avait, dès l'abord, mis son père sur la voie utilitaire que la société lui destinait[59]. Par contre, il s'est refusé à adopter le plan de rechange proposé par ledit père, qui en aurait fait sans doute un agrégé, mais, après le concours, « *un expert en rationalisation et en taylorisme, quelque chose comme M. de Fréminville ou M. Le Chatelier* », ces spécialistes du « *mouchardage à chronomètre* »[60]. Ainsi peut-il, du même mouvement, venger son père, le surpasser – et lui désobéir. Rien de plus réconfortant. « *Comme c'est facile, une rupture intérieure, qu'aucune action n'atteste que la satisfaction du cœur !* »[61]

En ces années d'innocence cynique, Nizan en est encore au stade de Rosenthal, dans *La Conspiration* : « *Il songea ensuite vaguement à la révolution, et précisément à sa famille.* »[62]

Pré-textes

Jusqu'à l'agrégation et l'École d'Athènes, on peut toujours tromper le temps en écrivant, puisqu'on a résolu d'être Chateaubriand ou rien. C'est à quoi Sartre va s'échiner pendant une douzaine d'années, sans résultat bien probant. Nizan, qui se sera trouvé à l'automne 1923 exactement sur la même ligne de départ que lui, puisque leurs deux « premier texte » paraissent dans le même numéro de la même revue, aura à cette époque pris une sérieuse avance.

Ces années-fleurs nous le découvrent se réclamant de Byron, Shelley, Hölderlin, Novalis, mais aussi du Jules Romains des poèmes unanimistes, de D'Annunzio, de Giraudoux. Le tout, versant idées, saupoudré d'un peu de Nietzsche, de Sorel (Georges). En avant-scène : Barrès. Le prêtre du « culte du moi », qui a tant marqué Aragon, brille de ses derniers feux. L'individualiste radical du début, le démolisseur féroce de la petite bourgeoisie au pouvoir, l'écrivain-député, en même temps que le sensuel angoissé rallié esthétiquement aux « valeurs éternelles », offrait une solution flamboyante aux inquiétudes des adolescents de bonne famille. Se trouvant quelques années plus tard, quand il sera passé au marxisme, en position de l'attaquer, Nizan reconnaîtra encore en lui « *toutes les illusions volontaires d'un représentant assez intelligent de la bourgeoisie* »[63].

Dès cette époque d'ailleurs, une petite musique acide, dégingandée, lui fait tendre l'oreille, l'arrête sur la voie de ce lyrisme ambigu, désormais applaudi des curés et des généraux, et dont « *le sang, la volupté et la mort* » se transmutent présentement en inauguration de monuments aux Poilus. En 1922, il achète un volume des *Poésies* de Jules Laforgue. Plusieurs complaintes sont copieusement annotées, le *Placet de Faust-fils*, par exemple,

> « *Si tu savais, maman nature,*
> *Comme Je m'aime en tes ennemis,*
> *Tu m'enverrais une enfant pure,*
> *Chaste aux "et puis ?"* »,

ou toute la dernière strophe des *Nostalgies préhistoriques* :

> « *La nuit bruine sur les villes ;*
> *Se raser le masque, s'orner*
> *D'un frac deuil, avec art dîner,*
> *Puis, parmi des vierges débiles,*
> *Prendre un air imbécile.* »

_____

Il n'est pas sans signification que le plus stendhalien de ses personnages romanesques, destiné à prendre son essor si *La Conspiration* avait pu avoir une suite, se soit appelé Philippe Laforgue. Même au plus fort de la période la plus sectaire, où la marche victorieuse du prolétariat fera mine de remplacer la Terre et les Morts, la musiquette grinçante ne sera jamais tout à fait oubliée.

Compagnon de route privilégié, Laforgue est aussi, à vrai dire, la pointe avancée de son audace littéraire. Sans doute consacre-t-il l'un de ses premiers textes critiques à Proust[64], dont on vient de publier *La Prisonnière*[65], mais il paraît plus séduit par Giraudoux, dont il admire l'intelligence et la fantaisie[66]. Il sélectionne au plus juste ses admirations poétiques contemporaines, ne citant, quand on les lui demande[67], que Fargue et Éluard. Certains de ses textes, poèmes ou proses, devront parfois leurs accents à la libération surréaliste, depuis « Le nuage qui passait comme un vol de contrebasse » de 1923[68], jusqu'à la séquence du Passage dans *Le Cheval de Troie*, qui pourrait avoir été écrite par un Aragon lecteur de Heidegger. Même à l'époque du parti communiste, il lui arrivera de parler en termes favorables du rêve[69], voire de l'irrationnel[70]. Jamais cependant il ne s'abandonnera aux exercices spirituels de la secte, retenu sans doute par l'ironie du désespoir et la méfiance des récupérations mystiques.

Entre 1923 et 1925, dans ce premier espace de production littéraire qui précède la grande suspension de 1926, les quelques textes édités et les rares fragments enfouis dans les archives nous apprennent qu'il a tâté de tout, même si c'est avec des fortunes diverses : poème régulier (*Grèves*[71]), poème mallarméen (*Méthode*[72]), conte, nouvelle, roman, pamphlet littéraire (contre Clément Vautel, « Jocrisse littéraire »[73]), critique classique. Comme s'il fallait souligner au regard de la postérité le caractère de « pour mémoire » de ces premières gammes, le tout paraît, quand il paraît, dans des publications sympathiquement fauchées dont le confidentiel le dispute à l'éphémère : *Faisceaux, Fruits verts, Strasbourg universitaire* et, pour tout dire, *La Revue sans titre*.

On se prend pourtant à rêver quand on découvre au sommaire des quatre rachitiques numéros de cette dernière, sortis, semble-t-il, d'octobre 1923 à janvier 1924, les signatures de jeunes inconnus nommés Pierre Mendès France (pour une correspondance de soutien), René Maheu, futur directeur général de l'UNESCO (pour des poèmes), Jean-Paul Sartre (pour un conte, *L'Ange du morbide*), « Jacques Guillemin », pseudonyme du même Sartre (pour des fragments de roman), Paul Nizan enfin, qui y publie ses deux premiers textes littéraires.

On se prend à rêver, mais c'est tout. Les premiers écrits de Sartre n'annoncent guère, dans le style du moins, l'auteur de *La Nausée*, et ce qui nous est parvenu de cette écriture khâgneuse de Nizan, quoique littérairement plus vigoureux, ne permet guère d'en attendre les fulgurations à venir. On comprend que, sur le plan littéraire comme sur les autres, l'intéressé, à Aden, ait parlé de son « *visage de dix-huit ans* » comme d'un « *visage étranger* »[74]. Bien sûr, à qui ne voit que thématique et allusion, il est toujours possible de piocher ici et là quelques indices. Comptons-les, sur les doigts d'une main : l'option politique de la *Revue sans titre*, à « gauche » sans autre précision[75] – mais *Faisceaux* et *Fruits verts* pratiqueraient plutôt, elles, la confusion des extrêmes, d'ailleurs l'équipe de la *Revue sans titre* se réunit à la brasserie *Le Caméléon* – ; la dénonciation, commune à toutes ces publications, de la « détresse » de l'Europe et de la génération bleu horizon – mais rien là-dedans que le conformisme de l'anticonformisme – ; la dédicace, enfin et surtout, d'un poème de novembre 1923 à une grève ouvrière :

> « *Un soir d'août triomphant*
> *le chant de l'usine en grève*
> *a roulé comme un torrent*
> *sur une digue qui crève...* »

mais cette allusion épique est unique et se termine sur l'image d'un échec.

En fait, la pensée critique du bachelier reste floue. Il doit encore violer sa vitalité de jeune loup pour ne pas chanter à tue-tête sa joie de vivre. Son premier poème, resté inédit[76], commençait bien par « *on sent que l'heure est venue / De renier tout espoir* », il ne s'en terminait pas moins par un hymne à la joie, qui « *nous accueillera à tous les tournants des haies* ». « *Le monde attend l'amour des hommes* » est la conclusion d'un de ses articles à *Strasbourg universitaire*, dont il est, pompeusement et très éphémèrement, rédacteur en chef en 1924[77]. Quand il se choisit un correspondant parmi ses aînés non faillis, un maître avec lequel échanger de profondes pensées, ainsi qu'il sied à tout jeune intellectuel, il prend Jean-Richard Bloch. Celui-ci est alors à l'apogée de son talent d'observateur aigu de la société bourgeoise, qu'un long compagnonnage toujours plus étroit avec le communisme paraîtra ensuite stériliser. Mais ce n'est pas pour faire de lui son intercesseur auprès du communisme, encore moins du marxisme, que Nizan l'entreprend ; c'est qu'il voit dans les premiers *Essais pour mieux comprendre mon temps* un petit bréviaire de l'énergie, un « *culte de la passion intérieure* », un appel à une « *jeunesse*

constructive ». Tout cela est du meilleur genre, et manque encore singulièrement de furia.

S'il y a une unité dans le Nizan plumitif de ces années-là, c'est plutôt
dans un ton, de dérision et affecté, comme d'un acrobate grimaçant qui ne
se prendrait pas au sérieux. Le pire est donné à la poésie, le meilleur à la
prose. Dans cette dernière, *Hécate et la méprise sentimentale*, à l'automne
1923[78], est l'œuvre d'un lecteur de Paul Morand qui sait déjà regarder sar-
castiquement l'amour d'un adolescent et d'une femme sensiblement plus
âgée que lui, *Vacances*[79] donne de préférence dans Giraudoux, à qui l'auteur vole une héroïne translucide répondant au doux prénom d'Anne-
Hélène. La tentative la plus originale est celle du numéro 4 de la *Revue
sans titre*, avec *La Complainte du carabin qui disséqua sa petite amie en
fumant deux paquets de Maryland*, sans doute parce que cette fois c'est
Laforgue qui s'en vient rôder alentour. Mais si l'avertissement au lecteur
fait l'éloge du frénétique et du paradoxal (« *seuls des imbéciles anormaux
peuvent avoir conçu un drame quotidien* »), si la moralité finale rend le son
attendu (« *sirote chaque jour ta tasse de néant* »), le texte tout entier
illustre le triomphe (aisé) de l'amour sur la mort : « *Il regarda la morte. La
vivante était jolie.* » En un mot, foin de littérature à thèse, ou plutôt pas de
thèse à la Bourget, rien qu'« *un sentiment comique de cette terrestre et provisoire existence* ». Le lecteur, « *qui reste, en dépit des apparences, le premier personnage* », comprend fort bien qu'il a affaire à un jeune homme
doué, encore embarrassé de sa propre ironie, mais qui ne demande pas
mieux que de se rapprocher de soi-même.

En attendant ce grand jour, il prétend opter « *pour une sagesse de la
joie dans le provisoire* »[80] – toujours ce mot –, cesse de faire paraître et,
du coup, comme beaucoup, cesse aussi d'achever ses textes et, bientôt, de
les écrire. Il commence un *Éloge de la ruse* – quelle âme bien née n'a pas
fait dans sa vie du Hérault de Séchelles, même sans le savoir ? Le personnage central, Clouet, y ressemble évidemment beaucoup à l'image que
Nizan voudrait donner de lui : « *Clouet offrait aux hommes un visage
immobile ; il avait des lunettes cerclées d'écaille, comme Harold Lloyd,
des verres bombés parce qu'ils ne déformaient pas la vision sur les bords
et parce qu'ils cachaient le regard sous une pellicule de reflets. Aucune
apparence de fantaisie n'attirait l'inquiétude. [...] On attendait de lui.
Les femmes aimaient sa compagnie, il justifiait toujours l'opinion qu'elles
se faisaient de leur clairvoyance. Ils les avaient laissé parler.* »[81]

On se console comme on peut. Il a vingt ans, le bel âge ! Il ébauche
deux nouvelles (*Madame Launay* et *Hélène*), reprend *Anne-Hélène* et

l'Île de France sous le titre *Le Goût du définitif*, sans en trouver le goût, entreprend, début 26, un roman qui n'est peut-être qu'une troisième mouture, « *où l'on dit que [sic] pendre du mal du siècle* »[82] ; son propre mal du siècle l'engloutira.

Entre-temps, en août 1924, il a été reçu rue d'Ulm, comme le prévoyaient les augures et le voulait le destin. Il s'est fait photographier selon la tradition sur les toits de l'école, en compagnie de Sartre et d'Henri Guillemin. Comme il n'a pas le vertige, c'est lui qui est monté le plus haut, au faîte même de l'horloge, mais, du coup, sur l'une des photos, il est décapité. Puis il tombe dans la plus noire des mélancolies.

J'AVAIS VINGT ANS...

> « J'ai pincé le Saint-Esprit dans les caves et je l'en ai expulsé ; [...] Je vois clair, je suis désabusé, je connais mes vraies tâches, je mérite sûrement un prix de civisme. »
>
> *(Les Mots)*

À vingt ans, que possède-t-on ? Les gènes des parents, un ou deux certificats de bonne culture, et surtout un visage, un regard, une voix, une façon à soi, rien qu'à soi, de tenir sa cigarette ou de regarder ses mains. On n'en change plus guère ensuite, pour peu qu'après cet âge ingrat qui s'appelle la jeunesse il ne vous reste plus qu'une quinzaine d'années à vivre. Ce Paul Nizan-là, dont on va commencer à voir sur les photos la tête de Breton têtu, celui dont Rirette et quelques autres tomberont amoureuses, celui qui charmera Léon Brunschvicg et intimidera Simone de Beauvoir, celui, à peu de chose près, qu'une balle explosive réduira à un tas de cellules mortes, il est là, campé pour l'éternité, au seuil de toutes les aventures, de toutes les imprudences, de tous les échecs.

Identité

Un mètre soixante-huit, corpulence moyenne, avec une épaule imperceptiblement plus haute que l'autre, teint mat, cheveux sombres, nez un peu busqué, menton rond, yeux gris bleu, oui, sans doute. Mais aussi tout ce que ne dit pas une carte d'identité, un formulaire de police, et qui est le plus important. Qu'il louche un peu, on l'a vu. Dès la puberté, il a porté des lunettes rondes, en fer comme le voulait la règle non écrite des couvents scolaires, puis à grosse monture d'écaille (ses *guggles*, disait-il) à la manière, en effet, de Harold Lloyd, enfin intermédiaire entre ces deux extrêmes, quand il aura trouvé en toutes choses sa voie. De la même façon, mais dans un sens tout différent, il n'abandonnera la cigarette, qu'il aimait planter à la commissure des lèvres d'un air faussement négligé, pour la pipe de bruyère bien culottée qu'en prenant de l'âge, le jour où, devenu professionnel reconnu de l'écriture, il aura l'illusion de pouvoir se carrer dans son fauteuil, derrière un bureau à soi.

Vers le temps du baccalauréat, il a entrepris de combattre ses origines petites-bourgeoises, le cache-nez et les petites laines de l'interne frileux, en se mettant à suivre avec conscience les moindres aléas des modes vestimentaires. Est-il vraiment si coquet ? On peut se demander s'il n'est pas simplement, parmi toutes ces têtes d'œuf, l'un des rares qui soit un peu soucieux de son apparence physique, à une époque où la mode masculine passe pour évoluer lentement et en un milieu où il paraît naturel de n'accorder aucune attention à la toilette. D'ailleurs, Louis-le-Grand, la rue d'Ulm ne sont pas mécontents d'avoir leur dandy de service, qu'ils voient arriver, de sa démarche un peu glissante, un jour vêtu de pantalons entravés, un autre de pattes d'éléphant, un troisième de culottes de golf. Le spectacle est permanent, avec ce fort en thème qui pousse la provocation jusqu'à battre l'air d'une canne de jonc ou porter ostensiblement le monocle. Pendant qu'eux vivent encore sous l'empire de l'Idée, en voici un qui, par procuration, leur fait croire qu'ils savent leur siècle.

Cette recherche s'atténuera avec le temps et la découverte d'autres façons d'affirmer son moi, le militantisme par exemple, mais il ne disparaîtra jamais totalement, entretenu par une anglomanie proclamée qui lui fera affectionner les cravates en laine tissée, les costumes de tweed et les chaussures à bout carré.

Ceux dont les valeurs bourgeoises n'étaient pas *a priori* révulsées par ces audaces ne sympathisaient pas tous pour autant avec le personnage. À vrai dire, il semble bien que Nizan ait, en règle générale, singulièrement impressionné tous ceux qui l'approchèrent. Certains l'affirmeront glacial, d'autres dissimulé ; lui-même se reconnaît, par personne interposée, « *adolescent taciturne* »[1]. Il semble bien, en fait, qu'il ait été particulièrement exigeant sur l'amitié et se soit contenté de fort peu de relations suivies.

Passons un instant de la photographie au cinéma. Il est là, devant nous. Il réfléchit, la tête légèrement penchée sur le côté, se frotte le nez et commence à parler d'une voix nonchalante, les yeux baissés sur sa main droite à demi fermée, contemplant ses ongles. Tout à l'heure, il va peut-être s'en ronger un, mais il aurait plutôt tendance à se mordiller les poings. Jamais il ne fronce les sourcils, jamais il ne hausse le ton, qu'il a un peu voilé, paisible et lent. L'éclat de voix n'existe pas chez lui. Il lui suffit de dire, sans y toucher, quelques phrases bien senties, oscillant selon le cas entre une douce agressivité, l'humour noir et le cynisme. Si besoin est, il peut prendre son air le plus massif, son air de tour. Devant un auditeur un peu nigaud, comme cet obscur journaliste du *Rempart*, il devient : « *Un jeune homme fort peu différent d'allure avec un étudiant en droit. Il parle les yeux baissés et dicte des sentences d'un ton tranchant, avec un air ennuyé.* »[2]

Quand l'interlocutrice s'appelle Simone de Beauvoir, cela donne : « *Avec Nizan, on ne discutait jamais les sujets sérieux, il ne les abordait pas de front ; il racontait des anecdotes choisies dont il évitait avec soin de tirer les conclusions ; il proférait en se rongeant les ongles des prophéties et des menaces sibyllines.* »[3]

On conçoit qu'une telle personnalité, peu disposée à charmer, en ait agacé ou rendu mal à l'aise plus d'un. Qu'il se mît alors à siffloter d'un air entre-deux – il sifflait, comme il chantait, faux, le bougre, il n'avait aucune oreille –, c'était le comble. Il fallait aller au-delà de cette réserve, de ce qui-vive permanent, pour découvrir l'un des caractères les plus attachants, dans la grisaille environnante. On pense à Marie-Anne, la sœur de Bernard, dans *La Conspiration*, découvrant avec surprise que « *le chat qui se promène tout seul* » n'était pas aussi inabordable qu'il en avait l'air. Les amoureux des chats qui vont tout seuls, assurément, avaient envie de le suivre.

Mais il y avait des moments où le sarcastique perdait son flegme étudié, où, soudain, l'angoisse et la colère submergeaient son visage – le visage seulement. Cette émotion froide le faisait, à la lettre, blanchir d'une sorte de rage, et substituait à son parler imperturbé une sorte de bégaiement. Rien d'autre, aucun tremblement, aucun geste exceptionnel. Une sorte de désintégration instantanée, et toute provisoire, de la personne, bien propre à terroriser ses rares témoins, ses plus proches, Sartre et Rirette essentiellement.

Ces crises ponctuelles n'avaient, il est vrai, de sens que si on les rattachait à cette traversée de la mer des Tempêtes au cours de laquelle elles avaient failli devenir la règle et non l'exception. Période la plus dense de la vie de Nizan, si l'on veut, où l'accession à l'âge d'homme se fit à travers toute une série d'expériences par bien des points extrêmes : l'extrême de l'étude, l'extrême de l'aventure intellectuelle. Période des plus noirâtres, aussi, mais avec au bout du tunnel l'entrée dans une double fidélité : une femme et une Église.

L'odeur de la tribu

« Intégrer » (le mot est joli) la rue d'Ulm, c'est toujours adhérer à deux élitismes à la fois. Celui d'un clan aristocratique, au sein duquel, en bonne logique, se concocteront d'autres petits clans, chauds et excitants. Celui d'un contact privilégié avec la Culture à majuscule, distribuée en ces lieux conventuels par les soins de professeurs émérites et de bibliothécaires prestigieux. L'argument Jerphanion, l'argument Lucien Herr, en quelque sorte.

Vers 1924, cette double mythologie est sans doute à son apogée. Rarement autant d'archicubes auront gouverné ensemble les destinées françaises, qu'il s'agît de morts tutélaires (Jaurès, qu'on s'en va panthéoniser solennellement en novembre), d'hommes politiques bien vivants (Blum, Herriot, Tardieu…), de littérateurs et prélats variés.

Camarade rigoureux, exigeant, sélectif, et petit-bourgeois destiné par la société à faire son salut par l'écriture, Nizan pouvait participer intensément à la petite comédie humaine que la République lui offrait libéralement, en vertu du décret du 9 brumaire an III. Trop beau pour être vrai, et pourtant ça l'est : Nizan fera partie d'un petite groupe (Sartre en était-il ?) qui, sensible aux symboles, se fera avec ensemble (et dans la douleur) circoncire à l'occasion de son entrée à l'École…

Nizan aura des mots cruels, plus tard, pour les équivoques de cette camaraderie. Il parlera, dans *Aden Arabie*, de ces « *adolescents fatigués par des années de lycée, corrompus par les humanités, par la morale et la cuisine bourgeoises de leurs familles* »[4]. *La Conspiration* se voudra, entre autres, une démystification de cette prétendue amitié, « *qui n'était qu'une complicité assez forte d'adolescents trop menacés pour ne pas éprouver le prix des liens d'équipe* »[5], « *trop invertébrés encore pour marcher sans compagnons* »[6]. La présence récurrente de ces présences-là dans son œuvre, comme dans les souvenirs que gardèrent mutuellement d'eux-mêmes des hommes aussi dissemblables que Sartre, Raymond Aron, Henri Guillemin ou Daniel Lagache, tout indique pourtant qu'il a circulé là-bas un courant de sympathie vraie, ni plus ni moins faussé que tous les autres, ceux, par exemple, que Nizan connaîtra par la suite dans une cellule communiste de province ou dans un grand quotidien parisien.

Aux yeux de l'extérieur, les deux petits camarades sont plus que jamais « Nisus et Euryale », avant de devenir « Corneille et Racine »[7]. Mais leur fraternité sait s'ouvrir à des compagnons choisis : Raymond

Aron, leur contemporain (il est né le 14 mars 1905), Alfred Péron, angli-
ciste un peu lunaire, qui mourra au sortir d'un camp de concentration où
l'aura conduit sa participation à la Résistance, Georges Friedmann,
André Herbaud, René Maheu. Il y a là des enfants mal dégrossis des
classes moyennes, des fils d'instituteurs, de fonctionnaires, frayant dans
la solidarité du génie avec des « *gens plus relevés, qui entraient à l'École
normale comme ils entreraient aux Sciences politiques* »[8].

Une tasse de café ou une bouteille de vin blanc toujours à proximité,
ils discutent à n'en plus finir dans leurs turnes enfumées sur l'esprit de
sérieux (le dada favori de Sartre *versus* Aron), sur le « *sens véritable de
la deuxième analogie de l'expérience et sa place dans la deuxième
Kritik* »[9] ou, bien entendu, sur les femmes. Quand des fourmis leur viennent aux jambes, ils grimpent sur les toits, lancent des bombes à eau, le
soir, sur les copurchics qui rentrent en smoking d'un dîner en ville, montent un canular (celui de la fausse réception de Lindbergh à l'École, par
exemple), répètent une revue (la spécialité de Sartre, qui excelle à mettre
en boîte Gustave Lanson, le directeur), mitonnent un scénario de film (tel
celui de Sartre, Aron et Lagache, en 1926, sur *Poil de Carotte*), etc.

Plus souvent, ils sortent de leur repaire, plongent dans la ville étrangère, dans ce milieu chaud et visqueux, plein de bruits incongrus et de
senteurs obscènes, mais toujours en bande, ou en couple. Ils vont boire
au Balzar, au Mahieu, qu'ils continueront à fréquenter par la suite, s'en-
gouffrent dans les cinémas, « *ces cuves sonores pleines d'éclairs
blancs* », chargés jusqu'à la gueule de « *chaleur animale* »[10]. Le plus
doux souvenir de Nizan et de Sartre reste leurs longues déambulations
dans les rues de Paris, celles avoisinant l'École, encore à demi rurales,
celles, plus loin, de la jungle des villes, peuplées de « *ces vieilles femmes
qui roulent de portail en portail avec des cabas pleins* », de « *ces Noirs
et ces manœuvres algériens qu'on entend chanter en été sous les arbres
de papier vert de la place Maubert comme sur un toit d'Afrique* »[11].
« *Paris fut notre lien* », dira Sartre[12].

À leurs heures d'abandon mondain, ils s'en vont, au sortir d'un cours
de M. Lalande (de l'Institut), prendre une tasse de thé chez une de leurs
amies – quand Nizan connaîtra Henriette Alphen, ce sera souvent chez
elle, rue Vavin. Sartre se mettait au piano et chacun d'entonner (Nizan,
toujours aussi faux) : « *Nous sommes partis ce matin pour fon, pour fon,
pour fonder Rome.* » Et, effectivement, ils étaient des fondateurs.

C'est ce petit groupe fermé mais chaleureux que découvrira, sur le
tard, à l'été 1929, entre l'écrit et l'oral de l'agrégation de philosophie, la

jeune sorbonagre Simone de Beauvoir. Elle les a décrits[13] ne se mêlant à personne de l'Université, distillant leur présence à quelques cours sélectionnés, pour s'y asseoir à l'écart, d'ailleurs, entourés d'une sulfureuse réputation de chahuteurs et de mauvais esprits, bien propre à effaroucher un milieu qui restait encore d'un recrutement tout bourgeois.

À cette époque du groupe, leur élitisme se manifeste par un jeu subtil autour de castes inventées par Cocteau dans son *Potomak*. Nizan, Sartre et Herbaud sont les seuls admis au rang d'« Eugènes », aux côtés de Socrate et de Descartes. Au-dessous d'eux végètent les marrhanes, qui voyagent dans l'infini, et les mortimers, qui voyagent dans le bleu. Les quelques lignes que Simone de Beauvoir consacrera plus tard au moment où, entrant dans une chambre de la Cité universitaire, elle fit à la même minute connaissance du compagnon de sa vie entière et de Nizan, résument assez bien l'image qu'ils pouvaient donner d'eux, même à une intellectuelle qui n'avait pourtant pas froid aux yeux : « *Il y avait un grand désordre de livres et de papiers, des mégots dans tous les coins, une énorme fumée. Sartre m'accueillit mondainement ; il fumait la pipe. Silencieux, une cigarette collée au coin de son sourire oblique, Nizan m'épiait à travers ses épaisses lunettes, avec un air d'en penser long. Toute la journée, pétrifiée de timidité, je commentai* Le Discours métaphysique. »

Mais au bout du compte ce n'étaient pas de si méchants bougres. La néophyte, comme on sait, s'acclimata fort bien. Il suffisait de se laisser gagner par leur enjouement caustique, de les suivre dans leur dénonciation vivante du monde bourgeois : « *Eux, ils dégonflaient impitoyablement tous les idéalismes, ils tournaient en dérision les belles âmes, les âmes nobles, toutes les âmes, et les états d'âme, la vie intérieure, le merveilleux, le mystère, les élites ; en toute occasion – dans leurs propos, leurs attitudes, leurs plaisanteries – ils manifestaient que les hommes n'étaient pas des esprits mais des corps en proie au besoin, et jetés dans une aventure brutale.* »[14]

L'aventure n'était pas tous les jours des plus brutales. Le mauvais esprit cultivé par le clan était d'autant plus admissible que, de l'extérieur, nos Eugènes – ils cessèrent de se reconnaître comme tels le jour où ils furent reçus à l'agrégation – remplissaient scrupuleusement, et au-delà, les obligations universitaires que leur imposaient les bons maîtres.

L'École, ce fut ainsi pour Nizan le temps où il noircit ses noirs cahiers de citations et de notes serrées sur Platon, Descartes, Kant, Marx (celui de *L'Idéologie allemande* surtout), Nietzsche, Kierkegaard, Freud ; mais aussi Keats, Claudel, Thoreau ou « Saint Jean Perse » – dont le style influencera ses derniers poèmes, écrits autour d'Aden.

Sans doute la rue d'Ulm préparait-elle à des « tâches de curés »[15], mais elle permettait aussi de se gorger de Spinoza, vrai demi-dieu de Nizan, son compagnon philosophique indéfectible. Sans doute était-elle dirigée par « *un petit vieillard patriote, hypocrite et puissant qui respectait les militaires* »[16], mais elle gardait aussi en son sein dans ces années-là Lucien Herr, « *l'une des forces les plus pures du mouvement socialiste d'avant la guerre* »[17]. On connaît la phrase d'*Aden Arabie* : « *En 1924, il y avait encore un homme : Lucien Herr.* »[18] Tout n'était pas perdu.

D'autant moins qu'avec un peu de curiosité et d'anticonformisme, il était possible de profiter de l'occasion pour s'initier à des philosophies naissantes, à des disciplines complémentaires rarement expérimentées par les étudiants ordinaires. Nizan découvrira ainsi Heidegger et Husserl, bien avant Sartre. On n'est guère surpris de lire, dans ses carnets d'École conservés aujourd'hui, qu'il en a d'abord retenu une réflexion sur l'angoisse et le néant.

D'autres découvertes se feront conjointement. Celle de Karl Jaspers, par exemple, et de sa *Psychopathologie générale*. L'ouvrage remonte à 1913 et vient d'être traduit par A. Kastler, futur prix Nobel, et J. Mendousse. Il paraît chez Alcan, l'éditeur par excellence de la corporation philosophique. « *MM. Sartre et Nizan, élèves de l'École normale supérieure* », mentionnés en note pour avoir relu le manuscrit et corrigé les épreuves, entrent grâce à lui, par la petite porte, dans le sérail. Force est de reconnaître qu'après des débuts aussi prometteurs, ils n'iront guère plus loin. Du moins se sont-ils trouvés affermis par cette fréquentation du père de la « méthode compréhensive » dans leur penchant pour une psychologie et plus largement une philosophie phénoménologiques. Nizan s'initiera, auprès de Georges Dumas, à la psychopathologie française, par force visites à Sainte-Anne, encore à l'époque entouré de hauts murs, physiques et psychologiques, antérieurs au temps béni des neuroleptiques. Il ne semble pas en avoir conservé un excellent souvenir. L'apprentissage psychologique, ainsi vécu en porte-à-faux entre le scientisme des médecins et les premières intuitions des philosophes, n'alla pas plus loin. On délégua à Politzer le soin d'en dire plus.

Il s'en fallut par contre de peu pour que notre homme ne bifurquât à cette époque vers l'anthropologie. Avec la même obstination qu'il mit à passer le diplôme de PCN et à se perfectionner en algèbre, on le vit suivre l'enseignement de Marcel Mauss et dévorer à belles dents Frazer (dont il annote *Totemism and Exogamy, The Golden Bough*), Halbwachs,

Lévy-Bruhl, Van Gennep… Le musée d'Ethnographie, futur musée de l'Homme, récemment repris par Paul Rivet, sera quelque temps son temple scientifique. De cette séquence intellectuelle demeure une étude inachevée sur un rite d'initiation, le *bull-roarer* (pratiques liées à l'usage d'un ustensile de bois imitant le mugissement du taureau). À mi-chemin de l'ethnologie et du surréalisme, il écrit, vers 1927, un de ses plus beaux textes, resté inédit, *Note sur l'invention* [*cf.* Annexe III, 2, p. 251].

On devine tout l'intérêt que ce jeune homme en crise d'intégration, engagé pour sa part dans un vaste processus initiatique dénommé enseignement supérieur, pouvait porter à une telle recherche. Initiateur lui-même, il sera à son tour à l'origine d'une vocation, plus solide, celle de Claude Lévi-Strauss, cousin de Rirette, auquel il signalera, un ou deux ans plus tard, au cours d'une conversation, l'intérêt de l'ethnologie comme « *porte de sortie pour les philosophes* »[19].

Formé à une telle gymnastique, le jeune homme curieux de tout pouvait se payer le luxe de sauter sans effort apparent les haies successives de la course d'obstacles dénommée cursus universitaire. Entré à l'École avec les deux certificats classiques de littérature française (juin 1923, mention bien) et de grec (mars 1924, mention assez bien), il franchit en cadence le certificat de psychologie (mars 1925, bien), celui de morale et sociologie (juillet 1925, bien), ceux d'histoire générale de la philosophie et de philosophie générale et logique (juin 1926, tous deux bien), le diplôme d'études supérieures de philosophie (juin 1927, bien) consacré à *Fonction du meaning ; mots, images et schèmes*. Prenant tout son élan, il est reçu à l'agrégation en juillet 1929. Cru fameux dans l'histoire de cette discipline, puisque cette année-là le premier s'appelait Sartre[20], le second de Beauvoir.

Reste que Nizan Paul-Yves, agrégé de philosophie, ancien élève de l'École normale supérieure, dessinait, en marge de ses cahiers de notes si chargés, des mitrailleuses. Reste que, sur son livret universitaire si brillamment clos, le mauvais esprit du propriétaire, se défoulant *in extremis*, a écrit à l'encre violette dans les colonnes, obstinément vides, vouées en théorie aux « *observations, interrogations, assiduité, etc.* », des pastiches qui en disent long[21] :

« *Esprit profond mais pense contre l'État.* A. Lalande. »

« *Esprit subtil mais cruellement matérialiste.* Léon Brunschvicg. »

« *De la compétence, du travail, peut réussir.* Léon Robin, professeur de troisième. »

« *Espoir de la sociologie, malheureusement pas de la nôtre.* C. Bouglé. »

« *Curieux, mais méprise la psychologie.* L. Dumas. H. Delacroix. »

« *M. Nizan peut comprendre un syllogisme mais il emmerde malheu-reusement la logique à laquelle j'ai consacré une vie de probité et de tra-vail.* Lalande. »
« *Du travail, des résultats (conscience de classe).* D. Parodi. »

Comme quoi, quand on sait les prendre, même les dossiers universi-taires les plus austères peuvent en apprendre beaucoup sur les tempêtes-sous-un-crâne.

L'extrémité du provisoire

Il avait écrit : « *Je m'ordonnais de passer un concours pour marquer derrière moi des étapes définitives.* »[22] Or s'il fut un temps fort peu défini-tif, ce fut celui-là. Passée la tension physique et intellectuelle de la prépa-ration dudit concours, et en attendant trois ou quatre ans plus tard celle de l'agrégation, la grande disponibilité de l'École jointe à l'intime conviction de figurer désormais parmi les consciences les plus aiguës de la généra-tion montante, dilatait soudain les esprits savants aux dimensions d'une responsabilité – ou illusion de responsabilité – nouvelle. Certains, bien entendu, s'enfermaient plus que jamais dans leur tour d'ivoire. La plupart de ceux dont, effectivement l'avenir dirait qu'ils auraient joué un rôle remarquable dans l'histoire intellectuelle, artistique ou politique française en profiteraient au contraire pour s'ouvrir aux remuements du siècle.

On connaît la scène sur laquelle se clôt la panthéonisation de Jaurès, dans *La Conspiration* : enthousiasmé par la contre-célébration commu-niste qui, par sa seule vigueur, rend dérisoire le cérémonial guindé du pouvoir en place, le trio des normaliens se retrouve, sans préméditation et d'ailleurs sans lendemain, intégré pour la première fois à un mouvement social contemporain : « *Laforgue, Rosenthal et Bloyé perdirent ce qui leur restait de respect humain, ils s'y jetèrent aussi et se mirent à chanter.* »[23]

On ne sait pas si Nizan a vécu une telle expérience, mais elle méta-phorise très bien la nature des rapports que ces jeunes gens brillants pou-vaient entretenir avec la politique.

La plupart des camarades de Nizan, de ceux, bien sûr, qu'il acceptait de fréquenter, avaient le cœur à gauche. Même le « tala » (= catholique) Maurice de Gandillac, qu'on retrouvera parmi les fondateurs de la revue

Esprit, même le libéral Raymond Aron, qui était vers 1929 inscrit à la SFIO[24]. « *Avec ce qui se passait dans le monde, simplement les jours de sortie, il aurait fallu être aveugle* »[25], se refuser à soulever ne serait-ce qu'un pan du décor en trompe-l'œil : « *Cependant des hommes travaillaient à la chaîne. Cependant des policiers marchaient dans les rues, des hommes mouraient en Chine de mort violente, dans la Haute-Volta le travail forcé abattait des Noirs comme une épidémie...* »[26]

Ces enfants du sérail n'avaient jamais rencontré jusque-là d'« *autres êtres que des techniciens sans ressources : des ingénieurs, des avocats, des chartistes, des professeurs* ». Leurs premiers pas vers l'air du dehors, encore timides, passèrent donc par l'étude. On les avait laissés en confrontation avec des paquets de papier, de carton et de colle signés de noms exotiques : Spinoza, Marx, Lénine, Labriola... C'était imprudent. Derrière la barrière des mots, ils découvraient des réalités qui s'appelaient Révolution (sur ce thème, Nizan épuisa plus d'un cahier), Démocratie, Athéisme, Matérialisme, Lutte des classes...

Comme ils sont des hommes du verbe, l'étape suivante les voit signer des pétitions, des manifestes : « *Ils signent des manifestes qui les engagent beaucoup moins que leurs parents ne pensaient* »[27], à l'instar de leurs jeunes ancêtres, auxquels le nom d'« intellectuel » avait été donné, trente ans plus tôt seulement, presque par dérision, le jour où ils avaient cherché à se compter sur une pétition en faveur de Zola, après *J'accuse !*

Les plus actifs organisent une sorte de Club du faubourg de haute volée, le Groupe d'information internationale de l'École normale supérieure, fondé par Friedmann, auquel, en août 1925, succédera Nizan. Thomas Mann y prend la parole, au même titre que Georges Duhamel. Nizan en profite pour resserrer ses liens avec Bloch, qu'il invite à deux reprises, et, pour s'initier aux débats scientifiques contemporains, avec les historiens Salvemini, Prezzolini, Grant Robertson.

L'audace suprême est de militer dans un groupe extrémiste. Comme il se doit, Nizan goûtera successivement et éphémèrement des deux extrêmes. On sait que les idéologies les plus opposées sur le fond finissent chez certains intellectuels, dans certaines conditions de température et de pression, par se confondre. Ainsi en est-il dans les dernières années 1920, qui digèrent difficilement l'après-guerre dans une Europe essoufflée. C'est le temps où deux écrivains doués, nommés Pierre Drieu La Rochelle et Emmanuel Berl, rédigent à eux seuls, l'espace d'un semestre, une revue intitulée, bien entendu, *Les Derniers Jours*, où le premier appelle les capitalistes à d'abord « *faire le communisme* », et l'Action française à, sans plus tarder, envisager l'unité d'action avec le PCF. L'ambiguïté ne dure jamais bien longtemps, ni chez les individus, ni dans l'Histoire. Les « non-conformistes » ou prétendus tels finissent toujours par être récupérés, et presque toujours par le même camp. Mais dans l'instant où tout paraît possible, les rencontres intellectuelles valent parfois le détour.

Nizan en fit l'expérience à son profit, avant que, beaucoup plus tard, on n'essayât de la faire tourner contre lui. Après avoir manifesté des sympathies socialistes[28] et juste avant d'adhérer sans doute, fugitivement, au parti communiste, il sera en effet, en 1925, membre du premier mouvement fasciste français, le Faisceau de Georges Valois.

On a déjà beaucoup écrit sur cette courte période valoisiste. Qu'il l'était « *à dix-huit ans* » (Sartre), ce qui est chronologiquement impossible, car trop tôt. Qu'il cesse de l'être « *lorsque Valois saborde son parti* » (Youssef Ishagpour), ce qui est chronologiquement impossible, car trop tard, etc. Si tentative avouée il y a eu, elle n'a pas dû excéder deux ou trois mois, situés sans doute au lendemain même de la création du Faisceau, à la date symbolique du 11 novembre 1925.

En 1924, les éphémères revues *Faisceaux* et *Fruits verts*, animées toutes deux par Gérard de Catalogne, avaient des accointances avec l'extrême droite (comme aussi avec l'extrême gauche, bien sûr). Elles avaient sans doute permis à Nizan de fréquenter des cercles maurassiens, sans qu'on puisse aujourd'hui en savoir plus. Le Lucelles de *La Semence et le scaphandre* cotise un jour à l'Action française, mais le lendemain il est déjà ailleurs. À titre personnel – toute adhésion étant d'abord l'aboutissement d'une démarche individuelle – l'entrée au Faisceau est sans doute à mettre en parallèle avec un voyage émerveillé qu'il vient de faire en Toscane.

Une dernière fois, la voix de Barrès l'aura habité, pour le meilleur de son égotisme et pour le pire de son style. Il note dans ses carnets : « *J'ai vu Pise aux lumières les plus neuves du matin. J'y suis entré par surprise. Elle ne s'est pas éveillée – d'un sommeil frère de la mort. Au bout d'un écheveau de rues qui naissaient à la couleur le Dom, le Baptistère et le Campanile sont apparus. Pour la première fois, des pierres avaient des tons vivants de la chair.* »[29]

Là, devant « *un des rares paysages faits pour l'homme* »[30], la joie lui apparaît non « *comme une trêve mais comme la loi de l'existence* »[31]. « *Si la vie est, comme je le crois, une tentative qui a mal réussi, au moins sur cette planète dérisoire, c'est là qu'elle en a le moins l'air.* »[32]

De cette rencontre privilégiée avec la latinité en fleur put découler une sympathie sentimentale pour un fascisme simultanément perçu comme une sorte de dandysme politique : un « W Lenin » griffonné sur les rives de l'Arno le met aux anges, mais il se précipite à une audience pontificale : « *Cultivons les contrastes. La tiare et la faucille.* »[33]

Mouvement ambigu, d'ailleurs, que ce Faisceau, mouture nouveau-siècle (c'est effectivement le nom que porte son journal) du vieil esprit des Ligues antiparlementaires. Valois, son chef fort peu charismatique, esprit brillant et brouillon, est, en fait, resté toute sa vie un anarcho-syndicaliste. Sa volonté éperdue de trouver une alternative à un libéralisme qu'il exècre l'a conduit à figurer pendant près de vingt ans aux côtés de Maurras et de Léon Daudet, dévolu au rayon « corporation(s) » de l'Action française. À compter de 1924, il amorce une trajectoire divergente, fondée sur une analyse de plus en plus négative de l'immobilisme intellectuel et du conservatisme social de la rue de Rome et sur un coup de foudre devant Mussolini, tout fraîchement parvenu au pouvoir et qui ne met d'ailleurs en place son régime qu'à partir de cette année-là.

Jusqu'au bout de l'histoire du Faisceau, l'idéologie valoisiste conservera les attributs du premier fascisme italien, fortement teinté de syndicalisme révolutionnaire. Aussi souvent qu'il le faudra, son chef martèlera, à destination des chastes oreilles traditionalistes : « *Le fascisme prend pied à la fois à gauche et à droite, car il est à la fois un acte d'autorité et une organisation de la liberté. Mais il est beaucoup plus près de ce qu'on nomme la gauche.* »[34] Dès 1924, il tente même de rallier certains communistes hétérodoxes. Il affiche le soutien d'un certain Delagrange, militant marxiste du Périgord, et d'un responsable CGT du Nord, Lauridon, mais la moisson restera maigre.

Le Nouveau Siècle a été lancé, en tant qu'hebdomadaire, le 26 janvier 1925. Il devient quotidien en octobre, avec le jeune Philippe Lamour comme secrétaire. De ce jour cesse la collaboration de Valois à l'*Action française*, avec laquelle il rompt peu après. Encore quelques semaines et, selon un processus classique, les frères de la veille auront l'un pour l'autre des mots plus sévères que pour leurs ennemis traditionnels. La polémique vaudra au Faisceau l'attention de beaucoup de jeunes intellectuels.

Nizan peut reconnaître dans la dénonciation valoisiste des « *financiers internationaux, fournisseurs de guerre, politiciens et pillards* »[35] un écho de ses propres refus, encore peu structurés. La main tendue du Faisceau à ces clercs que les bourgeois « *ont voulu réduire à la condition de larbins, pour leur publicité* »[36] ne peut que le séduire. Enfin l'attention que de tout temps Valois, seul vrai économiste de l'AF, a portée aux questions corporatistes convient à cet esprit préoccupé de concret. Le « réalisme » fasciste est le sien : « *On demande à un fasciste : es-tu républicain, roya-liste, ou bonapartiste ? Le fasciste répond : je suis mécanicien (ou tailleur, ou cultivateur).* »[37]

Malgré tout, la cure fasciste fut des plus brèves. Tous les témoignages convergent pour dire que, dès les premières semaines de 1926, Nizan avait jeté aux orties la chemise bleue que, d'après certains, contredits par d'autres, il avait arborée quelque temps, dans la lignée de ses provoca-tions vestimentaires. La seule manifestation publique qui en soit connue – Nizan n'écrira aucun texte fasciste – fut l'organisation d'un débat contradictoire (évidemment) entre l'économiste Hubert Bourgin et un groupe d'étudiants socialistes, animé à l'École par le futur historien Georges Lefranc. Encore voit-on clairement qu'il s'agissait plutôt de définir, sur les bases œcuméniques propres à Valois, une sorte de conver-gence des deux critiques sociales. La séance, au témoignage de Georges Lefranc, fut, sous cet angle, un échec, et chacun en resta là.

À l'époque où, en 1926, Valois commence à organiser une série de réunions nationales destinées à préparer la marche vers le pouvoir, avec le succès que l'on devine, Nizan a déjà quitté le mouvement. L'esprit cri-tique prend décidément le dessus, la fragilité doctrinale apparaît aux yeux du disciple : « *J'aperçois l'absurdité essentielle des thèses du nationalisme : lier à une mythologie guerrière, à des foudres, à des dra-peries, des roulements de tambour, des sonneries de clairon, des* Mar-seillaises*, des irrédentismes usés, des apparences de mots, des vues de politique intérieure. Valois attache ses vues économico-politiques, sa cri-tique des classes à des imageries d'anciens combattants.* »[38]

Pour que le tableau fût complet, il faudrait ajouter à ce cheminement personnel le scepticisme et la gentille moquerie de son entourage, et par-ticulièrement celle d'une jeune personne dont, depuis quelques mois, l'avis commence, on le verra, à importer, Henriette Alphen. Cette bache-lière de dix-huit ans est, c'est certain, peu versée en politique. Elle n'a pas, et n'aura jamais, la culture philosophique de son compagnon. Mais elle a, et aura toujours, une clairvoyance aiguë, le sens du ridicule et un flair remarquable du danger intellectuel. Pour elle, la lecture de la devise du chef suffit : « *Penser clair et marcher droit.* » Elle la trouve bouf-fonne, et ne le cache pas à Nizan, qui doit en convenir. *Exit* Valois.

De cette familiarité adolescente avec le fascisme, Nizan se souviendra sans doute quand il construira son personnage de Lange, dans *Le Cheval de Troie*, et diagnostiquera en quatre phrases sèches le camp des ennemis : « *Beaucoup d'entre eux étaient jeunes : pour beaucoup d'entre eux, la politique était un jeu violent comme un sport. Pour d'autres, une ruse. Pour d'autres, un effort maladroit pour respirer. Ils élevaient les mots du fascisme comme de grands masques magiques.* »[39]

Quand il écrit ces lignes, l'anthropologue Nizan a choisi la magie d'en face. Il n'imagine sans doute pas que son expérience de 1925 servira un jour à salir sa mémoire. Quant aux chasseurs de trahison, ils se refuseront évidemment à voir que la rupture de Nizan avec le Faisceau ne faisait qu'anticiper de deux ou trois ans sur l'attitude de Valois lui-même, qui finira dans sa peau de vieux syndicaliste en un lieu nommé Bergen-Belsen, où l'aura conduit son combat contre les nazis, à la date même où le leader du PCF de 1925, Jacques Doriot, tombait sous uniforme allemand.

Cet étonnant chassé-croisé, sans doute l'un des plus fulgurants de l'histoire française, aurait comblé le Nizan de 1925. Car non plus montée en épingle par la polémique mais replacée au niveau de ses autres tentatives pour, vers le même temps, se donner « *une attitude devant la vie* »[40], l'équipée valoisiste n'a plus de valeur singulière. Elle n'est que la phase la plus doctrinaire de cette sorte de stendhalisme angoissé qui semble avoir été la tonalité de ces années-là, quand il en arrivait à écrire : « *Nier les impératifs. Cela ne se peut... mais en changer.* »[41]

Période chien

D'impératifs, il en change alors si bien que ses biographes ont parfois du mal à suivre ses méandres, ou à les prendre au sérieux, comme si tout commençait avec la grande conversion de l'automne 1927. Or il n'y a rien de plus sérieux que l'inconséquence du désarroi. Dans le délire de la fièvre, le malade dit beaucoup plus sur lui-même que dans le cabinet du médecin. En des mouvements « désordonnés » (par rapport à quel ordre ?), un jeune animal, un jeune corps se cabre, bronche. Il entend choisir lui-même son licol. Quand il l'aura trouvé, il conservera un méchant souvenir de la crise. « *J'avais vingt ans* », etc. Mais peut-être en cela restait-il fidèle au Nizan de 1925, celui qui écrivait à Henriette Alphen : « *Je n'aime pas les vaincus.* »[42]

Ainsi de sa période aristocratique. À l'été 1925, il se propose pour une place de précepteur au château de la Baronnie, sis en Grandcourt, pays de Bray. Il y singe l'intellectuel snob et réactionnaire, donne des conseils politiques à des notables locaux fort conservateurs, et joue si bien la comédie qu'il s'entend demander avec délices un jour : « *Est-ce que ce gouvernement ignoble ne vous persécute pas pour vos opinions religieuses ?* » Son grand plaisir est de lire Marx et Sorel ou d'écrire une lettre au communisant Jean-Richard Bloch juste après une visite à la princesse d'Orléans-Bragance, ou une promenade à cheval en forêt d'Eu, haut lieu des rallyes chics. La carte postale qu'il adresse à Henriette, représentant le château, grande bâtisse de brique ennoblie d'un colombier, porte la mention : « *Hic jacet lupus...* » Gentil loup en vérité, dont le cynisme ne va pas loin, et le désespoir s'aggrave. « *Écrivez-moi* », supplie-t-il, au sortir de cette période claironnante.

« *Vous n'ignorez pas que ma seule originalité est de tomber périodiquement dans des phases de dépression – j'en connais une présentement.* »[43]

Les divers avatars de la fuite, dont il fera l'énumération dans *Aden Arabie*[44], on pourrait presque dire qu'à cette époque il les a tous vécus : « *La profondeur, la confession, l'introspection, certaine poésie, le jeu de billard, les religions, le cinéma, les romans d'aventure, les jeux policiers, les raids d'aviation...* »

Ce qui était, ou passait pour être un jeu nonchalant à l'époque du lycée, au grand émerveillement de Sartre, incapable de ces passions fulgurantes et de ces reniements successifs, devient vibrionisme morbide.

Peu à peu s'impose à son esprit la conviction que rien de bon ne pourra lui venir de l'enseignement. Comme le Laforgue de *La Conspiration*, il s'en va proclamant son exécration de la culture traditionnelle, sa préférence pour « *les bistrots, les cinémas de quartier et les kermesses de l'avenue des Gobelins* »[45]. Au lendemain de son épisode fasciste, il découvre enfin sa vocation : opérateur de cinéma, peut-être parce qu'il commence à aimer Henriette, et que le frère de celle-ci, Jean-Paul Alphen, est cinéaste. Il s'initie au maniement d'une caméra, se fait photographier avec elle... et passe à un autre rêve.

Plus sûrement encore, il se lasse de tout, use tout avec une fébrilité triste. Dans ses moments de systématisme, avec la « *minutie un peu affectée dans l'ordre intellectuel* » que le jeune Sartre diagnostiquait en lui dans *La Semence et le scaphandre*, il tente encore de s'interpréter : « *Je demande aussi le monde tout entier, mais après beaucoup de détours et en raisonnant par hypothèse. De sorte que toute ma vie se trouve reposer sur une hypothèse, et même pas, une conjecture, dont je ne saurai jamais si elle est vérifiable ou non, vraie ou fausse, ou probable. C'est ainsi que la vie ressemble au poker, et qu'on peut arriver à s'intéresser à une partie ou à des coups de dés dépourvus de toute signification intrinsèque.* »[46]

Mais il suffit d'un rien pour que tout chavire. À la fin de l'hiver 1925, il a songé à partir se reposer dans un « sanatorium », en Suisse. L'année suivante, il se met purement et simplement à reproduire les formes paternelles de la neurasthénie, à cette différence près qu'il est à l'aube, pas au crépuscule.

« *Pas un soir à vingt ans*, avouera-t-il plus tard, *où l'on ne s'endorme avec cette colère ambiguë qui naît du vertige des occasions manquées.* » Alors, on se réveille la nuit, en proie au cauchemar. À l'École normale, racontera Sartre dans *Les Mots*, l'angoisse de la mort « *réveillait en sursaut, dans l'épouvante ou dans la rage, quelques-uns de mes meilleurs amis* [...]. *Nizan était le plus obsédé : parfois, en pleine veille, il se voyait cadavre ; il se levait, les yeux grouillants de vers, prenait en tâtonnant son Borsalino à coiffe ronde, disparaissait ; on le retrouvait le surlendemain, soûl, avec des inconnus.* »[47]

Désormais, il s'en va donc seul. Dans la crise, l'amitié qui l'unissait à Sartre commence à se lézarder. Un jour, racontera plus tard ce dernier à Lise Deharme, les deux inséparables restèrent trop longtemps penchés par-dessus le rebord, à regarder leur reflet dans la Seine. Ils durent se secouer rudement pour se débarrasser de la fascination étrange qui s'était alors emparée d'eux. Sartre, dont Simone de Beauvoir a toujours souligné l'optimisme et la vitalité indestructibles, ne risquait pas grand-chose. Nizan, lui, restait vraiment trop longtemps à se regarder dans l'eau. À chaque retour hagard, il a droit à l'accueil glacé de son cothurne. « *Je l'accueillais sans dire un mot, les lèvres pincées, avec la dignité d'une vieille épouse.* »[48] Le mot est significatif : on s'achemine vers le divorce. Sans doute la rupture complète n'intervint-elle jamais. Jusqu'aux derniers temps, les petits camarades continueront à se voir, à palabrer. Mais quelque chose entre eux aura cassé cette année-là.

Dans ses moments de plus forte dépression, Nizan n'est sans doute pas loin de cette sorte d'état liquéfié décrit dans les premières pages de *La Conspiration* : « *On n'avait pas envie de se passionner pour l'existence des hommes et il n'était même pas facile de se persuader qu'ils étaient autre chose que des images, des projets, des reflets.* »[49] Le solipsisme le guette, qui, pour cet homme en crise d'identité, équivaut à un lent suicide. Au cœur d'un de ses textes les plus maîtrisés, les plus « orientés », *Le Cheval de Troie*, courra encore comme un écho de ce temps-là, un peu dans le personnage de Lange, beaucoup dans le moment d'abandon où le strict militant Bloyé s'attarde à envier la liberté des chiens : « *C'était des animaux qui n'étaient pas comme les hommes, qui avaient l'esprit assez libre pour flâner, observer le monde, avoir des caprices ; ils n'avaient même pas de rendez-vous.* »[50]

Les peintres ont leur période bleue, l'intellectuel, l'hypercivilisé Nizan aura sa période chien. Mais il s'illusionnait sur la liberté des chiens.

C'est le métier des psychologues que de dire ensuite qu'une telle angoisse existentielle peut s'expliquer par une certaine famille, un certain âge. C'est celui des historiens que de rappeler aussi que ladite inquiétude, costumée en obsession de la décadence, était en train de devenir un leitmotiv des générations de l'après-guerre. Tout cela est bel et bon. Mais là où Paul Valéry parle noblement, en termes bien connus des classes terminales, des nous-autres-civilisations…, Nizan, lui, se contente de noter : « *On demande une civilisation, c'est l'objet perdu que mes amis et moi recherchons mais on ne le rapporte jamais à la Préfecture de la Seine.* »[51] Comme il était optimiste, ce jour-là, il termina sa phrase par : « *et il faudra peut-être la reconstruire nous-mêmes* » ; mais la tonalité générale est au doute. Il n'aurait pu approuver la conclusion pince-sans-rire que Sartre donnera un peu plus tard à une enquête sur les susdites nouvelles générations : « *Nous sommes plus malheureux, mais plus sympathiques.* »[52] Non. Chez Nizan, ces années resteront celles du « *mauvais âge* », où « *quand il réfléchissait, sa pensée tournait en rond autour d'elle-même, il ne savait guère aboutir à autre chose qu'à la mort* »[53].

D'ordinaire, arrivé à ce stade, le héros des romans d'apprentissage – les autres, ceux de Nizan et de Sartre ne sont pas encore écrits – n'a plus d'autre issue que le suicide, la Trappe ou l'embourgeoisement. Les trois s'offrirent à Nizan en une seule figure. On comprend qu'il ait sauté sur l'occasion. Ce fut Aden.

Negotium in tenebris

En ce temps-là, l'Occident pouvait encore se dire qu'il dominait le monde, qu'il était le monde. La guerre n'avait apparemment fait que restreindre encore le club très fermé des puissances coloniales, en éliminant l'Allemagne. Elle avait encore élargi le gâteau à partager, en précipitant la mort de l'Empire ottoman. On s'agitait certes un peu aux Indes, en Chine, au Maroc, mais rien n'était bien décisif. Les empires ne s'acheminaient consciemment vers rien qui ressemblât à de l'indépendance.

En ce temps-là, les enfants d'Occident peuvent encore rêver d'aventure exotique avec l'esprit d'un conquistador et les mots d'un Barrès, d'un Morand ou, pour les plus médiocres, d'un Joseph Peyré. Un fort contingent de presbytes prennent Joseph Kessel pour Stanley, et Henri de Monfreid pour Rimbaud. « *Des bourgeois mécanisés par l'existence ont la digestion troublée par le nom des Îles sous le vent.* »[54] Dans le Vieux Port de Marseille, Marius se dispose à quitter Fanny, à l'hôtel du Nord Paulo songe déjà à descendre sur Port-Saïd « refaire sa vie ». Sur l'écran des samedis soir, après le turbin, le légionnaire bat tous les records de recette. Le jeune inquiet qui vient d'écrire : « *On vit mal, comme des chevaux enfermés, sur le sol français* » est évidemment sur les rangs.

Son désir informulé va rencontrer un autre rêve, d'un style bien différent mais d'une force égale. Celui d'un certain Antonin Besse. Intéressante personnalité que celle de ce grand négociant anglais d'origine française, un pied dans le Kent, l'autre en Aden, que tourmente une ambition brumeuse. Sa hantise : donner à ses activités mercantiles une dignité quasi métaphysique, faire du commerce des choses l'image moderne de la conquête de soi dans la volonté de puissance.

Pas très grand, noueux, costaud comme un sanglier, il affectionne les retraites méditatives, d'où il ressort plus dominateur qu'avant, cite Nietzsche, écoute Wagner avec volupté. « *Il faisait parfois des pèlerinages à Stratford, à Bayreuth, il se mettait le front dans les mains en écoutant* Siegfried. » Le ton du personnage est donné par la dernière lettre qu'il adressera à Nizan, un an après Aden : « *Cette année a vu éclore, en une floraison subite, se réaliser, pour mieux dire, des projets, des idées poursuivies sans relâche depuis un quart de siècle. Les doutes qui nous assaillent tous au cours de l'existence sur la validité de la table des valeurs, guide de nos actions, sont à jamais dissipés et je sais aujourd'hui que mon travail était bon. [...] J'ai répugné aux moyens faciles, j'ai gardé les mains méticuleusement propres, sans compromission malgré les tentations et, sans humilité, je me réjouis d'être arrivé au but, ayant posé le problème au début de ma carrière et qui semblait faux à mon entourage. Ma maison est aujourd'hui un faisceau dont chaque branche est ce qu'il y a de meilleur, de mieux organisé, de plus fort dans chacune des industries qui utilisent les matières premières de nos pays.* »[56]

On aura compris que ce mégalomane doute.

Tel un personnage de Bernanos, M. Besse est assoiffé d'âme. Sa grande préoccupation est de découvrir dans le vaste monde (occidental), puisant dans les viviers de l'élite universitaire, de jeunes intellectuels prêts à tout laisser pour le suivre. Au printemps 1926 un camarade de

Nizan, Jean Albert Bédé, découvre dans un journal belge une petite annonce de Besse, proposant une année de préceptorat à Aden. Bédé, bon élève, est peu tenté par l'aventure mais il en parle à Nizan, qui s'emballe. L'anglophile pense aux pelouses du Kent et aux officiers coloniaux flegmatiques sous le casque. Des bouffées de Kipling, de Conrad lui montent au cerveau. Aden accourt à sa rencontre dans un grand bruissement d'images et de parfums d'Arabie heureuse, entre myrrhe et moka. On frôle les trafics louches de la mer Rouge, le Harrar où s'est perdu Rimbaud, l'Hadramaout où Malraux fera semblant de chercher le palais de la reine de Saba. Plus-que-parfait d'Angleterre dans un plus-que-parfait d'Orient : beaucoup pour un seul homme. Il pose sa candidature.

« *Je croyais encore aux donneurs de conseils, aux curés* »[57], il interroge quelques augures. Jean-Richard Bloch lui conseille de suivre son instinct, Georges Duhamel (eh oui) est tout aussi encourageant : « *Cela est excellent. L'éloignement dresse le jugement.* »[58] Bien entendu, le disciple sournois n'attendait rien d'autre d'eux. Quant à Besse, il est tout aussi évident qu'il choisit Nizan : un normalien, un philosophe, son plus beau gibier.

Commence alors une pérégrination dont certaines étapes, malgré l'accoutumance, le rétrécissement de la planète, feraient encore rêver nos contemporains. Pour le jeune enfermé, c'est bel et bien « *un conte de fées* »[59]. En août, il est chez les Besse, à Barfield en Bickley, monte en Écosse voir le bateau de la Compagnie Besse (Halah Shipping Co) qui l'emmènera à Aden. La prise de contact est excellente, de part et d'autre. Les deux félins demeurent cependant sur leurs gardes. Nizan diagnostique chez le maître de maison une inquiétude qui n'est pas pour lui déplaire : « *Je me suis approché, avec précaution, pour ne pas les effrayer, comme quand on veut faire amitié avec un lapin, ou lui tirer un coup de fusil, de plusieurs hommes et c'était bien plus passionnant encore que le Loch Lomond ou le Loch Fyne. Ces hommes qui sont M. Besse, sa fille, son fils sont inquiets ; comme la plupart des hommes, ils tâtonnent, pour eux la vie est exactement décrite par la vieille formule du* negotium in tenebris. »[60] Besse le prend-il vraiment pour confident ? Ou le jauge-t-il ? L'un et l'autre, sans doute. L'ambiguïté s'installe.

Après un dernier au revoir aux parents, le *SS MV El Amin* appareille, début octobre, de Greenock, sur la mer d'Irlande, pour Port-Saïd, *via* Swansea. En mer, fidèle à son cyclothymisme, notre héros roule des pensées variées. Un jour il écrit : « *L'Europe m'abandonne ses plus sales images, des docks, des files de chômeurs devant l'Exchange Office du ministère du Travail, des raffineries de pétrole, des soûleries le samedi soir dans les slums de Swansea, de petites prostituées anglaises abruties de gin et de gaspers* »[61] ; « *Paris est particulièrement loin et je songe déjà avec ennui qu'il faudra rentrer* »[62] – mais c'est bien preuve qu'il ne peut s'empêcher d'y songer. Un autre jour il avoue : « *La seule chose qui me cause parfois un intolérable sentiment d'exil* [...] *c'est la bande de la rue d'Ulm.* »[63]

Peu à peu cependant divers opiums choisis vont paraître domestiquer le chat sauvage. La fumée du Navy Cut, les ivresses de clubs à coup d'ale et de gin, le bridge avec les officiers, la lecture boulimique, l'inaction, le romantisme facile de la mer, la conversation débilitante de W. L. Clarke, *jolly good fellow* de Cambridge, ancien briseur de grèves à Tilbury, les airs nostalgiques du radio écossais, à la nuit tombée, sur sa cornemuse... Résultat : « *Je découvre que j'aime mes semblables. C'est signe que j'ai ma majorité morale. Le propre des jeunes gens, c'est de vouloir jouer tout seuls. Et je me dégoûte de l'Europe en même temps que de la solitude* [...]. *Je suis anxieux (au sens d'*anxious) *de vivre avec ma tribu dans un univers moral.* »[64] Pour l'univers moral, il sera servi. Mais quelle tribu ?

Pendant quelques mois, il sera bien près de s'intégrer à celle des Besse. Un Orient d'Orient-Express l'a circonvenu dès ses premiers pas égyptiens : « *Cette odeur magnifique, inoubliable* » dont il se souviendra encore aux jours critiques d'*Aden Arabie*[65], les couleurs vertigineuses sous le soleil, la foule des hommes mêlée à celle des animaux, certes, mais « *l'hôtel est déjà l'Orient, je veux dire qu'il y a de profonds fauteuils et des moustiquaires unies aux whiskies and soda* »[66]. On comprend que, déçu par les Pyramides, il ne l'ait pas été par les clubs : au Gezira Sporting Club « *l'Inde, le monde et l'Europe se mêlaient, et ma voisine, la plus belle des jeunes femmes anglaises, me parlait tour à tour des P. and O. qui reviennent en mai de Bombay, de Sacha Guitry, de* Juno and the peacock, *dans le plus colonial des clubs anglais ; et la plus fast des jeunes femmes anglaises nous a livré une longue limousine américaine pour nous amuser avec ce jouet nouveau* »[67].

L'heure est à Paul Morand, comme on voit.

À Aden, où il débarque le 13 novembre, il vivra la vie aseptisée des Blancs, de ceux qu'on distingue de loin dans les rues sombres, coiffés de leur casque rutilant, vêtus de toile légère et immaculée. Rien de l'« *explorer in Arabia* » dont parle la *Cassell's Encyclopaedia of World Literature*[68]. Une chambre calme dans la demeure d'un riche négociant, deux boys, une Fiat (qui vaut « la Renault de Sartre », c'est tout dire), une sieste, quelques brasses et un rapide bronzage – la mode commence –

à Fisherman's Bay, un peu de tennis, beaucoup de club, Gold Mohur, Steamer Point, Union Club... Le tout enveloppé de vagues leçons de français et de latin à M. Besse junior. Les seules escapades sont pour les rares lieux arrosés, l'oasis de Sheikh Othmann, les orangers de Sir Abdul Karim, le sanguinaire sultan de Lahej, tapi dans son palais hollywoodien entre ses faux Chine et ses canapés Napoléon III.

Besse cependant va le charger d'une mission – mise à l'épreuve de ses talents de chef. En janvier 1927, Paul-Yves est à Djibouti pour un rapport sur la situation de la branche locale de l'entreprise, en complet désordre. Ce n'est pas bien loin, mais l'essentiel n'était pas d'aller le plus loin possible ; c'était d'être le plus chef possible. Qu'il ne comptât point sur le commerce pour lui permettre de fuir. Toujours il le ramènerait à un univers qu'il connaissait bien, celui des maîtres.

Mais c'est qu'il ne dit pas non. Constant dans le snobisme (la plupart de ses lettres d'Aden commencent par « *Dear* », « *Dearest* », « *My darling* »... ; ces mots incongrus ont été supprimés de l'édition 1967, bien sûr), il envisage d'autant plus sérieusement de tourner au négoce de haute volée et de forte odeur – café, cuivre, devises et surtout pétrole – qu'il l'aborde avec le plus grand relativisme. Dans la même lettre où il décrira sans complaisance aucune le milieu blanc, cet Union Club, le plus huppé, dont tous les membres « *sont coquins ou idiots, sauf le major Relly, mais il est ivre la moitié du jour* », il ajoute : « *Je pense aussi que je serai un bon homme d'affaires en appliquant à ce sujet une méthode intellectuelle bonne sur un plan quelconque, et parce que jamais je ne pourrai prendre ces divertissements au sérieux : on ne fait jamais parfaitement bien les choses qui nous passionnent réellement.* »[69] Ce ton plaît certainement à Besse, qui considère l'humanité ordinaire avec la même charité.

Dans une lettre à Henriette datée du 20 février[70], il franchit le pas, et se fixe un programme selon le cœur du Maître : diplôme d'études supérieures au printemps, puis « *octobre PCN. Un an de promenades. Agrégation. Sous-lieutenance. Aden. Je dis enfin Aden fermement : depuis un mois j'ai de nombreuses et intimes conversations avec M. Besse. Nous avons agité la question dans tous les sens, les miens et les siens. Ma modestie a beaucoup souffert. Il ne doute pas que ma "méthode" ne réussisse dans les affaires et surtout il me répète que je suis précisément fait pour mener les êtres. Il parle volontiers de mon "autorité morale" (et dire que je vole les bouquins de Sartre : il me le rend bien), de ma facilité, insoupçonnée mais que je constate avec ahurissement, de faire régner la paix, d'être pris en affection par les gens.* »

Il demande à Henriette de sonder ses relations dans le privé, en vue d'une initiation accélérée dès son retour. Désormais, il se voit fort bien régenter Miss Scott et Miss Cox, envoyer un câblogramme à Boston, à Bombay, dicter un ordre d'achat de 150 balles de Hides Medium, I 40 %, II 35 %, III 25 %, sur Addis-Abeba. Dix-huit mois de pratique assidue, et il peut ambitionner un poste de responsabilité, alterner ensuite un an d'Orient, un an d'Europe, et, qui sait, à trente-cinq ans l'association. Besse and Nizan Illimited… De grandes manœuvres, on le sait aujourd'hui, commencent autour de l'Arabie. Nizan songe déjà à monopoliser le transport du pétrole synthétique de la Farben, ferrailler avec la Shell, la Standard Oil…

Pourquoi n'en fut-il rien ? Pourquoi, aujourd'hui, pas de tankers battant pavillon Nizan ? Ici, un point d'ordre. Nous sommes en 1927, pas en 1930. À Aden, pas dans *Aden Arabie*. Les raisons invoquées dans le pamphlet ont joué leur rôle, plus ou moins consciemment. Mais cette découverte d'un exotisme vain et de l'exploitation radicale, il la subodorait dès avant son départ : sur place, il brasse, s'il faut en croire ses lettres à Henriette, des impressions mêlées, dont aucune ne paraît décisive.

Faute donc d'en savoir jamais beaucoup plus, contentons-nous de trois hypothèses complémentaires : l'influence d'Henriette, sa future fiancée et déjà sa principale correspondante d'Aden ; l'ébauche d'une réflexion économique mise en présence d'une machinerie sans masque, comme à Choisy (c'est la seule hypothèse retenue par les hagiographes) ; enfin, pour commencer, la cyclothymie du Nizan 1925, qui attendra la fin de l'année 1927 pour dépouiller complètement et définitivement le vieil homme.

Au début de son séjour, il a passé en revue pour sa correspondante toutes les carrières qui s'offrent à lui : intellectuel, homme d'affaires, politicien, ermite-penseur… mais c'est pour les rejeter toutes avec dérision[71]. En février, une lettre d'Henriette – une de ces lettres que les biographes n'ont jamais publiée, puisqu'elle n'était pas signée du héros – nous apprend qu'il songe à partir en Amérique : apparemment, si l'Europe le dégoûte toujours autant, les arguments de M. Besse ne le convainquent pas encore d'une façon bouleversante de s'amarrer à la corne d'Afrique.

Le 4 janvier, il a avoué : « *Écrivez-moi le plus longuement qu'il se pourra. Il faut me tenir compagnie : je suis tout seul et je ne suis pas gai tous les jours.* »[72] Quelque temps après, à l'issue d'une de ces conversations si positives avec M. Besse, il part à plus de cent sur la route de Gold

Mohur, en plein midi, sans casque. Au passage d'un petit pont de pierre, il verse dans le fossé. On le retrouve évanoui. La famille Besse et Henriette parleront toujours d'accident. Sartre, qui a pu recevoir des confidences au retour, mais qui aime aussi, on l'a vu, à sartriser son ami, affirme le suicide. Mystère. Toujours est-il que la fameuse « méthode » – depuis trois ans, ce mot semble l'obséder – a des failles. Derrière le masque du cynisme, elle dissimule imparfaitement un petit animal moral qui n'en finit pas de mourir. Un carte postale de Djibouti, non reproduite dans l'édition 1967, pose clairement le problème de ce porte-à-faux : « *Je n'aime pas ce pays* […]. *Mais tout ceci est bien : je me détache d'un certain nombre de choses qui m'ont entre dix-sept ans et vingt semblé faussement importantes. Je sens que je vais jouer le rôle qu'Ovide aurait joué, à son retour d'exil chez les Sarmates, s'il n'avait pas été un homme du monde. Je ne suis pas un homme du monde : je serai insolent et je traiterai les gens importants comme je fais avec mon boy.* »[72] [*Cf.* Annexe III, 1, p. 251.]

Il s'en fallait de peu pour que cette façon « insolente » de traiter les hommes ne fût plus celle du sueur de burnous mais du militant révolutionnaire. C'est à cette transmutation que furent consacrés le printemps et l'été 1927.

Là, ici-bas, entre la Bretagne et la rue d'Ulm, entre Shiltigheim, où le père se prépare une retraite bien méritée, qui le tuera promptement, et le Kent, où l'autre père, M. Besse, attend avec impatience le oui du jeune disciple, Nizan, dans la solitude de la société, va prendre une série de décisions radicales.

La première d'entre elles est de demander la main d'Henriette Alphen. La seconde est de la présenter, en juillet, aux Besse, rentrés à Barfield. Jusque-là, rien qui contrarie le projet affairiste. Mais voici que le tableau enfin se recompose. Et voici qu'apparaît le nombre d'or, le canon. Vue de France, vue de Spinoza, vue de l'amour, la volonté de puissance appliquée à l'import-export vous prend un air aussi dérisoire que les slogans valoisistes. Seulement, cette fois, l'air du large et la sécheresse du désert ont tanné la peau du jeune carnassier. Il sait maintenant qui mordre. « *Je constate avec étonnement que j'amasse à Aden par l'effet de la solitude une violence qui m'était étrangère : c'est que je me dispersais* », y disait-il déjà. Contrairement à ce qu'il pouvait craindre, son retour en France ne fait qu'accélérer le processus de concentration.

Derrière la duperie géographique se profile une nouvelle règle du jeu, toute humaine. Ici, nous commencerons à citer des textes d'*Aden Arabie*, sans risque d'anachronisme ni de malhonnêteté, et d'abord l'un des plus beaux : « *Les paysages mélancoliques sont ceux où les enfants meurent de faim, les paysages tragiques sont ceux que traversent des files de gendarmes casqués et des convois de canons, les paysages exaltants sont ceux où n'importe qui peut embrasser une femme sans trembler de froid ou de peur.* »[74]

Avec la distance, les discours européens sur l'*homo economicus* se mettent à ressembler à des comédies aussi pitoyables que celles de l'Union Club : « *Combattre des êtres de raison comme des firmes, des syndicats, des corporations de marchands : appellerez-vous cela des actions ? Je veux détester et battre tel homme particulier, cette figure de traître que je vois, ce patron, cet avoué, ce chef de bataillon, cet empêcheur de faire l'amour.* »[75]

Voilà : il est en train de trouver son remède miracle, celui qui lui permettra de continuer à exécrer l'Europe, et même au-delà, de la rue d'Ulm à Djibouti, d'Aden à Wall Street, tout en se battant sur place, là où il est né, là où il a grandi. Drôle comme l'engagement politique internationaliste peut faciliter un enracinement. L'automne 1927 est consacré à la lecture et relecture approfondie de Marx et, plus encore, de Lénine. Marx appartient encore un peu à la corporation. Lénine, à peine mort, si mal connu encore, a une plus forte odeur. Le Congo de 1926, l'Indochine de 1927 sont en train de transformer Gide et Malraux en compagnons de route du communisme : dans ces années-là, les chemins de Damas sont pris à la lettre.

Derrière tout cela, une voix s'élève enfin, plus ferme dans le moment même où s'affermit celle de Paul-Yves. C'est la voix d'Henriette. À son retour de Barfield, elle a envoyé son diagnostic – et voici encore un texte capital que les biographes ont ignoré – : Besse et sa femme, écrit-elle, « *me semblent souffrir d'un mal très profond […]. Il ne se dégage pas d'eux la moindre atmosphère de sérénité […]. Or il faut que nous agissions avec une extrême prudence lorsque nous approchons des gens qui ne sont pas heureux. Il faut flairer, examiner leur mal. Dans quelques mois nous pourrons agir plus librement, sans crainte. En ce moment, protégeons-nous.* »[76]

C'est, dans un autre sytle, exactement ce qu'écrira Nizan dans *Aden Arabie*, quand il viendra à parler sans le nommer de son ancien Maître[77]. Une fois de plus, et cette fois-ci au moment crucial de son existence, elle aura donné le coup de pouce décisif. Un couple, ce sont deux destins qui, au lieu de se neutraliser, s'influencent mutuellement.

Après quoi, elle n'eut plus besoin d'écrire ni de lui dire « vous ». Un autre voyage commençait, plus beau que tous les Aden.

Rirette ?

« *Est-ce que je vous fais peur ?* » Sans doute rougissait-il, lui aussi, comme le jeune Pierre Bloyé quand, à quinze ans, la bonne de ses parents le regardait droit dans les yeux. Mais non, les femmes ne lui faisaient pas peur, et plusieurs égéries se sont prévalues de son commerce. Mais il est sûr qu'il se fixa tôt, sans avoir jusque-là d'aventures bien longues et qu'à un orage près il restera fidèle à celle qui, dès la première rencontre, était tombée amoureuse de lui.

Il avait connu les maisons closes où l'on va en bande pour se donner du courage, sans s'y retrouver, les maisons de rendez-vous, plus huppées, où des voix naïves, un rien geignardes, vous disent : « *Les messieurs aiment tant les bas, la dentelle – Et vous êtes toujours empoisonné d'être d'abord un monsieur et pas un homme.* »[78]

Comme tout normalien pas trop godiche, il avait frôlé les femmes riches, ces « *femmes presque toujours belles qui ont la fortune, le temps d'être attentives à leur corps, de reposer leur visage, de faire masser leur ventre, de courir, de marcher au bord de la mer. Elles paraissent incorruptibles comme des statues.* »[79] Ces statues-là l'avaient réfrigéré. Modèle sans doute de la Pauline de *La Conspiration*, l'une d'entre elles était venue s'offrir à lui jusque dans sa turne. « *Madame, nous nous salirions* », avait été sa seule réponse.

Pour se rassurer, il déflorait quelques vierges, supposées sottes, s'ancrait quelques mois dans la tendresse d'une tenancière de café, qui lui inspirera la Marcelle d'*Antoine Bloyé*, tout en adressant pendant les mêmes années une correspondance giralducienne à une délicate jeune fille répondant au doux nom d'Hélène Fauvel, principale figure féminine de ses premiers textes littéraires. Dans *La Conspiration* on voit le groupe tenter le voyeurisme collectif, Laforgue pratiquer la masturbation à deux, Bloyé fréquenter les claques, Jurien et Pluvinage coucher dans le peuple, Rosenthal découvrir l'amour fou. Nizan connut tout cela, à peu près simultanément. Et l'amour fou vint à sa rencontre, une nuit de décembre 1924, au bal de l'École normale.

Dans l'un des petits carnets noirs qui subsistent de lui, au détour d'une suite de notes sur Claudel, le fascisme et les lois républicaines de Jules Ferry, on lit ces quelques mots :

« *Bal
Invités Rirette, Marianne Moyse, Aron I et II,*

Mlle Janderrin, Wagner.
Vais-je aimer Rirette ? »

Le bal annuel commençait vers onze heures du soir, s'achevait vers trois heures du matin. À cette heure, maintes jeunes filles de bonne famille, exceptionnellement grises, faisaient pâle figure. Au milieu du groupe réuni dans la chambre de Daniel Lagache – du côté des mâles, de jeunes inconnus qui s'appelaient Aron, Sartre, Nizan et Georges Canguilhem – une jeune fille qui avait su rester sobre, sur les excellents conseils de sa mère, rayonnait de dynamisme. Un mètre soixante-quatre en redressant bien la taille, des yeux, des cheveux noirs, une voix claire et qui porte. Henriette Alphen aura dix-huit ans dans quelques jours – elle est née le 1er janvier 1907. Non, elle n'est pas encore bachelière.

À l'heure où Nizan ébauchait ses derniers flirts de vacances à Saint-Pierre-de-Quiberon (Morbihan), elle avait fait la connaissance du frère de Daniel Lagache à Saint-Pierre-en-Port (Seine Inférieure) près de Valmont. Liaisons pas dangereuses. Fil en aiguille. Le destin, quoi.

Ce soir-là, Henriette Alphen n'est plus occupée que de ce Paul-Yves Nizan, qui a de si belles mains, un cou si remarquable – elle est sensible aux cous, aux attaches, Rirette –, et puis cette douceur ironique, cette élégance qui tranche. Lui ? disons qu'il paraît séduit. On va faire connaissance, courir autour du bassin aux poissons rouges, dit bassin des Ernests, boire au petit matin du chocolat dans des assiettes à soupe. On découvre qu'on était, quelques semaines plus tôt, l'un et l'autre à regarder panthéoniser ce bon vieux Jaurès, ça met de l'Histoire dans les sentiments. Chacun part à l'exploration de l'autre – à bonne distance, car nous sommes en 1924, on se dira « vous » et tout ce qui s'ensuit pendant près de trois ans, on sait se tenir, d'ailleurs Mme Alphen n'est pas loin, dans une salle, toute seule sur sa chaise, stoïque.

Rirette – « *appelez-moi Rirette* »… – est de ces jeunes filles de bonne famille, mais sans la froideur des « statues ». Le mixte idéal. Un grand-père paternel, dans la pâte à papier, un grand-père maternel dans les métaux précieux, un oncle polytechnicien. À cinq ans Rirette jouait au cerceau aux Tuileries, sous les yeux de sa Fraulein, en compagnie de petites filles choisies, et pourtant elle n'avait pas encore lu Proust.

Tout cela n'en fait pas « la fille du banquier Alphen » dont parlera plus tard l'*Action française*, quand elle voudra s'attaquer à Nizan et ne trouvera rien à redire de ses ancêtres chouans. La tonalité de la cellule familiale serait plutôt au culte des Muses. L'oncle se pique d'écrire, et le père est un violoniste, un compositeur d'opérettes – « Robert Alphen-

Strauss », auteur des *Deux billets*, du *Roi Saül*, que la guerre a rendu manchot et transformé en directeur de banque triste, à l'Union française de Crédit pour le Commerce et l'Industrie.

On destine Rirette à Marguerite Long – la rencontre aura lieu ; elle sera brève et sans lendemain – et son frère Jean-Paul, de quatre ans son cadet, va faire carrière dans le cinéma, de *L'Atalante* à *La Règle du jeu*.

Le dandy Nizan est heureux de se trouver de plain-pied avec une jeune élève du Cours Maintenon (où elle a eu pour maître un certain M. Teste, pour ceux qui aiment les anecdotes), mais c'est la franchise, l'intelligence pratique, la vivacité de Rirette qui vont le retenir. Pour la première fois, il rencontre dans une femme le même anticonformisme que le sien, mais plus frais, moins encombré de prix d'excellence, d'accessits en petite bourgeoisie méritante.

Dans *Aden Arabie* il parlera de ces femmes françaises qui paraissent ne pas vouloir être autre chose que « *femmes oisives* » ou « *femmes ménagères* », « *qui marchent dans l'amour comme un escadron dans du blé* »[81]. Il découvre avec ravissement qu'il y en a d'autres.

« *Je vous laisse ma carte.* » Mlle Alphen prépare le baccalauréat : peut-être aurait-elle besoin d'être un peu soutenue ? Mais oui, bien sûr. On va donc s'aimer tendrement en 1925. Elle va le retrouver à l'École, à la Sorbonne, dans tous les lieux où souffle l'esprit. Lui s'avance vers elle, tanguant légèrement, les mains dans les poches, un jour chicocandard, un autre débraillé avec application, le pull-over puant le tabac, les yeux malicieux derrière des lunettes d'écaille bancales depuis qu'il leur manque une branche, qu'il se refuse à remplacer. Il pérore, il subjugue.

« *Nizan parlait, parlait. De Platon, de Spinoza, de Lénine. Je l'écoutais dans une sorte d'égarement qui est sans doute un des symptômes de l'amour. Plus que ses paroles c'était sa voix que j'écoutais… Je passais des heures à me demander si j'allais oser poser ma main sur son bras.* »[82]

Elle habite rue Vavin, dans la grande bâtisse en porcelaine de l'architecte Sauvage. Il la raccompagne jusqu'à la grille du Luxembourg, et ils s'embrassent chastement.

Croyez-vous que nos héros ignorent l'exposition des Arts Décoratifs ? Que non pas. Comme dans un scénario rétro, c'est même là qu'ils sentiront à quel point ils tiennent l'un à l'autre. Un restaurant chinois, une porte de Mallet-Stevens, le pavillon de la jeune Union soviétique, manifeste de l'avant-garde, tout bois blanc et andrinople, aux couleurs de la révolution, et le tour est joué. Un jour, devant le métro Obligado, il s'en souviendra toujours, elle lui lance : « *Moi, si je ne suis pas mariée à trente ans, je prendrai un amant pour avoir des enfants.* »[83]

Chaque petite absence est une occasion de s'écrire, de s'entretenir des émois de son moi respectif. La correspondance avec Hélène Fauvel s'éteint. Rirette est désormais sa seule interlocutrice. Mais pas sa fiancée. Si cela ne dépendait que d'elle, ce serait déjà fait, mais lui hésite encore, là comme ailleurs. Rirette passe le bac, entre à la Sorbonne, saisie d'un intérêt violent pour la philosophie, mais le cursus de leur amour piétine. Aden sera l'ultime mise à l'épreuve pour leur couple.

Ils s'étaient connus au bal de l'École normale, ils se séparent à la garden-party de l'École de Grignon, ces intellectuels. Dernier abandon chaste et mélancolique, qu'ils évoqueront souvent par la suite (il s'en souviendra pour la scène du Trianon, dans *La Conspiration*). À raison d'une lettre chacun par semaine, avec le décalage de dix jours de bateau, pour le moins, l'éloignement va approfondir leur communion.

J'ai déjà dit que la correspondance de Rirette ne méritait pas le silence cuistre dont on l'a entourée jusqu'à présent. Là où, sur Spinoza, il répond en pince-sans-rire : « *Vos sentiments sont bien touchants pour moi. Sur la question de l'amour, voici les pages de Spinoza : L. III, prp. XIII, XV, XVII, XIX, XX, XXX, XXXI, et affectorum definitiones L. IV, XI, XII, XIII, XVII, XLII, XLIV, et L. V, VII, XX. Vous verrez qu'à la fin on n'a plus que l'amour de Dieu et des objets éternels* »[84], elle fait preuve d'une santé intellectuelle rayonnante, bien propre à le rejoindre : « *Si je crois, ce n'est jusqu'à présent à rien d'autre qu'au Dieu de Spinoza. Ces idées, je les ai toujours eues en moi, permanentes, claires et simples. Elles forment partie intégrante de moi-même, c'est pourquoi depuis quelques années je les laisse de côté, elles me mèneraient trop aisément à la sérénité, comprenez-vous. Je suis jeune et vigoureuse, je n'ai pas souffert – je ne veux donc pas des consolations qu'exigent ceux qui souffrent. J'ai obtenu mon bonheur à trop bon compte. Je veux m'acquérir des mérites, comme pourrait dire Kim. Aussi je tente toujours de me faire une morale purement humaine, sur laquelle je vivrai tant que j'aurai de la force. Quand je n'aurai plus de force, alors j'aurai recours à ma métaphysique, qui ne m'a jamais quittée. Je veux essayer de marcher tout droit, avec le monde sur les épaules, comme une danseuse de corde qui n'aurait pas besoin de balancier, parce que l'équilibre serait en elle (décidément, cette image me remplit de joie).* »[85]

Plusieurs autres de ses lettres bruissent ainsi d'escapades fantaisistes, où Mistinguett sympathise avec Aristote. Mais l'humour se fait grave, quand elle avoue : « *J'ai pour tout ce que vous faites la plus naïve et la plus respectueuse admiration, et si je pense à votre supériorité sur les autres hommes, c'est en me plaçant mentalement dans l'attitude d'une très minuscule actrice américaine qui, cheveux épars, œil limpide et le pagne aux hanches, interpréterait le rôle d'une petite métisse au cœur fidèle.* »[86]

Dans la pire des hypothèses, les deux amoureux s'étaient promis de se replier sur « *la Ligne Hindenburg de l'amitié* »[87]. À la lecture de la double correspondance adenite, on peut dire que, quant à ce qui touche Rirette, Paul-Yves franchit le pas décisif en février. Quand il rentre, il est décidé à l'épouser : « *Je pense à peu près exclusivement à vous : c'est une aventure nouvelle. Elle m'émerveille. Simplicité admirable. Ma vie a une direction.* »[88]

Nous n'avons plus la lettre ultime, mais nous avons la réponse de Rirette : « *Je vous réponds immédiatement, parce que cela fait deux jours que je réfléchis. Je veux bien vivre avec vous.* »[89] Il n'y manque pas la petite pirouette finale : « *Nous tâcherons d'avoir une belle vie, encore plus belle que celle de Claude Bernard, qui m'a fait pleurer d'enthousiasme un jour.* »

Le 17 avril 1927, il n'y a plus de pirouette : « *Nous aurons tous les deux une chic vie, et toutes les vies que nous n'aurons pas, nous les imaginerons si bien que cela reviendra au même.* »[90]

Quelques mois plus tard, quand il est une dernière fois séparé d'elle, pour un dernier salut de célibataire aux parents alsaciens, l'évolution est achevée. Elle lui écrit : « *Dès que tu t'éloignes de moi, j'ai l'impression que tu emportes toutes les choses dont j'ai besoin pour exister, que tu ne laisses que quelques objets inutilisables, des bouteilles vides, des vieux jouets.* »[91]

Ils s'étaient romantiquement fiancés sous la statue de Peter Pan à Kensington Gardens. Le 24 décembre, ils se marient en la mairie du Ve arrondissement – celle de la panthéonisation – avec pour témoins Sartre et Aron. Mariage exclusivement civil, bien entendu ; pour compléter le tableau, Rirette est en tailleur, et enceinte. Quant à Paul-Yves, atteint d'une appendicite aiguë, il tient à peine debout et entre à l'hôpital dès le lendemain. C'est dans ces deux états on ne peut plus seconds qu'ils commencent leurs douze années de vie commune.

Grandchamp

Nul doute que cette présence constante n'ait apporté au lutteur intellectuel qui, à la même date, adhérait au parti communiste, la part de stabilité intime dont il avait besoin. C'est Rirette, par exemple, qui désormais va marquer son cadre de vie. Contre les maisons vagabondes des dépôts, les dortoirs crasseux et les turnes enfumées, contre, plus tard, les appartements du nomade bressan ou moscovite, elle construira l'appartement de la calme rue Méchain, entre l'hôpital Cochin et le jardin des religieuses. Surtout, elle lui apportera Grandchamp.

Les Alphen sont vraiment de grands amateurs : après l'immeuble de la rue Vavin, volontiers qualifié aujourd'hui par les guides d'« *étape de l'architecture contemporaine* »[92], ils vont s'installer, en 1930, dans une maison qu'ils ont commandée un an auparavant à Frantz Jourdain, le fils du décorateur et architecte Francis, vieil ami de la famille, avant de devenir l'un des plus illustres sympathisants communistes du monde des arts plastiques. C'est la première maison qu'on ait demandée à Frantz. Il suffit de se rendre aujourd'hui 19, allée des Cèdres, au cœur de la cité-jardin du Pecq, pour comprendre qu'on a affaire à l'une des premières habitations privées construites en France sur la lancée du Bauhaus. Assemblage de parallélépipèdes blancs, couronnée en terrasse, parcourue de tubulures sombres, éclairée par des hublots et de grandes baies vitrées, elle se présente aussi, intérieurement, comme un manifeste de l'art décoratif moderne, domaine de prédilection de Francis, dans un jeu subtil d'éléments muraux en cerisier rose et de plaques de verre en guise de tables.

Grandchamp, qui mériterait de figurer dans les manuels d'histoire de l'architecture, fut aussi un petit haut lieu de la culture. C'est là que Nizan écrivit l'essentiel de son œuvre, mais c'est surtout là que lui et Rirette reçurent leurs amis chers, ceux de Jean-Paul Alphen, ceux des parents. Tout ce beau monde réuni, cela pourrait donner Sartre, Simone de Beauvoir, Aron, Emmanuel Berl, Jean Renoir, Paul Grunebaum-Ballin, Francis Jourdain, et un petit farfadet octogénaire, malicieux et maniaque, le lieutenant-colonel Émile Mayer, qui n'est autre que l'inspirateur, à la même époque, du commandant de Gaulle, auquel il suggéra un jour de s'occuper d'un peu plus près des blindés.

À peine achevé, Grandchamp fut le lieu d'élaboration d'un film fou, dont on peut regretter l'inachèvement et la disparition. Avec le jeune Jean-Paul Alphen à la caméra, on y découvrait une bien insolente histoire, digne du *Chien andalou* contemporain. Un curé, Nizan, bien entendu, y dressait à un jeune homme de bonne famille déjà perdu de débauches – Sartre – le tableau contrasté du Bien et du Mal. Là des bergères (Rirette, Simone de Beauvoir, Mme Berl n° 2), ici des aguicheuses en bas résille (les mêmes). Les aguicheuses finissaient par déchirer la chemise du bon jeune homme. Vision d'un scapulaire sur sa poitrine. Les mauvaises femmes tombaient à genoux, adoraient le vrai Dieu. On en resta là. La plus belle scène ne fut pas tournée : un soir, revenant d'une de ses orgies coutumières, Sartre rencontrait le Christ. « *Vous avez du feu ?* » lui demandait-il, et le Christ de s'arracher le sacré-cœur enflammé de la poitrine pour le lui tendre... On vit simplement ce jour-là, sur la terrasse de Saint-Germain-en-Laye, Nizan, en soutane, serrant tendrement sa femme contre lui, sous les yeux ébahis des promeneurs honnêtes. Bref, on s'amusait bien à Grandchamp.

Les mois, les années passant, les liens se distendirent, entre les amis d'étude surtout, dispersés ici et là en province. Comme dans le même temps la cellule s'élargit par la naissance de « Bonnette » (Anne-Marie, 19 juillet 1928) et de « Pat » (Patrick, 14 décembre 1930), la vie du couple Nizan se mit à ressembler à celle d'un jeune ménage français ordinaire. Tous les témoignages concordent pour dire que le dandy instable de 1925 avait su s'adapter sans difficulté au rythme, aux contraintes auxquelles un Sartre, par exemple, qui d'ailleurs ne rencontre l'objet aimé qu'en 1929, ne se pliera jamais. Désormais on verra M. Paul Nizan père écrire ses livres, imperturbable, au milieu des jeux-poursuites de ses enfants. On le verra, symétriquement, les traîner en pédagogue conscient et organisé au Panthéon ou à Versailles (« *Papa, s'il te plaît, plus de promenades culturelles !* »).

Mais c'est le Nizan amant qui, surtout, se découvrit à lui-même. Les lettres d'amour de Rirette et de Paul-Yves qui nous sont parvenues ne laissent aucun doute sur l'intensité des sentiments qu'ils éprouvèrent l'un pour l'autre. Auprès de sa compagne, l'angoissé trouve une oasis de complicité, de confiance réciproque. « *Je vais te retrouver. Je vais continuer à pouvoir vivre sans méfiance*, lui a-t-il avoué dès le premier jour de leur union, *je peux avoir des rires de petit garçon près de toi sans recevoir sur le visage la tarte à la crème, le coup de poing, sans qu'on me retire les tapis sous mes pieds, comme dans les films comiques.* »[93]

Il part à la découverte d'un être humain semblable et singulier. Sa hantise est de ne pas ressembler à ces humains qui « *ne pensent pas à l'autre comme à un être difficile à pénétrer* », à ces mâles dont la femme n'est que « *le plus mobilier* [des] *biens* »[94]. L'amour, « *c'est un ouvrage qui exige trop de patience, de présence, de fins communes* »[95] pour que cet assoiffé d'absolu soit à tout instant certain de ne pas vivre dans la duperie. Cet orgueilleux, cet anxieux est sans doute comme le Bernard de *La Conspiration*, qui vit dans la douleur et l'exaltation « *ces nuits de patience où il sacrifiait au plaisir de Catherine son plaisir même* »[96].

Qu'il tienne viscéralement à Rirette, on peut assez bien en juger dans le quotidien de son amour par le ton de jalousie humoristique, mais de jalousie tout de même, qu'il adoptait à l'égard des hommes qui paraissaient s'approcher un peu trop d'elle : « *C'est un con et un contre-révolutionnaire* », avait-il l'habitude de lancer, mi-figue mi-raisin. Son attachement, il le prouva par l'absurde, à l'été 1935, quand elle pensa qu'il lui était infidèle. À l'issue de cette aventure mouvementée, dont le troisième personnage était l'écrivain Simone Téry[97], qui s'en inspirera immédiatement pour un roman, *Le Cœur volé*, Rirette éprouvera la nécessité de mettre pour quelques jours, sans avertir Paul-Yves, la Manche entre elle et lui. Le résultat ne se fit pas attendre : cette séparation réduisit Nizan à l'état de zombie blafard. Leur amour sortit grandi de l'épreuve, comme on dit dans les romans-photos, qui ont toujours raison : « *Je t'aime, je t'embrasse. Je sais que rien ne peut remplacer nos secrets, nos complicités, notre amour. Ce n'est pas si mal après plus de dix ans* [...]. *Je n'ai pas d'habitudes. Peut-être que j'ai cru en avoir avec toi. Mais c'était faux. À dimanche.* »[98]

Il y a des signes qui ne trompent pas. La sensualité des lettres de guerre, pour le document brut, et surtout l'approfondissement, l'épanouissement, d'un roman à l'autre, des figures du couple. Antoine Bloyé et Marcelle, Albert et Catherine, du *Cheval de Troie*, Catherine et Bernard, de *La Conspiration*, en attendant Catherine et Laforgue, dans ce « *roman sur le bonheur* » qu'allait être *La Soirée à Somosierra*. Dès le premier, l'austère militant communiste a été jusqu'à écrire que « *les seules entreprises humaines étaient sans doute les accouplements nocturnes* », que « *ces aventures de l'ombre entraînent des mouvements, des battements de cœur autrement forts, autrement sanguins et chauds que les cérémonies glaciales des repas, des promenades, des anniversaires, des leçons des enfants, des comptes de la semaine* »[99], mais c'est encore pour se révolter contre des êtres humains qui « *n'en font rien, n'en tirent pas profit* [...]. *Ils fuient la véritable union comme des prêtres.* » Cinq ans plus tard, dans *La Conspiration*, Bernard et Catherine, même s'ils échouent *in extremis*, devinent déjà le fin mot de l'histoire : l'amour est « *cette complicité de rire, d'érotisme, de secrets partagés, de passé et d'espoir, cette union pareille à un inceste permis* »[100]. On laissera aux psychanalystes, amateurs ou professionnels, le soin de gloser sur l'avant-dernier mot et de rappeler que le premier texte littéraire de Nizan racontait l'amour d'un adolescent pour une femme mûre, et, pour les combler, on partira pour la Grèce se ressourcer en mythologie.

S'il y a en effet une vérité du plaisir nichée quelque part chez Nizan, elle n'est sans doute jamais plus explicite que dans cette sorte de roman dans le roman qu'est, au sein de *La Conspiration*, le Voyage à Naxos. Le romancier s'y attarde à raconter cette grande parenthèse lumineuse qu'avait été, dans la vie de Bernard Rosenthal, en 1925, sa découverte de la Grèce, son séjour, quelques mois, sur l'île de Naxos, l'île de l'abandon d'Ariane, auprès de Marie-Anne, sa sœur (certes...).

Nizan y suit de près une réalité, celle d'un identique voyage, daté d'août 1931, à cette différence près, considérable, que la compagne n'y était pas inaccessible par tabou, mais bel et bien sa femme. Sans se l'avouer, ils font là en quelque sorte leur voyage de noces, avec trois ans de retard, juste après la sortie du premier livre, *Aden Arabie*, juste avant l'entrée dans la vie professionnelle. Ils ont choisi Naxos, un peu sur les souvenirs d'école, beaucoup sur les conseils de l'ami Jacques Prévert, qui y a séjourné un an auparavant.

Tout le voyage serait à décrypter comme lieu de dévoilement de Nizan-Bernard à lui-même. On y voit sans surprise un normalien très réticent en face des « sépulcres blanchis » de la culture officielle, mais qu'émerveillent le baroque des rues populaires, le bric-à-brac byzantin du Musée national. Il finira, sur le tard, par accepter quelques fragments du passé classique, mais seulement parce qu'elles lui parlent en termes de volupté, ces « *vierges de l'Acropole dont personne n'oublie jamais ni le sourire ni les plis de la tunique sur les seins* »[101].

Au large, c'est l'enchantement. Les sirènes achèvent de captiver le Breton déguisé en Germanopratin. À Syra, il rêve de se perdre dans les lumières qui partent à l'assaut des collines, et se promet de revenir un jour. À Naxos, où leur hôte s'appelle, comme il se doit, Dionysos, il s'abandonne à ce paysage lumineux et clos, montagnes de marbre, villages immaculés, jardins vert sombre, couple chromatique du cyprès et de l'olivier. Il écoute des récits de chasse à la palombe, s'attarde aux banquets sous les arbres, près de la mer, aime Rirette. En un mot : « *Il existe pour chaque homme un lieu où il imagine l'amour : pour Bernard* [pour Nizan], *depuis 1925* [depuis 1931], *c'était les îles grecques.* »[102]

Bien sûr, l'esprit critique, le regard de l'auteur qui prépare déjà son pamphlet le plus partisan, *Les Chiens de garde*, ne peut ignorer la dégénérescence de la bourgeoisie naxienne, la misère des banlieues d'Athènes, « *l'insolence des cadets, les enfants ophtalmiques et les trop belles bourgeoises smyrniotes* »[103]. Mais on comprend mieux, à la lumière des îles, quel rapport complexe pouvait entretenir avec l'exotisme, par-delà toutes les ruptures verbales, ce voyageur d'Aden qu'on retrouvera voyageur de Samarkand, et qu'un homme capable de tels abandons sensuels ait été sensiblement différent du personnage ténébreux et tourmenté peint par Sartre dans son « Avant-propos ». Rirette tiendra toujours à souligner que le Paul-Yves qu'elle connut était, à de rares exceptions près, celui-là et non pas celui-ci : « *Paul-Yves avait pour le bonheur de grandes dispositions. Il était grave, certes, mais gai et plein d'humour. Dans la vie de tous les jours, c'était l'être le moins pesant que j'ai connu.* »[104]

Résumons-nous

Il était une fois un enfant sans père : il fit une fugue comme le père, un peu plus loin, c'est tout ; un enfant sans mère : il rêva d'amours maternelles. Il écrivait des poèmes, se prêtait à droite et à gauche et s'exerçait au scepticisme, sans y parvenir. À la fin, il se mit à boire seul et nuitamment. Ça ne pouvait plus durer. L'Asie fut, comme il se doit depuis Pythagore et Apollonios, la grande initiatrice : sous son fard, il reconnut l'Europe. Sitôt revenu dans la maison natale, il s'imposa le plus grand nombre possible de rites de passage. Ce furent, pêle-mêle, la renonciation à la poésie (son dernier texte est daté d'octobre 1927 ; Rirette, qui pouvait maintenant le tutoyer, lui en dit le plus grand mal), la renonciation au commerce, l'enfantement, le mariage, l'adhésion au parti communiste, l'agrégation de philosophie, le service militaire, pour lequel un sursis courait depuis 1924. Sans oublier l'appendicite compliquée de septicémie de la Noël 1927, où il faillit mourir, l'un de ces coups au physique « *qui jouent décidément chez les Blancs du XXe siècle le rôle des circoncisions chez les Nègres* »[105]. En se réveillant sur son lit d'hôpital, il pensera sans doute, comme Laforgue, qu'« *il n'avait plus une seconde à perdre pour exister rageusement ; le grand jeu des tentatives avortées avait pris fin* »[106].

À cette existence « rageuse » deux petits os seront d'abord donnés à ronger. Un an d'armée (octobre 1929-octobre 1930), comme secrétaire du colonel, à la caserne de Clignancourt (21e régiment d'infanterie coloniale), pour mieux connaître l'ennemi ; quelques mois de vie éditoriale auprès d'un mécène libéral, pour mieux s'ébrouer dans l'écriture.

De la première expérience, il gardera assez d'images pour nourrir tout un chapitre de *La Conspiration* ; on y voit le jeune bourgeois Simon se faire pincer au moment où il est en train de copier des documents vaguement confidentiels sur la défense de Paris. Nizan, qui eut la même tentation, ne franchit jamais le pas. Il se contenta de narguer l'institution en se livrant à des amours conjugales, mais acrobatiques, dans les placards du Val-de-Grâce, ce qui pouvait toujours passer pour une manifestation de la fièvre psychosomatique qui l'y avait fait admettre d'urgence. Pour le reste, il ne se laissa aller qu'à des sentiments très ordinaires, au premier rang desquels le plus profond mépris pour les sous-officiers de la Coloniale.

De la seconde expérience subsistent des vestiges plus tangibles encore, deux numéros précieux recherchés des collectionneurs, d'une revue éphémère et luxueuse, intitulée *Bifur*. Avez-vous remarqué ? Si l'on compulse attentivement de longues collections de revues déjà anciennes, il n'y a presque jamais de milieu : ou bien, et c'est le cas le plus fréquent, vous avez sous les yeux un alignement plat de textes dont le seul intérêt, vingt, cinquante ans après, est de constituer autant de documentaires sur une époque, une mine à statistiques culturelles, tout au plus un fonds « rétro » ; ou bien vous inventez un trésor, une publication où presque tout tient encore debout, où la seule lecture du sommaire sonne comme une anthologie. *Bifur* fait partie de cette seconde espèce.

Les Éditions du Carrefour, fondées par un étrange mécène désargenté, Pierre-Gaspard Lévy, éditeront Max Ernst, Michaux, Ribemont-Dessaignes. Chaque numéro de *Bifur* – il n'y en aura que huit, datés de mai 1929 à juin 1931 – est un festival, où Joyce côtoie Varèse, Buster Keaton, Michel Leiris. Nizan fait la connaissance de Lévy grâce à des amis communs, à l'époque où celui-ci sent l'animateur initial, Nino Frank, plus poète que gestionnaire, prêt à quitter un navire étincelant mais qui, financièrement, fait eau de toutes parts. Nizan assume largement la responsabilité du numéro 7 (achevé d'imprimer : 10 décembre 1930), où paraît le premier texte d'un certain Jacques Prévert, trente ans, qui déclare « *écrire en mauvais français pour les mauvais Français* ». Il y publie aussi son premier essai de philosophe révolté, sous le titre de *Notes. Programme pour la philosophie.*

Le huitième, tardif (10 juin 1931) et dernier numéro, est entièrement de son cru. Au sommaire : Eugène Dabit, Georges Friedmann, Nazim Hikmet, Jean Giono – et, une dernière fois, Jean-Paul Sartre, pour un extrait de son premier livre achevé, *La Légende de la Vérité*, que Nizan essaye, en vain, de faire éditer[107]. Le nouveau conseiller des Éditions du Carrefour avait la charge de présenter les auteurs. De Sartre, il écrit, dans ce style faussement glacé qui fera désormais si souvent mouche : « *Jeune philosophe. Prépare un volume de philosophie destructrice.* »

Quelques lignes plus loin, il présente au public français, dans une traduction d'Alexandre Koyré, un inconnu : « *Un des philosophes les plus importants de l'Allemagne. A fondé la philosophie du néant. On raconte qu'il en eut la révélation grâce à la pratique du ski.* » Le skieur inconnu s'appelait Martin Heidegger. Son texte, un extrait de *Was ist Metaphysik*, qui avait séduit Nizan, passe inaperçu auprès de tous les autres, à commencer par Sartre et Simone de Beauvoir qui avoueront par la suite n'y avoir rien compris[108].

Le Nizan de *Bifur* tient d'une poigne ferme les rênes de l'attelage. D'un côté il veut donner à la revue « *une tendance documentaire de plus en plus marquée* »[109], d'un autre il publie Max Ernst. Il avoue même à un journaliste ami : « *Le surnaturel joue un rôle dans mes rêves de la nuit et dans ce qu'il me faut bien nommer la poésie. Je le rencontre à tous les coins de rue. Il n'est peut-être que ma plus profonde vérité, celle de ce double irrationnel par qui je touche parfois un monde dont les idées ne savent presque rien.* »[110] Ainsi sa vie allait-elle être construite autour des deux axes dont ces deux expériences étaient comme le brouillon : un travail militant de longue haleine, fondé sur un refus radical des institutions bourgeoises ; le plaisir du texte.

Il a vingt-cinq ans. Il ne laissera personne dire que c'était le plus bel âge de la vie. Soit. Mais il n'a laissé à personne d'autre le soin d'en faire l'âge le plus intense. Il a vingt-cinq ans. Il était temps.

MISÈRE DE LA PHILOSOPHIE

> « Je resterai seul avec ce ciel vide au-dessus de ma tête, puisque je n'ai pas d'autre manière d'être avec tous. Il y a cette guerre à faire et je la ferai. »
>
> (*Le Diable et le Bon Dieu*)

Voici un révolté furieux. Son premier texte public, après trois années de silence, est un cri de haine contre le Système : « *Je tiens cet ordre pour le désordre même. Il est au-dessous de la dignité de la critique intellectuelle.* »[1]

Il ne pensera pas toujours qu'il est au-dessous de la dignité d'une critique ; c'est qu'il met encore sa dignité trop haut, et on lui connaîtra d'innombrables arpèges sur le thème d'un monde irrespirable, couvert de Bourses, d'églises et de casernes. Mais les commentateurs, séduits par la vigueur des formules, n'ont pas toujours prêté assez attention au symétrique positif qui finissait toujours par y poindre. Ainsi dans le texte ci-dessus, qui se poursuivait par : « *Mais je crois à un ordre véritablement humain où les hommes vivent comme des hommes et non comme des fantômes humiliés.* »

Ce qu'au plus fort de sa période sectaire il définira encore avec une juvénilité anarchiste : « *Respirer, dormir, avoir chaud l'hiver, aimer les femmes qu'ils aiment, marcher où ils veulent, travailler, créer, être en paix.* »[2]

Un jeune ingrat

Cela est bel et bon ; compte la signature. Cette exaltation est signée d'un homme de métier, et son matériau n'est pas l'homme mais l'idée. Les jeunes romanciers commencent ordinairement par une autobiographie romancée ; qu'a de mieux à faire un jeune philosophe, si ce n'est de régler son compte à la philosophie ? Son âge et l'âge environnant lui paraissent mûrs. Il s'agit maintenant de « *donner à la colère des répondants philosophiques* »[3].

Les têtes de Turc sont à portée de la main : tous les officiels de la culture tertio-républicaine. Charles Seignobos, vivant témoignage de la « *faiblesse théorique et de l'optimisme sénile de la science historique bourgeoise* »[4], Alain, philosophe « *des douzièmes provisoires* »[5], Bergson même, qu'il songe d'abord à épargner, en compagnie de Blondel et de Goblot, mais dont la pensée n'est bientôt plus que celle « *des porteurs de dividendes* »[6]. La doctrine de la vie intérieure aura désormais, et jusqu'à la fin, le don de le mettre en rage. En 1929, ce n'est qu'un bavardage creux, une rhétorique du mouvement, truffée d'incantations magiques. « *Le spiritisme est à la porte.* »[7] En attendant, elle symbolise parfaitement le recroquevillement naturel au bourgeois. En 1938, elle est toujours « *la forme la plus sordide des activités de l'esprit* »[8].

La sociologie n'est pas mieux traitée. Durkheim est même beaucoup plus dangereux que Bergson, dans la mesure où il fait plus neuf, qu'il est au pouvoir et parce que « *ce mouvement qui se disait scientifique s'est développé comme une religion* »[9]. Un texte inédit, retrouvé dans les archives de Rirette, précise la polémique : « *Nous nous proposons une éthique du combat. Durkheim cherchait une éthique de la collaboration – et de l'harmonie : la paix dans un ordre moral toujours rectifiable sans combat. Il fonde une pareille éthique sur la division du travail entendue formellement, en dehors de l'économie et de qualifications concrètes. [...] Les oppositions de classes lui semblent des maux de l'engendrement de l'harmonie. La société même où se font jour ces oppositions n'est pas mise en question. Il se trouve que son problème est posé dans une société à dominantes économiques, mais il ne va pas au fond des oppositions de classes.* »[10]

À l'étage au-dessous, les prébendés ordinaires de la philosophie ne sont plus guère justiciables d'une réfutation. Il suffit que le prolétariat se dresse à l'horizon pour que ces pantins sombrent dans le dérisoire : « *M. Brun, M. Marcel, M. Wahl marchent derrière des nuages comme des dieux, et encore comme des seiches.* »[11]

La Revue de Métaphysique et de Morale, les assemblées annuelles « *pour décider des progrès que l'Esprit a faits dans une année et ceux qui lui restent à faire* »[12] vous ont alors de ces airs bouffons qui n'ont d'égal que le masque usurpé « *de médecin ou de prêtre sauvant à chaque instant le monde par la vertu de ses maux de tête* »[13]. Qu'on se le dise : on aura affaire à un praticien ingrat.

Mais un iconoclaste n'est pas un athée. Bien au contraire, c'est communément un intégriste. Quand Nizan se sera bien échiné à casser les idoles, ce sera pour conclure que la philosophie existe, qu'il l'a rencontrée, simplement que ce n'est pas « *un luxe de professeur, un exercice spirituel, mais un travail sur le plus pressant des problèmes* »[14], où l'on peut reconnaître la mort et, à défaut, la révolution. Ainsi en est-il de son attitude à l'égard des deux tartes à la crème du pouvoir intellectuel établi vers cette époque-là, la « culture » et l'« humanisme ».

On lui connaît des mots cruels sur l'une et l'autre, la première surtout, qui a le ventre plus mou : « *Racine, Botticelli, Maurice Scève, la princesse Bibesco font appel aux plus mauvais instincts du prolétariat, au même titre que les vitrines de chez Worth, les bas de soie 44 fin et l'Académie des Gastronomes dont M. Tardieu fait partie.* »[15]

Mais ce ne sont pas des mots définitifs, ni même complets. Quand il avance, en contradiction avec sa future étude sur *Les Matérialistes de l'Antiquité*, qu'« *aujourd'hui Lucrèce est aussi corrupteur qu'Apollonios de Rhodes, que Watteau* », tout est dans l'« aujourd'hui ». Ce n'est pas pour rien qu'il se proclamera bientôt « *temporel jusqu'aux os* »[16].

On aurait tort de voir dans ces principes la preuve d'une sorte de masochisme intellectuel. Une phrase de son premier texte de fureur philosophique est assez claire là-dessus : « *Sous prétexte que je lisais seul des livres en comprenant plus facilement qu'un ajusteur le divertissement pascalien et le règne des volontés raisonnantes, je ne me prenais pas pour un homme anonyme.* »[17]

Nizan n'est pas un cultivé honteux, qui bat sa coulpe : c'est un enfant trompé qui se refuse à l'être plus longtemps, en assortissant sa rupture de quelques attendus blessants. Il ne se met pas en posture de croyant à qui la Révolution a fait un corps de lumière : « *Nous, nous ignorons les masques, nous voyons notre bassesse, notre indigence et l'essence de notre malheur.* »[18]

Le Nizan philosophe, qui est pour l'essentiel le Nizan 29-32, conclut toujours sur la haine inexpiable, l'éloge du fanatisme, mais sa conclusion se prononce : « *L'homme attend l'homme, c'est même sa seule occupation intelligente.* »[19]

Il se gausse de la mentalité de confessionnal, mais c'est pour mieux énoncer : « *Ce que dit Karl Marx dans* Le Manifeste*, si ce livre est bien lu : l'homme est amour, et il est empêché d'aimer.* »[20]

Quand il a l'occasion de prendre la parole devant le plus vaste public d'intellectuels jamais vu en France, au Congrès international des écrivains de juin 1935[21], c'est de « L'humanisme » qu'il choisit de parler. Ni pour faire amende honorable, ni pour conclure à l'antihumanisme, même théorique. Mais pour choisir dans la galerie d'ancêtres. La famille de Nizan est celle d'Épicure, de Spinoza et de Diderot, leur humanisme est fait « *de colère, d'impatience et de communion* ».

Histoire d'un soviet

Subsiste un dernier point. Comment réaliser sans plus tarder la synthèse de la colère, de l'impatience et de la communion ? Que faire, quand on est philosophe et révolté ? C'est bien facile : on crée une revue.

C'est une idée de vingt ans, plus que de cinquante. Il y a aussi des temps qui y sont plus propices que d'autres. Le siècle avait une vingtaine d'années lui aussi ; il sentait l'après-guerre, et les lendemains de massacres sont favorables aux créations violentes et philosophiques. Jacques Rivière venait de mourir ; la *NRF* s'installait dans le noble. C'était le point oméga, un lieu provisoirement inaccessible où se mouvaient des entités nommées André Gide ou Paul Valéry. Mais aussi on ne pouvait pas se contenter des revues d'université ; pas question de blanchir si jeune. Les poètes, les pas-normaliens, les dilettantes, les provinciaux, les engagés de la première heure fondaient des revues rutilantes : *Littérature*, *La Révolution surréaliste*, *Clarté*, bientôt *Le Grand Jeu* ou *Bifur*. Des diplômés subversifs ne pouvaient pas faire moins.

Quand Nizan, vers le début de 1928, après plusieurs mois de convalescence physique et de lectures marxistes variées, se jugea bon pour le service militant, il rencontra sur sa route un petit groupe de pairs, tous philosophes et souvent normaliens, qui arrivaient sur les mêmes positions théoriques que lui, mais au travers d'expériences moins exotiques et tragiques que les siennes, plus intellectuelles et plus concrètes à la fois.

L'histoire remontait déjà loin. Le groupe avait commencé de se cristalliser au début de 1924. Son âme à l'époque était un grand blondasse d'une vingtaine d'années, Pierre Morhange. Plus poète qu'idéologue, il essayait de combiner ses aspirations contradictoires mais également totalisantes dans un mysticisme inquiet et déclamatoire qui fleurait bon sa guerre mondiale. Son objectif : « le trust de la foi ». Son moyen, pour commencer : une revue, *Philosophies*, et une chapelle d'apôtres, parmi lesquels, détail non négligeable, le fils aimable d'un banquier prêt à subventionner, avec modération, les lubies philosophiques de son rejeton, plus flatteuses, à tout prendre, que le débauchage des petites femmes du Bal nègre.

Le fils du banquier s'appelait Georges Friedmann, brave jeune homme de bonne famille, élégant et mesuré, pénétré de l'ambition de bien faire. À ses côtés brillent deux personnalités contrastées : Georges Politzer, vingt et un ans, réfugié de Hongrie où il avait miraculeusement échappé à la terreur blanche de 1919, porte déjà le masque saisissant – yeux bleu clair et toison rousse – du saint terrible et fanatique qu'il deviendra le jour où la Révolution fondra sur lui. En 1924, il se contente de proclamer sur le registre morhangien la nécessité d'une « dictature spirituelle ». Henri Lefebvre à dix-neuf ans est le benjamin (un de plus de la génération 1905). Il est inventif et un peu brouillon. Entre les deux circule le petit Norbert Guterman, souriant et nonchalant, plus tourné vers la consommation gourmande des idées que vers leur commerce suivi.

Le groupe n'a pas encore de position philosophique bien définie. Il s'agit d'« être avec plénitude », de penser en actes, de défendre tout à la fois « l'ESPRIT, le MYSTICISME et la LIBERTÉ » (les majuscules comprises)[22]. Mais d'abord, très immédiatement, de s'affirmer contre la philosophie officielle, la culture bleu-horizon et, en généralisant quelque peu, l'Europe décadente : « *Si l'Europe est pourrie et indigne de vivre, qu'elle finisse de mourir, peu importe.* [...] *Réveille-toi jeunesse !* » proclame calmement John Brown, pseudonyme de Pierre Morhange, dès septembre 1924.

L'exemple tutélaire de Dada et du surréalisme pousse d'abord à de paisibles provocations, moins cruelles que celles des grands, car on est entre gens qui pensent. D'un côté Morhange, Politzer et Lefebvre tiennent au Théâtre de l'Atelier une conférence sur ou plutôt contre le penseur nationaliste Henri Massis, en annonçant « l'ouverture de son testament », d'un autre, on accepte qu'en 1926 la Déclaration des droits de l'Esprit de Lefebvre soit lue en Sorbonne dans le cadre très orthodoxe de la Société des Amis de ladite. Un jour de 1925, on se voit couper les vivres friedmanniens à la suite d'une prise de position malséante en faveur des Marocains révoltés du Rif, un an plus tard on ressort sous un nouveau titre, *L'Esprit*, avec le même financement.

La solution de continuité a été mise à profit par la secte pour expérimenter un premier rapprochement avec le fascinant parti communiste. Comme il n'était pas encore question d'aller jusqu'à l'adhésion, l'affaire n'avait pris la forme que d'une fusion avec la revue la plus intellectuelle et la moins officielle du mouvement, *Clarté*, animée par Henri Barbusse. Une réunion commune, en juin 1925, avait précédé une signature conjointe du manifeste en faveur d'Abd el Krim. À la rentrée d'octobre, *Philosophies* se retrouvait aux côtés de *Clarté*, du petit groupe belge de la revue *Correspondance* (Camille Goemans et Paul Nougé) et du prestigieux groupe surréaliste pour appeler, dans un texte très bretonien, à *La révolution d'abord et toujours*. Ladite révolution commençait, bien entendu, par la création d'une nouvelle revue, pour laquelle *Clarté* accepta de se saborder sans attendre : *La Guerre civile*. Mis au pied du mur, les zélotes faiblirent. Ils mandatèrent Lefebvre à la réunion ultime pour poser en leur nom une condition qu'ils savaient à l'avance inacceptable : la préservation théorique des intérêts de l'Éternel. Éclat de rire, grosses colères : *Philosophies* se retrouvera seul, à la rue, et content de l'être. La suite des événements lui donna raison : les surréalistes, à leur façon, furent pris du même souci de préserver leur autonomie. *La Guerre civile* ne vit jamais le jour et *Clarté* reparut, morose.

De cette occasion manquée, les morhangiens eurent du mal à se remettre. Les trois années qui suivirent furent surtout l'histoire d'initiations philosophiques et révolutionnaires successivement abandonnées. Le groupe reproduisait en manière collective les essais et avatars de Nizan entre sa dix-huitième et sa vingt-deuxième année. À cette différence près que depuis la fin de 1926 celui-ci a trouvé sa voie, alors qu'en 1928 ceux-là la cherchent encore. La bande des quatre indéfectibles a ainsi tour à tour participé à une demi-douzaine d'opérations intellectuelles de style varié : la sortie d'une « collection de philosophie et de mystique », dirigée par Morhange, où ne paraîtra guère qu'une traduction de Schelling par Politzer, préfacée par Lefebvre ; la formation de cette nouvelle revue, *L'Esprit*, qui de mai 1926 à janvier 1927 ne connaîtra en tout et pour tout que deux numéros ; la signature d'un manifeste pacifiste et antimilitariste patronné par Romain Rolland – de ces textes peu compromettants auxquels Nizan, on l'a vu, fera allusion par la suite avec quelque ironie ; et surtout deux rêveries d'action, plus mirobolantes.

La première se serait située en 1926. Lefebvre propose à ses camarades de mettre au service de la subversion révolutionnaire les quelques mois de service militaire que la société bourgeoise, aveuglément, offre à ses rejetons. Caches d'armes ? Espionnage ? Morhange opterait plutôt pour la désertion, en direction de la Suisse. Une turne de la rue d'Ulm verra une discussion passionnée, qui conclura au rejet du projet, comme « gauchiste ». Quelques mois plus tard, Lefebvre se retrouve battant la campagne en compagnie de Friedmann, à la recherche d'un site où implanter une sorte d'abbaye de Thélème contemporaine et franchement révolutionnaire. Ce monastère rouge pourrait servir de terre d'asile aux grands persécutés, à commencer par Trotsky, qui entame à l'époque sa vie de Juif errant.

L'utopie fut sur le point de se concrétiser. Des pourparlers furent engagés avec un notaire de Vannes pour l'achat d'une île dans le golfe du Morbihan. Au dernier moment Georges Friedmann, sur l'argent duquel, une fois de plus, on comptait, recula. Il était dit pourtant qu'il le perdrait un jour. Mais ce ne fut pas, cette fois, sans un finale brillant, en public, avec une troupe élargie.

La dizaine de mois qui, en 1928, suivirent l'engloutissement de Thélème allait en effet être celle du passage aux premières grandes réalisations. C'est alors que Nizan, jusque-là observateur distant, entra résolument dans le groupe pour y faire ses premières armes polémiques. Le contact avait été pris lors de son précédent flirt avec le parti communiste, pendant le premier semestre 1926. Sans doute est-ce à cette période initiale que Lefebvre fera allusion plus tard, dans le texte de 1947 où il étayera chafouinement de souvenirs confus l'hypothèse d'un Nizan-flic. Mais il est trop sur le qui-vive pour participer directement à la rédaction de *L'Esprit*, dont le second numéro paraît d'ailleurs pendant son séjour à Aden. Une phrase, au détour d'une lettre de Djibouti datée de janvier 1927, confirme tout à la fois sa familiarité avec le groupe et ses réticences : « *Peut-être y a-t-il des conciliations. C'est l'opinion de mon ami Friedmann et généralement de* L'Esprit *: ils la placent dans la mystique bolcheviste. Cette direction est belle : c'est une de mes directions.* »[23]

Quand, à son retour, il se plonge dans la lecture attentive de la vulgate marxiste, il rattrape en quelques enjambées son retard sur eux, et les dépasse même, en adhérant au Parti avant tout le monde. Tous y viendront, en quelques mois, de 1928 à 1929. Par un paradoxe classique, ce fut le plus hétérodoxe de tous, Morhange, qui suivit le premier l'exemple de Nizan, et Politzer qui y sera, d'abord, le plus réfractaire.

Puisque désormais le marxisme n'est plus un des possibles mais le point de ralliement théorique obligé, il n'y a plus d'obstacle à ce que la future revue – puisque revue il ne saurait manquer d'y avoir – s'appelle *Revue marxiste*. On va même faire mieux, et feu de tout bois. C'est une véritable petite centrale éditoriale marxiste dont les plans vont être adoptés, fin 1928, dans l'enthousiasme des lendemains qui chantent. L'ensemble va s'intituler « Les Revues », sis 47, rue Monsieur-le-Prince, où s'ouvre une librairie marxiste. Le pluriel s'impose, en effet : on en prévoit trois. Morhange médite *Le Mauvais Temps*, revue politique et poétique selon son humeur. Politzer, qui vient de faire paraître en 1928 le premier tome de sa *Critique des fondements de la psychologie*, reçoit en apanage une *Revue de Psychologie concrète*, enfin toute l'équipe est conviée à retrousser ses manches pour animer sans plus tarder la *Revue marxiste* proprement dite, de périodicité mensuelle. Lefebvre, considéré comme trop compromis dans l'affaire Thélème, se juge mis à l'écart. Il en ressentira quelque amertume, qui explosera contre Nizan vingt ans plus tard.

Dans l'immédiat la centrale publie un brûlot philosophique, *La Fin d'une parade philosophique : le bergsonisme*, en annonce d'autres. L'auteur de ce premier coup de pied dans la fourmilière dont *Les Chiens de garde*, trois ans plus tard, sera en quelque sorte le piétinement généralisé, est un certain « François Arouet » derrière lequel cherche à peine à se cacher Politzer. Au-delà, la rue Monsieur-le-Prince annonce à coups de trompe la sortie d'une « Collection matérialiste », explicitement mise en parallèle avec l'entreprise encyclopédique des Lumières. Le pseudonyme de Politzer s'éclaire : les nouveaux philosophes du prolétariat montant, les Voltaire, Rousseau et Diderot des temps futurs se recruteront dans le voisinage de ladite collection, qui se donne d'ailleurs pour tâche de publier tout à la fois des éditions populaires de grands matérialistes anciens, de Hobbes à d'Holbach, et « *des études et essais d'Asmus, Deborine, Mesnil* [Guterman]*, Moncey, Morhange, Nizan, Politzer, etc.* ».

À la rentrée d'automne 1929, la centrale fermait ses portes. *Le Mauvais Temps*, la « Collection matérialiste » ne virent jamais le jour. *La Revue de Psychologie concrète* ne connut que deux numéros. Elle avait cru habile de ne pas afficher tout de suite ses couleurs : « *Aucune tendance n'est affiliée à la revue* », proclamait Politzer dans le numéro un. Il ne fallut pas beaucoup de temps à l'Établissement psychologique pour reconnaître dans son projet d'« *élimination de la forme mythologique et pseudo-scientifique* » de la psychologie le cheval de Troie d'une psychologie marxiste encore balbutiante. La revue des Jésuites, *Les Études*, n'hésita pas à qualifier cette tentative de « bolcheviste ». Dès le second numéro, Politzer cassait le morceau : la psychologie concrète serait matérialiste ou ne serait pas. On peut regretter aujourd'hui que l'occasion ne lui ait pas été donnée de poursuivre le travail de critique collective du behaviorisme et de la psychanalyse qu'il y annonçait.

Dans ses naïvetés mêmes, la *Revue de Psychologie concrète* révélait le propos fondamental du groupe tout entier : poser les bases d'une contre-institution philosophique, vraie manufacture du matérialisme moderne, au moment où les premières éditions « intégrales » des œuvres de Marx et de Lénine commençaient à paraître, à un rythme de sénateur. La *Revue marxiste* elle-même, qui portait en exergue la phrase de Lénine : « *Sans théorie révolutionnaire, pas de mouvement révolutionnaire* », devenue d'ailleurs en juin « *pas d'action révolutionnaire* », trouva le temps de publier, dans cette ligne, quelques traductions françaises d'inédits des grands maîtres. Elle y ajoutait un programme ambitieux de pédagogie marxiste, s'étendant de l'analyse des « lois économiques » à celle, plus modeste, de la presse soviétique. Nizan y donnera dans cet esprit de lecture critique du monde contemporain un long article sur « La rationalisation », son premier texte marxiste, comme un premier défi au monde du père.

Le pire aurait été de ne pas être remarqué. La revue lança donc une enquête auprès des célébrités les plus diverses, sur le thème : « *Quelles sont vos objections contre le communisme ?* » Ainsi le nom de Nizan peut-il avoisiner celui de Jean Cocteau ou de Clément Vautel. Le travail de provocation était en bonne voie. Déjà *La Bibliographie de la France*, fait exceptionnel, refusait d'insérer la publicité du premier numéro. Un contre-pouvoir allait-il naître ? Une martingale foireuse s'en mêla, et tout fut consommé.

Ici se place en effet l'un des épisodes les plus rocambolesques de l'histoire intellectuelle française de l'entre-deux-guerres. Au printemps 1929, les premiers besoins d'argent se firent sentir. Rien encore de vertigineux, mais la courbe pouvait inquiéter. Pierre Morhange sortit en beauté : conseillé par un mystérieux personnage qui se présentait comme agent à Paris du Komintern, il convainquit ses camarades d'aller risquer la grosse somme… au casino de Monte-Carlo. Comme il se doit, il perdit tout.

La proposition de Morhange et son acceptation, si énormes soient-elles, sont encore en l'affaire ce qu'il y a de plus certain. Il semble cependant qu'il y ait eu des ramifications plus complexes. Lefebvre, exclu du Parti et versant d'une obsession dans l'autre, supposera, en 1957, une intervention du Parti lui-même ou de Moscou : le tentateur de Morhange n'était-il qu'un escroc ? N'avait-il pas été effectivement téléguidé pour torpiller une tentative dangereuse pour l'organisation, compte tenu de son indépendance financière initiale ? Les arguments qu'il avance, tous au conditionnel, paraissent aujourd'hui peu convaincants. Ils supposent surtout un danger d'autonomie dont la *Revue marxiste* était loin de présenter les premiers signes.

La seule pièce que les archives Nizan versent au dossier est une lettre de Politzer, en date du 29 août 1929. On y discerne la constitution d'un front des orthodoxes, constitué par les deux correspondants, Lefebvre et le représentant officiel du Parti à la rédaction, Charles Rappoport, membre du Comité directeur. Les deux victimes de la révolution de palais proposée par Politzer sont nommément désignées pour être Morhange et Guterman – ce dernier est secrétaire de rédaction de la revue –, qualifiés de « dictateurs » irresponsables (et quelque peu oppositionnels, non ?). Un troisième nom est prononcé, celui d'un certain Weitling, qui est peut-être l'œil de Moscou dont parlait Lefebvre. La conclusion de Politzer annonce déjà l'homme de foi qu'il est en train de devenir : « *Nous qui sommes inexpérimentés comme militants et comme théoriciens, nous devons faire confiance au Parti.* » Si l'équipe n'exclut pas le trio, le Parti risque de s'en mêler, et « *c'est l'exclusion pour tous* »[24]. Ce ne fut l'exclusion que pour Morhange, le seul vraiment compromis. Mais ce fut le sabordage pour tous.

L'aventure n'avait pas été inféconde. Moins il est vrai d'un point de vue strictement marxiste que franchement personnel. En disparaissant après six mois d'existence, à la veille de la formidable crise économique qui aurait à elle seule justifié sa présence, la revue échouait à constituer le point d'ancrage permanent de la nouvelle philosophie. Il n'est pas certain qu'on ait, depuis, fait beaucoup mieux. Mais elle servit de révélateur à chacun de ses équipiers. Morhange s'y était montré fort médiocre meneur d'hommes. On le retrouva poète. Traducteur, avec Guterman, de poèmes d'ouvriers américains, il figurera, dans une obscurité relative, parmi les auteurs publiés par Gallimard et Seghers[25]. Son dernier recueil s'intitule *Autocritique*. Seuls les initiés pouvaient se rappeler, en le lisant, que l'auteur de ces textes courts, vifs et abscons avait été un quart de siècle plus tôt l'un des apprentis mages de la jeunesse intellectuelle française. « *Ô jeunes pardonnez-moi Avec vous j'ai passé Sur le pont social De la raison et du combat Mon cœur je l'ai caché.* »

Georges Friedmann se crut lui aussi une âme lyrique. En 1931, la NRF lui fit l'honneur d'éditer une série de proses poétiques datées de 1927, inspirée par la ville de Marseille[26], ouvrage auquel la liste Otto, sous l'Occupation, fit l'honneur plus grand encore de l'interdire. Conscient d'être *a priori* le mieux placé pour témoigner sur la bourgeoisie décadente, il aura l'ambition d'être le grand romancier marxiste que la France attendait. Cela donnera, en 1930 et 1932, les deux volumes de *Jacques Aron*[27]. Devenu entre-temps critique littéraire du quotidien communiste, Nizan jugera avec sévérité la tentative. Il ne fut pas le seul, et l'œuvre romanesque friedmannienne s'arrêta là. Son tempérament positif et observateur trouva dans l'analyse de la société industrielle d'autres objets où s'investir, et marquer son temps.

La plupart des tâches que s'assignèrent les rescapés furent plus efficaces, et plus fidèles au programme de 1928. Elles consistèrent en la traduction d'un certain nombre de textes marxistes ou « progressistes ». Morhange trouva dans le mysticisme sans Dieu de Boris Pilniak une littérature sœur, mais il traduisit aussi, en 1936, les *Lettres de Lénine à sa famille*. Guterman dispersa ses talents entre les littératures russe, allemande et américaine (il fut le traducteur de *42e Parallèle*, de Dos Passos) mais on le retrouva surtout aux côtés de Lefebvre supervisant les anthologies Gallimard de *Marx* (1934) et de *Hegel* (1938), ainsi que la première édition française des *Cahiers sur la dialectique de Hegel*, de Lénine (1938).

Les deux amis tenteront de pousser plus loin leur contribution militante, en mettant sur le métier un programme ambitieux de *Cinq Essais de philosophie matérialiste*, respectivement consacrés à *La Conscience mystifiée*, *La Conscience privée*, *La Critique de la vie quotidienne*, *La Science des idéologies* et *Matérialisme et culture*. Seul le premier, écrit pendant l'hiver 1933-1934, verra le jour. Postérieur aux essais de Nizan, il part comme eux à l'assaut du « *temps des mystifications générales* », armé du « *dépassement matérialiste de la philosophie : le marxisme* ». Le retournement stratégique du Front populaire, la guerre, le stalinisme donnèrent à la pensée théorique d'Henri Lefebvre plus d'envol. Ils lui permettront de fonder sur des bases un peu différentes cette critique de la vie quotidienne qui n'aura cessé de le préoccuper.

La *Revue marxiste* a donc bien été cet « *exercice d'assouplissement* » que Nizan jugera sans indulgence dans *La Conspiration*, où ses anciens camarades du groupe croiront reconnaître une image décalée de leur expérience. Il est certain qu'en voyant surtout en de telles entreprises l'occasion de lectures plus vastes et d'un premier contact avec la classe ouvrière, idéalisée mais ignorée, par le biais des rencontres autour du marbre avec quelques typographes de la rue de Seine, Nizan était justifié à conclure que, de même qu'« *il existe des ouvrages de dames, ce ne sont guère que des ouvrages de jeunes gens* »[28]. Sans doute était-il sévère. Mais lui seul, à cette date, pouvait vraiment se le permettre. Lui seul avait déjà derrière lui la réussite dans les deux domaines où ses anciens camarades s'expérimentaient tant bien que mal : l'essai politique et la fiction critique.

Aden Arabie

La rédaction définitive d'*Aden Arabie* commença sans doute juste après l'échec de la revue. Le contrat fut signé avec les Éditions Rieder le 10 mars 1930[29]. Le livre sortit dans les librairies en janvier 1931. Quelques mois auparavant, des bonnes feuilles en étaient parues dans *Europe*, revue Rieder. Cette pré-publication fut des plus significatives. Les documents qui en ont été conservés prouvent surtout que Nizan en profita pour durcir encore le ton de l'ouvrage dans l'intervalle, comme si la découverte de sa première colère imprimée donnait soudain du tonus à son agressivité. Le directeur d'*Europe*, Jean Guéhenno, assez tolérant pour inaugurer la collection homonyme par *Aden Arabie*, fut cependant à ce point effrayé du ton pris par le dernier chapitre qu'il finit, après quelques hésitations, par renoncer à le joindre aux bonnes feuilles[30].

La genèse du livre avait dû commencer sur les lieux mêmes. Dans une lettre à Rirette, Paul-Yves mentionne déjà un « factum », « *plein de philosophie et d'aventures maritimes* »[31]. Le titre devait en être significativement *Apprentissage* ou *Évasion de quelques hommes*. Le projet fut abandonné dans la tourmente qui suivit, mais sans doute resta-t-il dans les tiroirs quelques notes de voyage, quelques réflexions choisies, toujours utilisables un jour, quel qu'en fût le discours porteur.

La fondation, toute théorique, on l'a vu, de la « Collection matérialiste » le conduisit sans doute à approfondir son retour sur lui-même. Rien de tel cependant que l'émulation : le pas décisif fut franchi le jour où ce jeune philosophe doué et provisoirement dispensé des obligations enseignantes se mit à considérer la production intellectuelle de son temps. Il y trouva plusieurs échos de ses propres refus, sans se satisfaire de l'habillage formel ou idéologique de chacun d'eux.

Ces dernières années 1920, période de prospérité économique et de stabilisation politique relatives, furent en effet, en France particulièrement, celles d'une des plus vives floraisons d'essais critiques que notre pays ait jamais connues. En moins de trois ans, de 1927 à 1929, ne parurent dans cette veine pas moins de quatre ou cinq ouvrages notoires, tous dressés, à des degrés divers, contre les certitudes de la culture établie. La plupart d'entre eux donnèrent d'un seul coup la célébrité à leurs auteurs : Julien Benda, pour *La Trahison des clercs*, diatribe un peu épaisse contre les compromissions des intellectuels en place, en priorité leur participation au « bourrage de crâne » nationaliste ; Jean Guéhenno, pour *Caliban parle*, procès humaniste d'une culture bourgeoise que l'auteur, d'origine authentiquement prolétarienne, jugeait sans faiblesse, quoique sans hargne ; Aragon, pour son cinglant *Traité du style*, sorte d'Index intégriste de la foi surréaliste ; enfin Emmanuel Berl, pour *Mort de la pensée bourgeoise* et *Mort de la morale bourgeoise*.

Ces deux derniers titres, outre qu'ils avaient pour auteur un ami de Nizan, étaient certainement ceux qui approchaient le plus de ses convictions. Pour dire leur fait aux valeurs conformes, ils avaient un ton d'une insolence élégante absent des autres ouvrages, une façon bien séduisante de charrier « *M. Brunschvicg et la chose enveloppée* » et une perspective déclarée de démolition générale qui n'excluait pas *a priori* de s'ordonner un jour dans un sens marxiste[32].

Nizan eut conscience qu'il pouvait apporter un ton et un sens neufs à ce concert de dissonances. *Aden Arabie* présente en effet le cas, rare en littérature, non pas d'un simple essai, teinté de pamphlet, mais de ce que j'appellerai, faute de mieux, un *itinéraire* critique. Je veux dire par là un cheminement intellectuel qui ne se contente pas de développer une argumentation abstraite, si abondante et si brillante soit-elle, voire de la piqueter de fines pointes agressives, datées, mises en scène, plus ou moins *ad hominem*, mais qui épouse du même rythme un autre cheminement, strictement autobiographique. Et dans le genre c'est une réussite, car, semblable à un petit roman d'initiation, *Aden Arabie* nous montre un héros partant pour l'Asie dans une sorte d'extrapolation de ses fuites parisiennes et en revenant, quelques mois plus tard, guéri de son vague à l'âme, de ses incertitudes existentielles, converti à la lutte à mort contre la société bourgeoise : Paul ne laissant à personne d'autre le soin de raconter son chemin de Damas.

Par là même, ce petit volume de moins de deux cents pages s'autorise à jouer sur tous les tableaux de la langue littéraire, et de gagner à tous les coups. On y trouve un récit de voyage coloré, juste ce qu'il faut, aussi bien qu'une tirade serrée sur les objets, digne des meilleures pages de *La Nausée*, un caractère à la façon d'un La Bruyère marxiste (« *Homo economicus* ») à côté du portrait d'un personnage de roman (« Monsieur C. », autrement dit Antonin Besse), des fragments de mémoires insolents, une provocation au meurtre et à la guerre civile, et bien d'autres belles choses encore. Sans l'avoir sans doute raisonné, l'auteur réussissait à régler de la manière la plus souple le fameux casse-tête du point de vue : je est un autre au départ de l'Europe, pour ne plus l'être au retour, c'est même tout l'objet, ou plutôt le sujet, de l'histoire. Le lecteur s'embarque en 1925, découvre 1926 comme Colomb l'Amérique et se précipite vers 1930, le tout en l'espace apparent d'un semestre.

Par un jeu subtil dont il fut lui-même conscient, au point de parfois le regretter par la suite, Nizan démolissait le mythe de l'exotisme tout en donnant du voyage en Orient la justification ultime d'une rentrée en soi-même, d'un recul pour mieux sauter. Cette ambiguïté, qui n'était une équivoque que pour un esprit sectaire, fait tout le prix de ce texte de passage, d'enjambement. Ce pamphlet contre les valeurs frelatées de la civilisation occidentale est en même temps bourré de culture, fortement référentiel.

Cri de haine, il l'est dans le classicisme, comme si, au contact du désert, et plus encore sans doute de l'engagement politique, son style s'était débarrassé des afféteries qui vers 1924 l'encombraient jusqu'à l'étouffer. Il chatoie, mais c'est le chatoiement d'une intelligence lyrique et non d'une volupté de bazar.

Aujourd'hui encore ses mots font mouche. On aura peu souvent parlé avec une telle dureté de l'institution scolaire, cristallisée ici dans son sommet mondain, l'École normale supérieure de la rue d'Ulm : « *Cette troupe orgueilleuse de magiciens que ceux qui paient pour la former nomment l'Élite et qui a pour mission de maintenir le peuple dans le chemin de la complaisance et du respect.* »[33]

Les engouements, les aliénations intellectuelles de la jeunesse sont épinglés avec une méticulosité sans faiblesse, dans la longue énumération initiale de toutes les fuites diversement colorées qui s'offrent à un jeune homme, de Dieu au suicide en passant par l'ironie ou la poésie, toutes ces « *portes pour n'aller nulle part* »[34].

C'est que l'attaque ne porte pas seulement, ni même principalement, contre les vieillards d'âge qui tiennent communément enfermés leurs rejetons ; les plus durement accostés sont les fils, les semblables, les frères de l'auteur – et en fait de la plupart de ses lecteurs. Là commence ce grand travail de démystification de la jeunesse, à contre-courant des discours établis, y compris à gauche, qui fut l'une des préoccupations récurrentes de Nizan.

Quant au capitalisme mis en scène par *Aden Arabie*, il ne fait pas l'objet d'une description méticuleuse de ses lois économiques : l'auteur se contente de dévoiler, loin des brumes manchesteriennes, la cruauté de ses sueurs de burnous et la totale artificialité de ses enjeux. Comme on s'en doute, ce sont beaucoup plus l'artifice et l'absurdité qui choquent Nizan. La commisération, il a appris à s'en défendre. Ce n'est pas lui qu'on surprendra en flagrant délit d'apitoiement. Non, l'Aden des négociants occidentaux, c'est d'abord et avant tout un monde réduit « *à son état de pauvreté extrême, qui est l'état économique* »[35], où ne subsiste plus, dès que l'auteur en a reçu la révélation, « *une miette de réalité* »[36]. Les êtres dits humains y deviennent transparents et sans épaisseur, comme faits de mica. Le héros nizanien est moins révolté contre l'injustice que contre la duperie. C'est cette découverte furieuse de l'imposture qui donne le ton du dernier chapitre, ample déclaration de guerre personnelle à la mère patrie, et derrière elle à la bourgeoisie au pouvoir : « *Il ne faut plus craindre de haïr. Il ne faut plus rougir d'être fanatique. Je leur dois du mal : ils ont failli me perdre.* »[37]

L'ennemi, en ces termes, est visiblement moins le capitaliste, cité ici et là, que la bourgeoisie, omniprésente, obsédante. Ce déplacement, habituel aux pamphlétaires, est en correspondance avec ce qui reste la contradiction fondamentale d'un tel cri : se refuser à reconnaître et, par là même, à penser la source morale. Littérature du scandale, vécu ou retourné, la littérature de Nizan ne se soutient, sur le fond, que par la morale. Mais c'est cette contradiction permanente qui fait une partie de son charme.

L'autre partie, la plus grande sans doute, c'est la voix qui s'y fait entendre. Il serait vain d'en chercher les antécédents, les influences. On en trouve toujours, en cherchant bien. Mais enfin Nizan est bien reconnaissable. Ni l'abandon fin-de-siècle de Barrès, ni la brutalité déclamatoire d'Aragon, ni le brio un peu sec de Berl. Sa voix, c'est ce génie des formules cruelles, à commencer par la première, la bien connue : « *J'avais vingt ans. Je ne laisserai personne dire que c'est le plus bel âge de la vie.* »

Mais en combinaison avec un descriptif volontiers minutieux et toujours piégé : « *Le palais du sultan est un bâtiment de corail gris : il a un toit à balustres, des files de fenêtres, des attiques, des colonnes corinthiennes. Dans le jardin des paquets de feuilles de tabac sèchent sur des ficelles. Il y a des boules de verre dépoli, pour y lire l'avenir, comme dans la grande banlieue, près de Paris.* »[38]

Le tout est prêt à s'envoler périodiquement dans un lyrisme qui entraîne jusqu'aux portes de la prose poétique : « *Il va falloir par exemple manier les outils, s'occuper des vivants, annuler les morts, connaître enfin nos corps, tuer nos ennemis, inventer des objets, faire marcher des enfants, rire, approcher le monde.* »[39]

Cette dernière citation dit assez combien *Aden Arabie* pourrait avoir été écrit, à quelques phrases près, par un anarchiste. Littérature enragée, plutôt qu'engagée.

Dans *La Conspiration*, Nizan termine un chapitre par une chute pince-sans-rire bien dans son style : « *En décembre et en février, Rosenthal publia dans* La Guerre civile *des pages qui n'avaient pas de chances sérieuses d'ébranler le capitalisme.* »[40] La formule est partiellement applicable à *Aden Arabie*, si l'on considère la profondeur de son analyse anticapitaliste. Nizan est un philosophe, un moraliste, un militant, demain même un actif secrétaire de rayon, sous-rayon ou cellule ; mais jamais il ne sera ni ne cherchera à être un économiste. Son texte qui s'en rapprocherait le plus était le premier de sa période communiste, ce texte de noviciat paru dans la *Revue marxiste* sur « La rationalisation ». Son seul titre était déjà, consciemment ou non, un jeu de mots : à travers l'analyse critique du taylorisme et de ses succédanés, le philosophe posait sur le fond le problème du détournement du rationnel par la bourgeoisie, à son profit. Qu'on ne cherche donc pas dans *Aden Arabie* un argumentaire serré contre le système économique régnant, malgré la présence de Monsieur C. *Homo economicus* est un personnage de Dostoïevski, pas de Boukharine. Nizan, comme son père, ne parle que de ce qu'il sait. Qui connaît bien châtie bien. C'est l'école, la philosophie officielle, toutes les voix de son maître, c'est l'aliénation plus que l'exploitation. La révolution qu'il appelle de ses vœux est bien une révolution culturelle : « *On peut comprendre que la Révolution a des raisons plus méthodiques, mais pas des raisons plus persuasives que celle-ci : il faut des loisirs pour être un homme.* »[41]

Ceux qui n'ont pas encore lu *Aden Arabie* n'y trouveront pas un *vade mecum* marxiste pour voyage lointain, mais comme un petit manuel portatif de démystification universelle.

Les Chiens de garde

Gageons qu'ils seront un peu déçus par *Les Chiens de garde*. Le livre paraît chez le même éditeur un an après *Aden Arabie*, le 20 avril 1932, sous un titre plus provocant que celui qui était prévu par le contrat du 28 juillet 1931 : *Discours aux jeunes hommes*. Le prière d'insérer de Nizan, pour le premier, avait conclu par ces mots : « *Ce livre sera le dernier livre individuel de l'auteur. Il n'est plus seul […]. Il abandonne ce qu'il fut au tas de la pourriture bourgeoise.* »[42]

Ce que *Les Chiens de garde* conservent aujourd'hui de meilleur est pourtant ce que le pamphlet a encore d'un « livre individuel », d'un règlement de compte personnel, en champ clos, entre un jeune agrégé de philosophie sur le point de quitter le métier et les maîtres que la société lui a donnés.

L'ouvrage s'annonçait dans le long article « Notes. Programme pour la philosophie » paru dans *Bifur* en décembre 1930. Beaucoup plus qu'*Aden Arabie*, il peut se résumer en quelques propositions simples : les philosophies officielles révèlent chaque jour plus cruellement leur incapacité à rendre compte du monde contemporain, aussi bien la rationaliste-sceptique au pouvoir que la bergsonienne dans l'opposition, ou la bendesque, qui prétend siéger « ailleurs ». C'est qu'elles le font exprès. L'idéalisme et le non-engagement sont les faux-semblants d'une idéologie des repus et une extrapolation de l'exigence de tranquillité posée par l'entrepreneur : « *Le bourgeois est solitaire.* »[43]

Il y a donc une philosophie des oppresseurs qui n'a pas le courage de s'avouer comme telle. Aux apprentis philosophes rassemblés dans les amphithéâtres des grandes écoles et des facultés de choisir la philosophie des opprimés, sous le drapeau de Marx, Engels et Lénine : « *Le matérialisme ne dit point que les pensées ne sont pas efficaces mais seulement que leurs causes ne sont pas des pensées. Que leurs effets ne sont pas des pensées.* »[44]

Le manichéisme proclamé de l'ouvrage est annoncé dès l'épigraphe, avec son jeu de citations en parallèle : « *Le sentiment de cette force de conscience et de création qui nous traverse... c'est bien si l'on veut le sentiment du divin.* (D. Parodi) »

« *La Rochelle, 24 mars 1930. La mutinerie des disciplinaires du Château d'Oléron se poursuit. Toutefois, par manque de nourriture, dix d'entre eux se sont rendus. Les autres, au nombre de trente-huit, résisteraient encore cet après-midi. Pour tromper leur faim, ils arrachent aux murs de la citadelle du varech qu'ils mangent cru.* (Les Journaux) »

Le rétrécissement du champ polémique est sensible. L'ouvrage fonctionne à l'intérieur d'un système, s'attaque aux philosophes en place, s'adresse aux philosophes montants : peu de monde. Malgré ses ambitions totalisantes et son appel final à une « trahison des clercs » délibérée, en forme de guerre civile, son intérêt immédiat, son efficace demeurent strictement corporatistes. Les pères qui y sont tués paraissent au lecteur non initié, à tort ou à raison, peu importe, comme bien dérisoires. Sorties du sérail, certaines invectives semblent « frigides », ainsi que le dira le critique de *Monde*, l'antifasciste italien Tasca[45].

Certes, des personnages aussi discrets qu'un Léon Brunschvicg ou un André Lalande y prennent, sous l'effet d'une agressivité vengeresse, un relief artificiel qui, un instant, retient, amuse. Certes, le génie des formules nizaniennes n'est pas atrophié : « *Il y a d'une part la philosophie idéaliste qui énonce des vérités sur l'Homo et d'autre part la carte de la répartition de la tuberculose dans Paris qui dit comment les hommes meurent.* »[46]

Mais il s'exerce avec plus de parcimonie. Celui qui avait épinglé le pamphlet de Politzer en disant qu'« *un pamphlétaire qui touche vraiment au fond de son pamphlet ne séduit pas* »[47], sensible aux critiques de même style que certains communistes avaient faites au premier livre, s'est forcé à n'être plus « séduisant ».

La description apocalyptique de la Crise, en tête du dernier chapitre, est un morceau de bravoure prenant – et, de surcroît, d'une actualité récurrente, mais là n'est pas la question. L'auteur s'essouffle cependant, au bout de quatre ou cinq pages. Dans l'ensemble du livre, les transitions d'un ton à l'autre, d'un propos à l'autre sont moins souples qu'auparavant. Des procédés montrent le bout de l'oreille. Le raisonnement en spirale de certains passages d'*Aden Arabie* se transforme ici et là en piétinement. Nizan, en voulant enfoncer le clou, finit par tirer à la ligne. *Notes. Programme* en disait presque autant, sans lasser. Gide, qui a le don de bâiller vite aux esprits forts, qui trouve Valéry et Malraux « *trop intelligents* », a tôt fait de diagnostiquer, en juillet 1932, que si *Les Chiens de garde*, qu'il lit d'abord « *avec un intérêt très vif* », sont un « *signe des temps* », leur échec formel est patent : « *C'est un livre mal fait, plein de redites et l'on a trois fois compris ce qu'il veut dire, qu'il continue encore à parler.* »[48]

Là gisait sans doute l'erreur stratégique de l'auteur : au nom du refus du sectarisme, la critique pouvait s'autoriser à bouder le livre, dans la mesure même où elle avait fait le geste de reconnaître la qualité littéraire du précédent. Bien entendu il s'était trouvé un critique de *Petit Parisien*[49] pour pousser devant *Aden Arabie* des cris d'orfraie : « *Je n'ai jamais lu un livre aussi offensant, aussi désagréable, aussi ordurier, par endroits, écrit sur les Français.* » Mais c'était bien le moins que pouvait souhaiter Nizan. La plupart des commentateurs, de Berl à Gabriel Marcel, avaient au contraire salué la naissance d'un écrivain[50]. Le jeune Jacques Tournoël, prédécesseur de Brasillach au rez-de-chaussée littéraire de l'*Action française*, avait même joué le jeu de la solidarité entre les deux extrémismes en écrivant : « *Si nous nous battons, la différence entre nous deux sera que si nous lui cassons la figure nous l'accompagnerons bien volontiers à la pharmacie.* »[51]

Les Chiens de garde ne suscitèrent ni cet excès d'honneur ni cette indignité, à de rares exceptions près – dont celle d'un jeune commentateur, favorable, des *Nouvelles littéraires*, qui avait nom Maurice Schumann[52].

Le prière d'insérer l'avait prédit : « *L'éditeur ne se dissimule pas le silence à peu près unanime qui l'accueillera* »[53], mais sans doute pas souhaité.

À vrai dire cet accueil contrasté de la critique n'eut guère de répercussions sur l'écho réel des deux livres dans le public. Si l'on en croit les archives de Rirette, il restait, au 15 février 1935, 2 200 exemplaires des *Chiens de garde* en stock chez Rieder, pour un tirage de 3 036, soit une vente à peine inférieure à celle d'*Aden Arabie*, d'après les mêmes sources[54]. Reste que l'auteur, en passe de quitter l'enseignement pour le militantisme, peut se poser quelques questions sur l'efficacité, le sens de tels travaux. Le premier l'a fait connaître, soit. Il n'était pas destiné à conquérir les foules, il a pourtant fait vibrer quelques harmoniques. Parmi les lettres d'approbation chaleureuse qu'il recevra et, significativement, gardera dans ses archives, figure ainsi celle d'un jeune homme nommé Jules Roy[55]. Mais le second, prosélytique, a plus cruellement ressemblé à un prêche fulminant dans le désert. Qu'il ait, plus ou moins consciemment ressenti les limites atteintes par *Les Chiens de garde*, le risque de stérilité intellectuelle et littéraire qui s'y trouvait inclus, on n'en veut pour preuve que la modification sensible, à partir de là, de son programme d'écrivain.

Suite et fin

Il avait envisagé de poursuivre son travail de salubrité marxiste. Ses papiers inédits témoignent d'un projet d'essai, plus politique encore, sur la propagande (« *Les conditions d'efficacité des idées* », « *considérées comme des objets matériels* ») qui fut abandonné. Mais il y eut un manuscrit plus avancé, annoncé même dès 1932. Intitulé *Avertissement aux professeurs*, il aurait poursuivi sur la lancée des *Chiens de garde*, en élargissant la critique à l'ensemble de l'enseignement laïque français, considéré comme institution de la morale bourgeoise triomphante.

On pourra consulter en annexe [p. 256] le plan qu'il en dressait. Cette ambitieuse « étude d'éthologie » supposait le dépouillement des principaux textes de Paul Bert, Léon Bourgeois, Ferdinand Buisson, Jules Ferry, Octave Gréard, Pécaut, Spuller, etc. Les notes qui en sont restées prouvent que Nizan avait poussé loin le rassemblement des données, ainsi que l'analyse, très originale pour l'époque, du contenu des manuels scolaires. On retrouvera quelques éléments de cette réflexion dans les quelques articles, favorables, qu'il consacrera à la pédagogie moderne[56] et, surtout, dans sa longue étude « L'ennemi public numéro un », consacrée à l'offensive de la « bourgeoisie » contre la fonction critique de l'école, vers 1935. On y voit que Nizan ne nie pas le rôle progressiste de certains enseignants, principalement des instituteurs. Mais c'est qu'ils ont pris au sérieux le discours illuministe de la Troisième République. Quand les gouvernements conservateurs voient les résultats, ils sanctionnent. Comme il faut bien que l'Histoire s'amuse, même dans ces sujets austères, on remarquera qu'à cette occasion Nizan aura à s'en prendre aux « *colonels d'Action française* » qui « *peuvent parler dans un amphithéâtre de l'Université de Paris de la science du commandement* », et de citer le poulain du maréchal Pétain, en question, le « *colonel de Gaulle, nouveau maître en Sorbonne* »…

Mais l'ouvrage global ne vit jamais le jour. À cette renonciation, les explications ne manquent pas. Sans doute y a-t-il à prendre un peu dans toutes, seul le dosage restera impossible. La conscience de certains excès de plume dans *Les Chiens de garde* ? C'est l'information que diffuse la revue *Avant poste*, en août 1933, sous la signature de Guterman (« *Le bruit court que Nizan ne se reconnaîtrait plus dans* Les Chiens de garde »), sans qu'il soit possible de la prouver. Elle paraît contredite par la fermeté des propos politiques tenus à la même époque par Nizan, mais elle anticipe véridiquement sur la modération du ton qu'il adoptera désormais pour parler philosophie, ce qui lui sera, il est vrai, fort rare. Ainsi le verra-t-on en 1936 réhabiliter Descartes[57]. Ainsi le verra-t-on prendre la parole dans le cadre honni de l'Union pour la vérité, le 23 février 1935. Dans les deux cas cependant, la venue à résipiscence est loin d'être complète. Le Descartes soldat, sage militant qu'il reconstruit, s'oppose aux copies dégradées qu'en donnerait la bourgeoisie installée et la conférence devant l'Union a pour but la présentation de « la philosophie soviétique » (dans le public figurait, ce soir-là, Berdiaeff). Sans doute faut-il aussi tenir compte du contexte politique, au temps du Front populaire. Le ministre Jean Zay amorce une politique audacieuse de réforme démocratique, jamais les travaux de Célestin Freinet n'ont bénéficié d'une telle considération, dans l'Université, le baiser Lamourette est général. La femme de Léon Brunschvicg lui-même devient ministre du gouvernement Blum. Nizan n'en pense pas moins, mais préfère ne pas jeter de l'huile sur le feu.

L'essentiel n'est pas là pourtant. Il est plutôt dans une attirance croissante pour l'écriture de fiction, roman, nouvelle, récit, théâtre. Peut-être en guise de compensation par rapport à un travail militant qu'à l'époque des deux essais il ne vivait pas encore au jour le jour, avec ses gros risques d'aliénation à rebours ; plus encore sans doute par le plaisir qu'il retira de la ductilité et du concret du matériau romanesque, lui qui avait tant reproché à la philosophie bourgeoise son abstraction desséchante. Dans *Les Chiens de garde* Nizan avait appelé à un grand nettoyage de printemps des tours d'ivoire philosophiques : « *Il est grand temps de leur demander leur pensée sur la guerre, sur le colonialisme, sur la rationalisation des usines, sur l'amour, sur les différentes sortes de mort, sur le chômage, sur la politique, sur le suicide, les polices, les avortements.* »[59] Le moins que l'on puisse dire est que les intéressés ne s'étaient pas mis en quatre pour lui répondre. Eh bien, qu'à cela ne tienne ! Sur tous ces sujets et sur quelques autres, il parlerait. Mais il y mettrait des formes, les formes romanesques.

La meilleure preuve en est donnée par le texte, très original, qu'il fait paraître en 1934 dans le numéro quatre de *Littérature internationale : Présentation d'une ville*, dont un court extrait avait déjà été donné en juillet 1933, au premier numéro de *Commune*. Ce morceau de bravoure d'une trentaine de pages en typographie serrée n'appartient à aucun genre défini de la littérature traditionnelle. Il s'agit d'une description par le menu de la structure présente d'une petite ville de province, où il est facile de reconnaître Bourg-en-Bresse, son séjour professoral de l'année scolaire 1931-1932. Tout y passe, depuis l'histoire de la ville, sa topographie, ses monuments, jusqu'au nombre de livres consultés à la bibliothèque de lecture publique, en passant par l'exposition missionnaire catholique de 1931 ou la prostitution dans les bas-quartiers. Le ton est cependant loin de la sérénité de la notice administrative.

L'analyse laisse voir sa signification politique, voire métaphysique, dès les premiers paragraphes : « *La Ville que voici a la mollesse des êtres qui existent avec incertitude, des êtres et des villes dont on ne comprend pas facilement l'orientation et le sens. Elle n'inspire pas d'abord l'amour qu'inspirent les pays décidés, où tout promet l'action ou les plaisirs. Et ce n'est qu'à la longue qu'elle provoque la haine... »*

Cette sorte de sociologie frémissante, qui n'a pas son drapeau dans sa poche, maintient le texte dans un équilibre instable mais fascinant entre l'essai, la thèse et la nouvelle. Certains éléments s'en retrouveront, très condensés, dans les passages du *Cheval de Troie* consacrés à la présentation de « Villefranche ». Au regard de l'histoire littéraire, ils annoncent, très isolément et sans filiation sans doute consciente, certaines pièces du Nouveau roman. Sur la courte durée, ils préparent surtout aux « points de vue documentés », pour reprendre l'expression fameuse de Jean Vigo, que tenteront d'être les trois romans.

Quand une dernière occasion est laissée à Nizan de parler philosophie, c'est dans un cadre très codifié et dans une perspective toute positive. *Les Matérialistes de l'Antiquité* (juillet 1936) pourrait n'être qu'une introduction didactique, destinée à un « large public », supposé populaire, à une série de courts textes de Démocrite, Épicure et Lucrèce, choisis et, pour la plupart, traduits par Nizan. On aurait cependant tort de traiter par le mépris ce petit ouvrage de circonstance, qui fut peut-être son livre le plus lu de son vivant avec *La Conspiration*, puisque l'éditeur déclare en 1938 « 6 000 » exemplaires.

D'abord parce que Nizan y a l'heur, et le plaisir, de parler enfin, avec un peu d'abandon, de philosophes selon son cœur. Après les chiens de garde, les grands lions : Démocrite le fulgurant, Lucrèce « *l'homme anxieux* », Épicure surtout, celui « *qui n'était pas distingué* », « *qui se moquait des règles du jeu* ». Ensuite parce que s'y discerne comme la morale provisoire sous-jacente à son engagement marxiste : « *Épicure apporte une sagesse matérialiste, qui ne demande qu'au corps et à ses vertus le secret de ne pas mourir désespéré.* »[60]

Il n'est pas indifférent que le Nizan en exercice de philosophie, forgé de pied en cap dans ses refus par le voyage asiatique, ait terminé son trajet personnel sur les bords de la Méditerranée antique, en compagnie de sages réalisant en eux ce type du penseur dissident et insolent qu'il avait tant souhaité être, mais dans une tonalité d'apaisement, et non plus de crispation polémique. Faux ouvrage de hasard, *Les Matérialistes de l'Antiquité* livre l'une des clés de la démarche intellectuelle de Nizan. Celui qui citait déjà Épicure dans *Aden Arabie* comme le grand Autre, la seule solution cohérente en face du marxisme, la solution du désespoir. Celui qui, au milieu de la dénonciation généralisée des *Chiens de garde*, s'arrêtait pourtant pour dire : « *Les philosophes de la Grèce conservaient une intimité admirable avec les forces réelles de la philosophie ; ils étaient profondément engagés dans la présence et la matière humaines.* »[61] Celui de 1936, qui se refuse encore à croire qu'il vit une époque d'effondrement aux dimensions de la chute de la cité grecque, et qui s'écrie, sans grand souci du parti et du dogme : « *Ce qu'il y a de fort dans cette sagesse, c'est cette affirmation que l'homme est né pour la joie, que la joie est fondée sur le corps, sur l'unité de la conscience et de la chair.* »[62]

Oui, on peut rêver à cette sagesse du Midi, et penser qu'elle pouvait lui servir au moins les jours de doute, ceux où il ne pouvait se contenter de l'hypothèse haute : l'Église.

L'ÉGLISE

> « Il n'y a rien à prouver, tu sais, la Révolution n'est pas une question de mérite, mais d'efficacité, et il n'y a pas de ciel. Il y a du travail à faire, c'est tout. »
>
> (*Les Mains sales*)

Quand Nizan adhère décidément à la Section française de l'Internationale communiste, celle-ci n'a pas d'organisation spécifique à l'École normale supérieure. D'abord, parce qu'il n'y a, lui compris, que trois communistes parmi tous les élèves[1]. Ce qui explique sans doute que ses deux camarades – l'un d'entre eux est resté ami fidèle, c'est Jean Bruhat – ne se soient pas arrêtés au lointain passé valoisiste du catéchumène. « *Il faut bien recruter les communistes dans le civil* », disait Duclos[2], dans un rapprochement significatif avec l'armée. Ensuite parce que le Parti de l'époque se méfie des têtes d'œuf et entend les contraindre à sortir de leur tour d'ivoire pour les faire militer dans des sections ouvrières. On retrouvera, par exemple, Bruhat rattaché successivement à l'atelier des employés municipaux, aux ouvriers de la Halle aux vins, aux ouvriers boulangers du XIIIe arrondissement.

La secte

Cette incertitude organique est à l'image d'un Parti dont il faut imaginer la faiblesse et la marginalité. Les années qui séparent 1927 et 1934 sont celles pendant lesquelles Nizan travaillera le plus près de la base. Or elles correspondent exactement à la période la plus sombre de l'histoire de l'organisation. Nombreux sont alors les observateurs qui pronostiquent sa réduction définitive à l'état de groupuscule et, en effet, il s'en faudra de peu que le PCF ne connût à cette époque le destin des partis communistes anglais ou scandinaves. Aux élections législatives de 1932, il tombera à 785 000 voix et dix députés, dont huit sauvés par les reports de voix socialistes. Encore ne s'agit-il là que de termes de comparaison « bourgeois ». Plus grave pour l'avenir est la désaffection des militants, 110 000 environ en 1921, 30 000 tout au plus dix ans plus tard. Les départs se font parfois en bloc, sur la droite en 1923, sur la gauche en 1927, mais l'essentiel tient dans l'hémorragie continue qui marque le retour à leurs bercails respectifs des socialistes et des anarcho-syndicalistes fourvoyés.

Sommée de Moscou, la prise en main de l'appareil ajoute à la confusion quand elle paraît promouvoir des personnalités médiocres. En 1923 ce fut le malheureux « capitaine Treint », de 1928 à 1931 le groupe Barbé-Celor, plus tard honni (au point que ses deux animateurs se retrouveront l'un et l'autre, sans se réconcilier pour autant, au PPF) mais pour lors imposé par le Komintern.

Le Parti n'a qu'un dirigeant populaire, c'est Jacques Doriot, que Nizan fera contempler un jour, à la fête de *L'Huma*, à Sartre et Simone. Mais Moscou s'en méfie et lui refuse obstinément le poste dirigeant qu'il ambitionne avec une amertume grandissante. Maurice Thorez, porté par l'émissaire de l'Internationale, le Tchèque Fried, dit Klement, commence son ascension mais ne sera distingué du lot que peu à peu.

En attendant « *les jours ensoleillés du Front populaire* » et le grand renversement stratégique qui donnera soudain à l'organisation l'assise sociale qui lui manquait, le Parti tient plus de la secte que du mouvement de masse. Chômeurs, interdits de séjour pour fait de grève, réfugiés politiques y convergent. L'illégalité est fréquente, la clandestinité périodique. On donne dans un antimilitarisme, un anticléricalisme dignes de l'avant-guerre. Il n'est pas de provocation plus excitante pour les dirigeants du groupe surréaliste, en veine de militantisme, que d'adhérer au Parti, début 1927. Trois ans plus tard, *La Révolution surréaliste* devient *Le Surréalisme au service de la révolution*.

En face, l'image du bolchevik au couteau ensanglanté entre les dents permet au gouvernement conservateur de frapper fort, sans soulever de grandes vagues de protestation. Le 9 juin 1928, Thorez est arrêté, à l'issue d'une réunion clandestine, dans des circonstances rocambolesques. Le 21 juillet suivant, un coup de filet ramène cent dix responsables entre les mains de la police. Vaillant-Couturier, qui a trouvé refuge dans la maison de Francis Jourdain, est débusqué en septembre. Nizan se souviendra de cette année chaude dans les chapitres de *La Conspiration* consacrés à l'équipée du communiste Carré.

Le voici donc dans l'Église des catacombes. Il en gardera un besoin périodique de justifier la noblesse de l'adhésion *perinde ac cadaver*. L'accueil fait par *L'Humanité* à *Aden Arabie* a été favorable, mais sans chaleur. Le compte rendu, signé « Intérim », subodore chez l'auteur une adhésion encore trop exclusivement mentale. Or « *un intellectuel marxiste n'est marxiste que dans la mesure où il est militant* ». Nizan sent bien que, comme dans toute Église, le clerc formé à l'extérieur doit humilier sa morgue intellectuelle pour être pleinement admis, surtout si ladite Église est en train de se choisir pour tête de Turc le parangon de l'intellectuel révolutionnaire, Léon Trotsky. Le jour où, dans la même *Humanité*, dont il sera devenu l'un des collaborateurs, il pourra à son tour faire la critique de ces écrivains communistes « *qui vont maintenant vers le prolétariat comme vers un Dieu* »[3], ce jour-là il pourra croire qu'il a gagné : la confiance des militants, celle de l'appareil, la sienne propre.

À travers toute l'œuvre de Nizan, romanesque aussi bien que philosophique, court ainsi comme un petit manuel portatif d'orthodoxie, que n'auraient pas renié un Bernard de Clairvaux, un Bossuet. Question de vocabulaire, de prémisses. Là où ceux-ci mettent le ciel, celui-là met la terre ; quant au reste, la dénonciation initiale est la même : celle du tiède, du satisfait, du prétendu non-engagé, qui avoue simplement par là son contentement intime de l'état de fait. Le fanatique (le saint) prend parti parce qu'il se refuse à prendre son parti du scandale quotidien. « *On ne peut vivre qu'au sein d'un mouvement qui accuse le monde – l'acceptation égale la mort.* »[4]

Nizan est d'ailleurs le premier à faire consciemment ce parallèle que beaucoup de militants, de tout temps, se refuseront à admettre. Dans *Le Cheval de Troie*, il comparera les réunions de la cellule de Villefranche à « *des assemblées de fidèles d'un culte presque clandestin* »[5], les anarchistes à des « *sectaires orthodoxes, protestants* »[6]. Carré, vrai dominicain, ou jésuite, des temps nouveaux, reconnaîtra lui-même, dans *La Conspiration* : « *Le communisme est une politique, c'est aussi un style de vie. C'est pourquoi l'Église nous redoute et nous mesure sans cesse.* »[7]

Voilà bien ce que Nizan demande au communisme : de l'assumer totalement, « *respiration, vie privée, fidélités personnelles, idée de la mort, de l'avenir* », et de l'accueillir dans une totalité. Le jour de la manifestation des ouvriers qu'en temps ordinaire il commande, l'ingénieur Antoine Bloyé aura fugitivement le crève-cœur de cette communauté dont il a accepté de se laisser exclure : « *Antoine la regardait descendre en chantant : il était seul, les grévistes emportaient avec eux le secret de la puissance.* »[8] Contre l'impuissance, le Parti. Comme à beaucoup de croyants l'*ecclesia*, l'assemblée est d'abord le moyen de ne pas être seul, plus que d'être avec les autres. Puis une sorte de solidarité s'installe. « *Le sentiment de la solitude partagée créait un lien extrêmement fort, quelque chose comme une complicité charnelle, une conscience presque biologique d'*espèce : *la première fois de mon existence, j'ai senti une grande chaleur m'entourer.* »[9]

Dès lors, l'Église vous apporte pitance : les livres sacrés (Nizan lit fiévreusement les classiques du marxisme, dans le texte pour les Allemands), la vie des saints (Nizan griffonne en marge de ses cahiers des mitrailleuses, mais aussi des portraits de Lénine), Rome et l'Inquisition, le cilice et la discipline. Forçant sa voix, l'intellectuel patenté va affirmer, pour se faire accepter, qu'il consent « *à se passer de l'âme* », à « *vieillir sous un numéro d'ordre* »[10]. Présentant dans *Le Cheval de Troie* le portrait d'un professeur agrégé tourmenté par le néant, et qui versera *in extremis* dans le fascisme, il énonce même : « *L'intelligence ne servait à rien, elle écartait : c'est ce qu'on appelle les droits de l'esprit critique ; il aurait fallu s'élancer dans ce courant et se laisser porter, apprendre à nager avec le fleuve, mais Lange n'aimait pas l'eau, il préférait les sables.* »

Ainsi parlent les esprits subtils écœurés par le gavage de dix années d'impératif catégorique et d'éthique transcendantale. Nizan apprit donc à nager avec le fleuve.

Un point d'application de la doctrine était d'ailleurs fait pour lui. Il n'eut aucune peine d'y surenchérir : le refus de toute conception humanitaire, philanthropique, de la Révolution. Comme ses héros de *La Conspiration*, il est « *plus sensible au désordre, à l'absurdité, aux scolastiques, qu'à la cruauté* »[11]. Sans doute est-ce là qu'il se sépare le plus du croyant religieux, tout en se rapprochant encore des jésuites de la grande époque. Vingt ans avant Sartre, il peut clore *Aden Arabie* sur la formule : « *C'est le moment de faire la guerre aux causes de la guerre. De se salir les mains.* »[12]

Un tel homme ne peut que postuler le manichéisme le plus strict, et l'écorché vif n'a aucune gêne à le proclamer, comme dans ces premières pages du *Cheval de Troie* où c'est une métaphore médiévale qui, significativement, lui vient sous la plume pour l'expliciter : « *Ils habitaient un monde divisé, déchiré, un monde qui comportait, comme les fonds de tableau des peintres du Moyen Âge des divisions célestes, et des partitions infernales.* »[13]

Dans l'un de ses derniers écrits, il dira encore, parlant de Dickens : « *J'aime ce monde manichéen. Le monde est ainsi.* »[14]

L'appel à en découdre est la conséquence pratique de telles prémisses. La guerre civile réunit de son fil rouge ses trois grands textes « polémiques », au plein sens du mot : *Aden Arabie, Les Chiens de garde, Le Cheval de Troie.* Il fut un temps où le bourgeois, quand ses intérêts étaient en jeu, n'hésitait pas devant l'illégalité et la violence. Cela s'appelait le 14 juillet ou la répression de la Commune. Pourquoi le prolétariat aurait-il plus de scrupules ? Nizan s'excite à la seule considération du jour, pas trop lointain, il l'espère, où il faudra casser la gueule à ceux d'en face. Ses dernières angoisses s'y trouvent pulvérisées : « *Il ne voulait penser qu'à combattre : un combattant est toujours délivré.* »[15]

Devant les policiers matraqueurs du 1er mai, il rumine encore sa rage. On est en 1932, et l'horizon paraît provisoirement bouché : « *On est plein de haine et du mépris que provoquent les seuls visages suffisants, on n'a point de consanguinité avec eux, ils ne sont pas des hommes selon notre espèce et notre règle, et le seul espoir est placé dans les mitrailleuses de la guerre civile.* […] *Sans doute notre vie connaîtra-t-elle un temps où nous devrons consacrer plus de temps à la pensée sur les fusils qu'à la pensée sur les pensées.* »[16]

« *Notre espèce est notre règle* » : paroles de croisé. Trois ans plus tard, tout semble possible. La fureur se fait enthousiaste : « *Un chant à propos d'un combat : dans ces rencontres de rues, il y a assez de combats singuliers pour exalter la valeur d'un homme, et il y en aura dans la guerre civile.* […] *À quoi bon la pudeur ? Pourquoi ne pas chanter ?* […] *Le sens politique de la journée, c'était peut-être simplement que des milliers d'hommes avaient été capables de colère, après tout.* »[17]

L'Iliade, quoi.

Le drame de ce Nizan-là, c'est que ce chant est écrit en pleine ascension du Front populaire : il vient trop tard, ou trop tôt. Lancé sur une certaine orbite politique, le militant va découvrir que des considérations de stratégie mondiale peuvent même mettre la guerre civile au placard. Il aura quelques difficultés à s'y reconnaître. Il y réussira cependant. C'est que si, l'avenir le montrera, ces années d'Église sectaire n'en ont pas fait un simple « numéro d'ordre », il a acquis, au cours d'une traversée rapide de tous les lieux possibles du combat communiste, une formation politique suffisante pour ne plus se fier seulement aux objurgations d'une conscience tourmentée, en règlement de compte personnel avec la vie. Peut-être, même, le doute a-t-il commencé à s'installer en lui.

Ce « messie rouge »

Durant l'année scolaire 1931-1932, les habitants de Bourg-en-Bresse (23 117 habitants au recensement de 1931) eurent droit à une variante modernisée de *Docteur Jekyll et Mister Hyde*. Aux heures de classe le nouveau professeur de philosophie du lycée Lalande – il s'agit de l'astronome Joseph-Jérôme Lalande, non pas d'André, le professeur abhorré des *Chiens de garde*, mais, enfin, le hasard a de ces ironies – conquiert ses élèves par l'intelligence de ses exposés et la tolérance de sa discipline : pensez, il les autorise à fumer et, même, à l'interrompre pour poser des questions… ; mais aux heures du soir et aux jours de congé, ce brillant universitaire, qui s'abstient dans l'exercice de ses fonctions de tout prosélytisme, se métamorphose en bolchevik altéré de sang. C'est plus qu'il n'en faudra pour que de bonnes âmes ne demandent, et obtiennent, son déplacement. Menacé d'être envoyé à Auch, charmante cité au demeurant mais vraiment trop éloignée de la guerre civile, le professeur préférera se faire mettre en « *congé d'inactivité, au traitement d'1 franc par an* », et partir vers d'autres mutations. Les bonnes âmes avaient donc gagné ; la bourgeoisie d'Auch pouvait respirer ; un militant à plein temps était gagné par le Parti.

Dans ce court espace-temps, Nizan aura beaucoup appris. Dans le négatif, il aura découvert ses collègues, les enseignants chenus du lycée Lalande, cohorte exiguë d'un enseignement qui ne l'est pas moins. À la date qui nous importe l'enseignement secondaire français sort en effet à peine d'une longue période de stagnation. Contrairement à ce qu'un examen rapide des statistiques scolaires pourrait donner à penser, les lycées et collèges ont été loin de connaître, à partir des lois Ferry, un accroissement continu de leurs effectifs. Bien au contraire, ceux-ci ont à peu près stagné de 1900 à 1930. Ce n'est pas qu'après l'école primaire obligatoire et gratuite toutes les portes eussent été fermées devant l'enfant du peuple, le boursier méritant, mais les portes qu'on lui ouvrit n'étaient pas celles des lycées et collèges ; on lui inventa l'école primaire supérieure et les cours complémentaires. Il fallut attendre l'institution de la gratuité des études en sixième, au début des années 1930, pour voir s'amorcer la démocratisation.

En fonction de quoi les classes terminales d'un lycée de province, vers 1931, ne sont encore qu'un des lieux d'identité de la petite et moyenne-bourgeoisie locale, et leurs enseignants les fidèles et discrets serviteurs d'une idéologie certes laïque et rationaliste mais scolastique, patriotique et conservatrice, comme en témoigne, entre autres, leur très faible syndicalisation. Le portrait des professeurs du lycée de « Villefranche », dans *Le Cheval de Troie*, n'est guère flatteur. « *Ils étaient dans ce lycée pour toute leur vie et cette machine d'enseignement, d'espionnage les rabotait* [...]. *Presque tous haïssaient les enfants* [...]. *C'étaient des hommes qui n'avaient guère que cette passion-là.* »[18] À coup sûr, cet individu dont la vie se déploiera plutôt sur des terres qui s'appellent entre-deux-guerres, crise de l'Occident, outre-mer, mouvement communiste international, condition humaine, n'était guère préparé, et sans doute disposé, à se costumer en citoyen de la Troisième République, entre Immortels Principes et Café du Commerce.

Il n'est pas seul de son espèce à étouffer dans son coin et à vouloir se battre pour ne pas succomber à l'engourdissement. Friedmann est à Bourges, Lefebvre à Privas, Politzer en Normandie, tant d'autres... Dans quelques années, ils seront des noms sur des livres, quelques-uns deviendront des maîtres écoutés de l'Institution universitaire. Pour l'instant, ils ne sont que de petits empêcheurs de penser en rond, regardés de travers par leurs collègues, mal notés de leurs supérieurs, quelque part en province. La société libérale découvre qu'elle a, une fois de plus, couvé de vilains petits canards.

En attendant, Nizan fait son métier convenablement, sans chercher à se faire remarquer de son proviseur. Tout ce que demande celui-ci, c'est qu'il prépare ses élèves le mieux possible au baccalauréat – et, effectivement, il les y préparera fort bien. Quant au professeur principal de la classe de Philo, il se consolait en pensant que, dans la masse de ses auditeurs, déjà plus qu'à moitié gâtés, quelques-uns prenaient goût « *au sang noir que répandaient pour eux des idées, de grands hommes. Il y en avait même qui absorbaient assez de sang pour être assurés de rester toute leur vie parmi les vivants.* »[19] (On aura remarqué la métaphore du sang noir, exactement contemporaine du livre de Louis Guilloux.)

Heureusement pour lui, une autre communauté s'est trouvée toute prête à l'accueillir. Aussi restreinte que celle des professeurs, à tout prendre. Des communistes de Bourg, il pourra dire plus tard, dans sa « Présentation d'une ville »[20], qu'« *il n'y a pas 300 personnes dans la ville qui pensent à eux avec amitié* » ; mais il se satisfait de ces trois cents-là. Sa vraie demeure, à Rirette et à lui, n'est pas l'Hôtel de l'Europe, où ils s'installent d'abord, ni le minuscule garni qu'ils loueront ensuite sur la Reyssouze, avec sa cour-potager et sa galerie de bois, ni même la villa Marguerite, à Ceyzeriat, où, à partir du printemps, ils pourront enfin emménager avec leurs enfants, mais la vieille bâtisse Renaissance qui sert de permanence au Parti, l'arrière-boutique d'un épicier, où ils prennent la plupart de leurs repas, avec des camarades.

Son milieu de prédilection, ce ne seront pas les classes moyennes de cette ville-cité qui, significative en tout, appelle ses habitants les Bourgeois, mais la paysannerie « rouge » de Lent, les ouvriers de la Tréfilerie. Rirette en informe sans ménagement sa mère, dans une lettre au ton plaisant : « *Nous allons de réunion en réunion et nous ne nous couchons jamais avant minuit. Mais je dois ici dissiper à vos yeux une illusion. Il ne faudrait pas croire que toutes ces distractions, toutes ces sorties aient lieu dans la "bonne société". Je dois vous avouer que nous ne fréquentons plus ni magistrats, ni notaires, ni officiers, ni gros commerçants, ni médecins, ni industriels, ni même professeurs. Nous n'avons pour amis que des ouvriers, des marchands forains, des cheminots et quelques centaines de chômeurs. Nous ne pouvons mettre le pied dans la rue sans que des ouvriers chômeurs nous arrêtent en nous tapant sur l'épaule et nous fassent un bout de conduite en bavardant, tandis que la bourgeoisie de Bourg nous regarde d'un sale œil et chuchote sur notre passage* […]. *Bref* [Paul-Yves] *a commencé à mettre Bourg à feu et à sang (toutes proportions gardées) et je l'aide de mon mieux dans cette tâche* […]. *Quand on pense qu'il y a des gens qui disent que la vie de province est monotone !* »[21]

Rirette vient d'adhérer au Parti à son tour. Le mari et la femme s'aiment sans nuages, et Nizan se dédouble avec volupté. Ils s'exaltent aux petits gestes du militantisme quotidien, telle cette nuit d'inscriptions séditieuses sur les principaux édifices publics de la ville, de la Préfecture au Monument aux morts, à la veille du 1er mai, grande occasion de scandale pour les bien-pensants : « *C'était une machine de révolte, mais c'était aussi une machine d'amitié.* »[22]

Dans *La Conspiration* Nizan parlera par la bouche de Carré, quand il rappellera avec émotion : « *Le plus beau de ma vie a peut-être été l'époque où je militais en province, où j'étais secrétaire d'un rayon. Il fallait tout faire, c'était un pays qui naissait ou qui renaissait, le comité de rayon faisait un boulot comme dans Balzac le Médecin de campagne.* »[23]

Le « boulot » en question n'était pas mince, en effet. Nizan arrivait dans un sous-rayon désorganisé, découragé, à l'abandon. À son propre étonnement, il se découvre, comme à Aden et à Djibouti, capable de prendre en charge une entreprise. La crise économique, longtemps retardée en France du fait même de l'archaïsme des structures économiques, déferle maintenant sur le pays. Nizan commence sa campagne au moment où ses premiers effets atteignent l'industrie locale. Il fait créer un comité de chômeurs, assisté par les rares syndiqués unitaires (CGTU) de la ville, presque tous, au début, postiers ou cheminots. À la première réunion, il ne vient que douze chômeurs, mais à la seconde cent. Ils seront bientôt deux cent cinquante. Une, deux cellules d'entreprise, une cellule paysanne sont créées, flanquées de syndicats unitaires des métaux, du bâtiment. « *Il y avait des hommes parmi eux qui n'avaient jamais entendu un autre homme prononcer le mot de camarade.* »[24] Nizan apprend à parler en public, malgré sa voix sourde et sa perpétuelle déambulation de lion en cage. « *Il y avait trop de mots abstraits. Mais ces vêtements qui avaient servi couvraient enfin une volonté, une passion.* »[25]

L'Humanité signale avec faveur les résultats obtenus par la nouvelle équipe. Le sommet de son travail militant se situe en mai, quand ce jeune intellectuel sans enracinement local est choisi par le parti communiste comme candidat aux élections législatives des 1er et 8 mai 1932, dans la deuxième circonscription de Bourg. Le voici pérégrinant au petit matin sur les marchés, aux côtés d'un marchand forain communiste, multipliant les réunions publiques, à la limite de l'exténuation. Les résultats seront modestes mais conformes aux prévisions. Le sortant modéré (« gauche radicale ») est mis en ballottage serré par un républicain-socialiste. « Paul Nizan, professeur syndiqué » rassemble, avec 338 voix, un peu moins de 3 % des suffrages exprimés. Comme il se maintient au second tour, sur les conseils de son Parti qui fait passer à cette époque la tactique « classe contre classe » avant la « discipline républicaine », son score tombe à 80 voix…

Cette agit' prop' et, plus encore, ses premiers résultats sur le terrain ouvrier ne sont pas pour plaire aux notabilités locales. *Le Courrier de l'Ain* du 6 février se fait menaçant : « *Si les chômeurs trouvent que l'on ne fait pas assez pour eux et répondent aux bons sentiments par des injures, ils pourraient bien un beau matin, s'apercevoir qu'on va les laisser se débrouiller seuls.* » Le lendemain, il s'attaque directement à la « *poignée de détraqués* » qui, par leurs agissements, allait finir par « *porter le plus grand tort aux chômeurs intéressants* » (*sic*). Pour la première fois Nizan y était clairement désigné comme fauteur de tous les troubles : « *De quel beau cadeau on nous a gratifiés lorsqu'on nous a "collé" ce messie rouge. Et quelle œuvre utile l'on ferait en l'envoyant philosopher ailleurs.* »

La menace sera suivie d'effet. L'« agitateur communiste » est convoqué chez l'inspecteur d'Académie. Le syndicat unitaire s'émeut et consacre à cette première, minime, « affaire Nizan », tout un article de *L'École émancipée* du 6 mars. Nizan se défend fièrement, répond au journal, mais se voit mis au ban du lycée : on ne lui confie pas le discours traditionnel de distribution des prix, et il est, comme on l'a vu, déplacé.

Maintenu à Bourg, il s'y fût peut-être implanté. En 1935, repassant par la ville, il constatera sa popularité et entendra même souhaiter sa candidature par des militants locaux[26]. Mais la perspective d'un nouveau déménagement lui rappelle par trop le nomadisme paternel. Il s'y refuse. Au mois d'avril, il a assisté à de violentes scènes de rue à Vienne. Il lui devient de moins en moins tenable de se confiner entre quatre murs, fussent-ils ceux de la philosophie. Lui, le pourvoyeur de morale, il se convainc chaque jour un peu plus que « *l'homme qui travaille ne moralise pas : il fait une morale* »[27]. Depuis le début, d'ailleurs, l'auteur des *Chiens de garde*, sorti en librairie au mois d'avril, se sent en porte-à-faux, censeur de la philosophie universitaire et lui-même prébendé par ladite. Il lui faut pousser la rupture jusqu'au bout, passer résolument aux Barbares.

Près de l'Église, loin de Dieu

Bourg avait initié à la quotidienneté, à l'humilité des tâches militantes. Maintenant qu'il a sauté le pas et, à l'instar d'un Politzer mais au contraire d'un Bruhat, accepté de renoncer à la carrière professionnelle pour laquelle il s'était échiné une demi-douzaine d'années durant, il va devoir suivre de beaucoup plus près encore les impératifs pratiques et doctrinaux d'un état-major qui est, lui-même, en pleine phase de réorganisation. Il s'acquittera sans doute fort bien de tout ce qu'on lui demandera puisque, au bout de dix-huit mois, on le voit partir pour Moscou, compléter sa formation, à l'instar des plus sûrs, de ceux en qui l'Église met le plus d'espoir. Comme, sur le plan de la création artistique, ces dix-huit mois furent ceux de la rédaction du premier roman, *Antoine Bloyé*, on peut dire qu'ils furent bien remplis. Par contre, au regard de la liberté intellectuelle, il y a fort à parier, textes en main, qu'ils furent les plus pauvres de son existence adulte.

Nizan a pourtant plus de chance que Politzer. Tous les témoins sont formels : cet esprit agile, porté à l'étude critique de la psychologie, se mutila volontairement, sur la demande du Parti et par masochisme intellectuel, en se vouant corps et âme à d'austères et peu concluantes études conjoncturelles d'économie politique. Quand, à l'instigation de Thorez, il fut enfin décidé en haut lieu de le soulager de ces tâches indéterminées pour lui donner un travail plus en relation avec ses goûts profonds et, surtout, sa part d'irremplaçable, il était trop tard : la guerre survenait, et l'œuvre originale de Politzer manqua définitivement à la construction du marxisme français.

Nizan, lui, restera dans des eaux familières : le commerce des livres. Commerce dans les deux sens. Leur fréquentation, leur commentaire, en tant que traducteur ou critique, mais aussi leur vente, en tant que libraire. Après un bref retour aux Éditions du Carrefour, où il travaille d'ailleurs déjà en militant, il se trouve en effet placé, en compagnie de Rirette, à la tête de la librairie de *L'Humanité*, 120, rue Lafayette, qui tient lieu de librairie centrale des publications communistes. Rirette se rappellera de la découverte d'une boutique poussiéreuse et mal gérée, à laquelle son mari s'intéressera peu, et qu'elle tint avec constance, repeignant la devanture en rouge, rénovant l'intérieur avec les moyens du bord. L'arrière-boutique devint une sorte de petit salon communiste, où le couple aimait à recevoir les camarades. C'est de ce temps que date l'exploration de cette topographie coléreuse de Paris que Paul-Yves évoquera dans *La Conspiration* : le Xe, le XIXe arrondissement, la place du Combat, les bâtiments séditieux de l'avenue Mathurin-Moreau, de la Grange-aux-Belles, « *territoire triste mais exaltant pour tout homme qui peut y entrer librement* »[28]. Son expérience de la banlieue sud, du XIIIe et de Clignancourt, se trouve ainsi parachevée. Si, par Rirette ou Friedmann, il apprend à connaître de l'intérieur les beaux quartiers de l'ouest, il dispose désormais sur le Paris populaire d'un anti-guide épais, fait de rues à barricades, de terrains vagues bizarres et de salles à métingues.

L'absentéisme de Paul-Yves avait des raisons. Malgré son ouvriérisme maintenu, le Parti n'avait nullement l'intention de le confiner à une place aussi dépendante. En cette rentrée de 1932, où le jeune intellectuel se met intégralement à son service, le PCF est en train, sous la houlette de Thorez, de se ressaisir. L'année 1931 a été celle de la campagne « Les bouches s'ouvrent » : « *Enfin on peut discuter.* » À son modeste échelon, le Nizan de Bourg a illustré la nouvelle ligne. Remonté sur Paris, il va être utilisé à des tâches de plus d'envergure et, surtout, de plus longue haleine dont l'avenir dira le rôle dans la préparation du Front populaire et la renaissance communiste : la mise en place d'un nouvel appareil d'action culturelle et d'agit' prop' – les deux étant nécessairement liés à cette époque –, pour laquelle la bonne volonté prolétarienne ne suffit plus. Des techniciens sont requis, ces « ingénieurs des âmes » dont parlera Staline.

Pas question encore de modifier le contenu ; il faudra attendre 1934 pour que se manifeste en France ce que, pastichant la formule de Lénine sur la « Nouvelle politique économique » (NEP), j'ai proposé d'appeler, dans d'autres études, la « Nouvelle politique culturelle » du Parti communiste français, toute de main tendue, de réintégration patrimoniale. Non, on n'en est pas encore à célébrer Rouget de Lisle et Mistral. Par contre, il s'agit bien de commencer à former les cadres de la ligne nouvelle, quelle qu'elle soit. À l'automne 1932 s'ouvre, avenue Mathurin-Moreau, l'Université ouvrière, grande école du soir du mouvement communiste, qui va peu à peu s'enraciner dans l'appareil, sous la direction de Georges Cogniot, autre agrégé de l'université passé au militantisme. Politzer y enseigne l'économie politique, Nizan est plus philosophe. Si besoin est, le professeur, qui a appris à Bourg à passer des auditoires bourgeois aux auditoires paysans dans la même journée, se transformera en pur et simple conférencier, et parcourra la France pour parler de « Marx et la philosophie », ou de quelque chose d'approchant.

Sa principale activité politique est pourtant dès cette date plus près du journalisme que de l'enseignement, même si la préoccupation pédagogique n'en est pas absente. Déjà, début 1931, le Parti avait tenté de l'implanter à *Monde*, l'hebdomadaire d'Henri Barbusse, organe sans doute sympathisant mais rétif aux injonctions de l'appareil. L'opération avait échoué devant l'énergie déployée par Barbusse pour conserver le contrôle d'une feuille qui, dans ses dernières années, se confondait avec son existence, devant aussi le peu d'enthousiasme que sembla avoir mis Nizan à jouer l'œil de Moscou. Il n'y publiera, tout compte fait, qu'un seul article, avant de se retirer, estimant que les communistes dans la ligne étaient traités en « *parents pauvres* »[29]. Le même souci d'orthodoxie espace, à la même date, sa collaboration à l'autre grande revue des compagnons de route, *Europe*, encore plus ombrageusement autonome, sous la direction de Jean Guéhenno.

En 1932, Barbusse, responsable depuis six ans des rubriques littéraires de *L'Humanité*, où il était secondé par des hommes de talent comme Georges Altman ou Brice Parain, est remplacé par une équipe de purs et durs, moins brillants mais plus solides, où dominent Jean Freville, en passe de devenir le prototype de l'écrivain de Parti – c'est à lui qu'on devra une partie de la fabrication des Mémoires de Maurice Thorez, parus en 1937 sous le titre de *Fils du peuple* –, et René Garmy, autodidacte que le « droitissement » ultérieur du Parti chassera de son secrétariat de rédaction. Du coup, Nizan entre à *L'Huma*, par la petite porte des notes de lecture hebdomadaires. La première qu'il signe est datée du 2 décembre.

Toujours astucieuses, parfois vivement écrites, les courtes analyses qu'il donne alors de la production littéraire contemporaines sont marquées, pendant cette année qui le sépare de son départ pour Moscou, par un sectarisme politique certain, même si elles lui permettent de faire l'éloge des premiers livres d'un Henri Michaux[30], d'un Pierre Jean Jouve[31], ou d'un Jacques Lacan[32]. Dans le même temps, l'essayiste s'efface derrière le traducteur des essais d'autrui.

Aux Éditions du Carrefour il crée l'éphémère collection « Réquisitoires » (bien sûr…), grâce à laquelle il fait connaître au public français *Le Livre brun sur l'incendie du Reichstag* (septembre 1933). Les relations qu'il noue à cette occasion avec des réfugiés antinazis en feront l'un des premiers et des mieux informés, dans la presse française, sur l'ordinaire de la dictature hitlérienne.

Les Éditions Rieder, en la personne de Jacques Robertfrance, prenaient le chemin d'en faire un traducteur, lui proposant par exemple, en mai 1932, de traduire *Jews without Money*, de l'écrivain progressiste américain Michael Gold. Il refusera, mais pour accepter *Tragic America*, de Theodore Dreiser, pamphlet documenté sur les États-Unis de l'ère républicaine et de la Grande Dépression réunies. L'accord est conclu en juin, le gros ouvrage (414 pages) sortira en librairie en juin 1933, après une pré-publication partielle dans *Europe*.

Par-delà un système de références intellectuelles assez exotiques et un style assez plat, on retrouve dans cette *Amérique tragique* (à ne pas confondre avec le roman du même auteur sorti en France quelques mois auparavant, *Une tragédie américaine*) certaines notations nizaniennes, depuis la dénonciation vigoureuse de l'establishment jusqu'aux appels à une subversion radicale du système.

La critique de la revue *L'Économiste européen*[33] ira jusqu'à saluer dans cette traduction l'ouvrage « *le plus important qui ait paru depuis dix ans* » sur la question, ce qui était sans doute injuste pour André Siegfried mais indiquait bien que, dans un pays enfin touché, à son tour, par la Crise, le regard tourné vers les États-Unis n'était plus seulement d'optimisme et de gourmandise. Sa sortie, contemporaine de l'arrivée au pouvoir de Franklin Roosevelt, le rendait d'une précise actualité. De cette traduction date l'intérêt tout particulier que Nizan portera aux affaires américaines, dont *Chronique de septembre* sera le dernier écho. Rien d'étonnant à cela de la part d'un communiste, le PCF n'ayant jamais eu à l'égard du New Deal, surtout après 1934, la sévérité qu'il manifestera toujours pour la City londonienne, en un temps où l'observateur rétrospectif demeure surtout frappé par l'ignorance de l'intelligentsia française à l'égard de ce qui est déjà, et plus que jamais, la première puissance économique du monde.

La période 1933-1934 est cependant dominée chez Nizan par la préoccupation soviétique. Elle est à l'origine de sa traduction, en duo avec un Germanopratin frotté de surréalisme, membre de la « bande à Marcel Duhamel », Jacques Baron, de l'épaisse étude de l'Américain Louis Fischer, *Soviet in World Affairs (Les Soviets dans les affaires mondiales)*, parue chez Gallimard en juillet 1933. Au sortir de la fréquentation assidue de ces 760 pages, où se trouve analysé le jeu diplomatique de l'Union soviétique de 1917 à 1929, nul doute que la culture diplomatique de Nizan n'ait été solidement lestée et son séjour à Moscou, habilement préparé.

Ce travail austère fut immédiatement suivi du choix et de la traduction de 230 pages de textes philosophiques de Marx, pour l'édition Gallimard des *Morceaux choisis*. Lefebvre, qui écrira avec Guterman l'introduction du volume, reconnaîtra plus tard le travail intense fourni par Nizan. Par une copie de contrat sans date[34], signée des mêmes Éditions, on sait qu'un travail analogue était prévu sur des *Morceaux choisis de Lénine*[35]. C'est donc un militant exceptionnellement formé à la théorie et à la pratique du communisme international qui va se trouver placé, à partir de l'été 1933, dans l'orbite du Komintern.

Apparatchik

Nizan commençait en effet à compter aux yeux du Parti. Fini le temps des réunions groupusculaires à la permanence du Ve arrondissement, rue Gracieuse, près de la Maub'. Paul Nizan fréquente désormais chaque jour plusieurs responsables haut placés, des hommes fort accessibles d'ailleurs, au premier rang desquels figure Paul Vaillant-Couturier, sorti d'un demi-exil intérieur pendant la période sectaire. Le rédacteur en chef de *L'Humanité*, fils d'artistes, lui-même peintre et écrivain, est un personnage spirituel et relativement tolérant, que le Parti vient de charger de fonder une vaste organisation culturelle ayant pour vocation de rassembler les intellectuels et artistes non adhérents mais décidés à lutter au coude à coude avec les communistes contre le « *fascisme brûleur de livres* ».

En décembre 1932, la fantomatique Association des écrivains révolutionnaires s'élargit en une Association des écrivains et artistes révolutionnaires (AEAR), qui enregistre quelques mois plus tard le ralliement de personnalités aussi marquantes et aussi réellement indépendantes qu'André Gide[36], Jean Guéhenno et André Malraux. L'association n'a aucun mandat pour servir de base à un front commun élargi à la SFIO, encore moins aux radicaux, comme le sera deux ans plus tard le Front populaire. En termes de parti, le PCF se refuse toujours, avec les attendus les plus injurieux, à envisager l'unité d'action avec les « sociaux-traîtres ». Mais, sur le plan culturel, l'AEAR va devenir une structure d'accueil pour tous les intellectuels isolés qu'effraye la montée des régimes autoritaires de droite.

À partir de 1934, elle pourra sans grincement majeur – bien au contraire avec l'assentiment enthousiaste de Vaillant-Couturier – s'élargir aussi en termes politiques, et finir par se fondre dans une grande communauté « main-tendue », la Maison de la Culture, solennellement vouée par Aragon à l'« apolitisme ». Mais en 1932, en 1933 – tout est affaire de chronologie –, elle se contente de pratiquer l'union à la base « *contre la guerre et le fascisme* », en corrélation avec la liquidation, à Moscou, de l'Association, jugée sectaire et ouvriériste, des écrivains prolétariens (RAPP), prononcée le 23 avril 1932.

Paul et Henriette Nizan joueront leur rôle dans l'installation de l'AEAR. Quand, à l'été 1933, celle-ci se dote enfin d'un organe périodique, appelé à jouer un rôle considérable dans l'histoire culturelle du Front populaire, la revue *Commune*, c'est à Rirette (les historiens ne l'ont jamais signalé) qu'on devra ce titre, et c'est Paul-Yves qui, aux côtés d'Aragon et, subsidiairement, de Vladimir Pozner, Pierre Unik et Gérard Servèze, s'en retrouvera secrétaire de rédaction.

Sa stature politique, et quasiment mondaine en est accrue. L'AEAR, en l'amenant à collaborer à la nouvelle revue soviétique *Littérature internationale*, l'introduit au voyage à Moscou. La fréquentation d'écrivains aussi illustres que Malraux ou Gide (qui, pour sa part, ne tarira pas d'éloges sur l'édition Nizan de Marx, dont il fera son bréviaire en marxisme[37]), jointe à la rencontre de littérateurs de second rang mais destinés à devenir ses amis, comme Lise Deharme ou Simone Téry, lui vaut initiation à la confrérie littéraire. L'entrée est définitive quand, *in extremis*, il livre au public *Antoine Bloyé*, à l'automne 1933. Une voix au Goncourt, nous y reviendrons : Paul Nizan devient un nom que les éditeurs recherchent, Gallimard en tête, c'est tout dire.

L'idéologue ne concède pourtant rien sur le fond, bien au contraire. Ses textes les plus rigides paraissent dans ces mois-là et constituent comme autant d'attaques frontales, à boulets rouges, contre la totalité du monde intellectuel français contemporain, à l'exception bien entendu de l'AEAR, dont le moindre membre est miraculeusement épargné. Le ton est véhément, presque épique : « *La plaisanterie a assez duré, la confiance a assez duré, et la patience et le respect. Tout est balayé dans le scandale permanent de la civilisation où nous sommes, dans la ruine générale où les hommes sont en train de s'abîmer...* », lance-t-il dans les colonnes de la *NRF*, qui n'a pas l'habitude d'en entendre d'aussi dures[38].

Mais la pensée ne sera jamais plus restrictive, conduite qu'elle est à soupçonner dans toute tentative idéologique de troisième force un cheval de Troie fasciste. En quoi il ne se trompe guère quand il diagnostique que « *la philosophie de Martin Heidegger peut fournir des justifications théoriques* » à une telle doctrine. En quoi il sera démenti par les faits quand il confond, à dessein, le personnalisme naissant d'Emmanuel Mounier avec le bon vieil individualisme de la solitude bourgeoise[39]. Il est vrai qu'aucun de ses contemporains n'est plus fin clerc, et n'aurait su distinguer qui, du Drieu La Rochelle et du Denis de Rougemont de 1932, deviendrait le fasciste et qui le libéral[40].

Le plus important demeure qu'à cette date charnière, quand une revue songe à donner la parole à un intellectuel communiste autorisé, quand le Parti délègue l'un des siens pour intervenir sur le front des idées, c'est à Nizan que chacun pense. Et Nizan, à quoi pense-t-il ? Nous sommes au lendemain de la prise du pouvoir par Hitler. Il pense simplement qu'« *il est temps de prendre parti dans ce combat* » et que « *quiconque ne se range pas aux côtés de l'Union soviétique est contre elle* »[41]. Bref, il pense à Moscou, et Moscou vient à lui.

Fut-il un agent du Komintern ? Si l'on entend par là qu'il travailla, douze mois, au grand jour, pour un journal des « Éditions littéraires d'État de Moscou », la revue *Littérature internationale*, c'est incontestable, mais à ce compte il en est de même de tout intellectuel un peu marquant du Parti, depuis Vaillant-Couturier, grâce à qui il part pour Moscou, jusqu'à Léon Moussinac, auquel il succède, dont on peut affirmer beaucoup de choses (qu'il fut un ami médiocre et un excellent critique de cinéma, par exemple), mais certes pas qu'il était l'agent de qui que ce fût.

Si l'on veut dire que son séjour soviétique cacha la formation, à l'Institut Marx-Engels par exemple, d'un informateur privilégié de l'Union soviétique ou d'une future éminence grise, à l'instar de X... ou de Y..., alors, rien ne le prouve ; tout, au contraire, dans ses textes comme dans ses actes ultérieurs, l'infirme. Loin d'être l'œil de Moscou, Nizan

semble bien plutôt avoir été à Moscou un œil d'Occident particulièrement aigu, aux réactions sensiblement plus subtiles que celles des nouveaux Vieux-croyants.

Il se trouve simplement que l'Internationale a besoin d'un écrivain de
langue française pour assurer le lancement de deux périodiques destinés
à faire passer sur le plan international la nouvelle ligne culturelle et, vers
la mi-34, la nouvelle stratégie du régime. Une grande occasion va être
offerte aux plus illustres intellectuels et artistes compagnons de route de
faire connaissance avec les nouvelles consignes, et, particulièrement,
avec un nouveau terme, appelé à une fortune singulière. L'occasion sera,
du 17 août au 1er septembre 1934, le premier Congrès de la nouvelle
Union des écrivains soviétiques, créée en remplacement de la RAPP. Le
terme nouveau, « réalisme socialiste ». Le couple Nizan, en arrivant à
Moscou dès le début de l'année, sera sur place pour préparer la venue de
la délégation française. Dans le même temps, les compétences techniques
de l'un et de l'autre seront mises à contribution.

La capitale soviétique qu'ils découvrent en ce mois de janvier 1934
n'est certes plus cette Mecque des temps nouveaux qui faisait rêver
l'extrême gauche, au sortir des charniers de la Grande Guerre, cette sorte
de Commune qui s'entêterait à durer, au milieu des pires difficultés matérielles mais dans une atmosphère d'exaltation exceptionnelle. Mais ce
n'est pas encore tout à fait la ville ample et sinistre du stalinisme triomphant. Ni dans son décor – le fameux métro ne sera inauguré qu'en 1935,
par exemple –, ni, surtout, dans son esprit.

À l'heure même, où, après trois jours de train, les Nizan débarquent à la
gare centrale, s'ouvre le XVIIe Congrès du Parti communiste d'Union
soviétique, passé dans l'histoire sous le titre de « Congrès des Vainqueurs ». On est à l'orée du deuxième Plan quinquennal. L'espace de dix
mois, le régime paraît sourire, s'épanouir, après six ou sept années
pénibles et exaltantes qui ont vu, avec la collectivisation des terres, le bouleversement le plus étonnant de toute l'histoire soviétique depuis les
Décrets d'octobre.

Staline triomphe au sommet de la pyramide desdits Vainqueurs.
Mais il a le triomphe modeste. Les opposants d'hier, de Boukharine à
Zinoviev, se soumettent, chantent le « grand architecte du socialisme »,
mais ils restent à leur poste. Pour certains observateurs, on s'achemine
même vers une direction collégiale, au sein de laquelle monte l'étoile
de S. M. Kirov, élu au secrétariat du Comité central. Les mesures de
détente se multiplient : création du Birobidjan, territoire autonome des

Juifs de l'Union, allégement du rationnement, assouplissement du régime électoral, amnistie partielle, dissolution, même, du Guépéou...

On sait aujourd'hui ce que cette façade cachait de règlements de compte larvés ou en germe. Sur place, à l'époque, la situation est à peu près indéchiffrable, comme l'expriment les témoignages qui parviennent alors d'URSS : cette année-là, par exemple, en face de diverses légendes roses (Édouard Herriot, *Orient*) ou dorées (Aragon, *Hourra l'Oural*), les opposants français ne sortent que des *Paris-Moscou en avion* ou, mieux, des *L'Amour chez les Soviets*, discrédités d'avance. Le temps des grandes « révélations » n'est pas encore venu.

L'environnement est encore plus opaque à un employé du Komintern absorbé par des tâches multiples. La plus prenante est le secrétariat de rédaction de *Littérature internationale*, édition française (on compte aussi des éditions anglaise, allemande, russe et chinoise[42]). La revue est placée sous le patronage de noms aussi illustres et lointains que ceux de Romain Rolland, Upton Sinclair, Dos Passos ou Kouo Mo Jo. Elle n'en est qu'à sa deuxième année d'existence. Nizan a beaucoup à faire. Mais, placé sous les ordres d'un rédacteur en chef soviétique, Dinamov, et d'un rédacteur en chef adjoint polonais réfugié, Ludkiewicz, il ne dispose pas d'une grande marge de manœuvre, d'autant plus que le principe de la revue est de juxtaposer des traductions de textes communs, du monde entier, à quelques textes spécifiques à chaque édition.

À la lecture du sommaire, il n'est pas nécessaire d'imaginer d'obscurs complots pour comprendre la part de travail commandé que s'assigne le secrétaire. Les *Cahiers de la Petite Dame*, journal parallèle de la confidente d'André Gide, nous apprennent par exemple que les Soviétiques tiennent beaucoup en 1934 à ce que le célèbre rallié, qui vient d'écrire, dans son propre *Journal* qu'il était prêt à donner sa vie pour l'Union soviétique, assiste au Congrès de Moscou. On ne s'étonne pas de découvrir alors que le numéro de mai-juin de *Littérature internationale* s'orne d'un long et subtil article de Nizan tout à l'éloge du grand homme. Celui-ci, une lettre en fait foi, en fut charmé (« *j'étais heureux que la meilleure étude sur mon ambition dernière [et je me retiens mal de dire sur toute mon œuvre], soit de vous, Nizan que, depuis longtemps déjà, je souhaite tant connaître* »[43]) mais il ne partit pas.

Comme *Littérature internationale* est l'organe officiel de l'Union internationale des écrivains révolutionnaires, dont l'AEAR n'est, au départ, que la section française, on retrouve de la même façon la signature de Nizan au bas de la fameuse « Lettre à l'AEAR », parue dans le même numéro, dernier texte à contenu sectaire de l'histoire culturelle du PCF, jusqu'à la guerre. Cette mise en garde contre « *toute entreprise culturelle de la social-démocratie* » et, plus nommément, contre le groupe d'Henri Poulaille et tous les indépendants qui, d'Alain à Guéhenno, « *peuvent introduire des conceptions sentimentales du front unique* », rend, à plusieurs reprises, un son assez nizanien. Il confirme que le virage stratégique ne sera définitivement pris qu'au printemps 1934, quand par exemple le secrétariat du Komintern conseillera pour la première fois au PCF d'accepter l'unité d'action avec les socialistes. À la fin de l'année, le ministre des Affaires étrangères soviétique, Maxime Litvinov, artisan décidé du rapprochement avec les Occidentaux, sera à Paris pour négocier la première alliance militaire franco-soviétique. Encore quelques mois et l'on verra « *M. Staline comprendre et approuver la politique de défense nationale du gouvernement français* », ce qui aura pour effet immédiat de transformer du tout au tout l'attitude du Parti communiste français à l'égard des questions militaires. La nouvelle politique culturelle suivra, du même pas.

Mais nous n'en sommes pas encore là, en cette fin d'hiver exceptionnellement douce. Paul-Yves et Rirette sont tout à l'apprentissage du russe, et aux divers lieux où leur présence est réclamée. L'après-midi du mari est généralement consacrée à la revue, le matin, de 10 h à 14 h, à l'Institut Marx-Engels, où il se costume de nouveau, et pour la dernière fois, en étudiant et en chercheur. Entre deux travaux de bureau, Paul-Yves trouve le temps, on le verra, d'adapter (en français) pour le Théâtre Juif d'État de Moscou, une pièce d'Aristophane. Rirette travaille avec la femme de Moussinac, Jeanne, à récrire en un français digeste divers textes de l'appareil et, en particulier, à partir de mai, ceux que diffusera désormais l'édition française du *Journal de Moscou*. Sans s'en douter, elles contribuent à l'histoire mondiale, en fabriquant l'organe qui, on le comprend aujourd'hui, préparera les esprits à la signature du pacte franco-soviétique. À cette occasion, le couple Nizan pénètre un peu plus dans l'intimité de l'intelligentsia soviétique, en se liant d'amitié avec Mikhaïl Kolsov, directeur du *Krokodil*, dans les locaux duquel le *Journal* s'est installé.

Leur tâche est cependant plutôt d'accueillir et cornaquer les représentants de l'intelligentsia française qui, à l'été, arrivent pour le Congrès. Gide ne vient donc pas. Il ne sautera le pas, qu'il redoute plus ou moins consciemment, que deux ans plus tard, avec le résultat que l'on sait. Mais il présidera, le 23 octobre, la réunion parisienne au cours de laquelle sera fait le compte rendu public des journées. En attendant, c'est à Jean-Richard Bloch, à Vladimir Pozner et, surtout, à Malraux et à sa femme Clara que se consacrent les Nizan. Arrivé dès le 11 juin, Malraux restera près de trois mois, aux frais du régime lui aussi, portant dans sa besace, aussi pleine qu'à l'accoutumée, un ou deux projets de films et plusieurs idées de romans (le pétrole de Bakou, entre autres). En une série d'agapes fraternelles où le lauréat du prix Goncourt refusé à *Antoine Bloyé*, « *soûl de viande rouge* » (Rirette), se révèle plus éblouissant que jamais, les deux couples se découvrent une grande sympathie réciproque (qui tiendra jusqu'à l'après-guerre, où l'on verra même Rirette travailler, très éphémèrement, au cabinet du ministre Malraux de 1945).

Le Congrès s'ouvre le 17 août, sous la présidence de Gorki, qui joue plus que jamais au patriarche littéraire. *L'Humanité* et *Commune* rendront largement compte de ses débats. L'intervention de l'obscur Jdanov passe inaperçue. Celle, sectaire, de Radek et celle, plus libérale, de Boukharine retiennent par contre toute l'attention. Les Français présents sont, outre les noms cités jusqu'ici, le troisième couple montant de l'intelligentsia de gauche, Aragon et Elsa, directement reçus par Ehrenbourg. Bloch et Malraux ne sont pas membres du PCF et l'intervention du second, quoique favorable à l'Union soviétique, est loin d'être révérencieuse : « *L'image de l'URSS que nous donne sa littérature, l'exprime-t-elle ? Dans les faits extérieurs, oui. Dans l'éthique et la psychologie, non. Parce que la confiance que vous faites à tous, vous ne la faites pas toujours assez aux écrivains.* »

Le texte est cependant publié par la presse communiste. L'heure est à la grande récupération. Des portraits géants de Shakespeare et de Balzac ornent les salles. Les Soviétiques envisagent de tirer un film de *La Condition humaine*, comme des *Caves du Vatican*... Nizan lui-même reçoit sa récompense, sous la forme d'un compte rendu élogieux d'*Aden Arabie*, en russe, signé de Fried soi-même, et, surtout, de la traduction soviétique du même livre, précédée d'une préface de l'auteur dans laquelle sont prises quelques distances avec ce premier livre, encore trop intellectuel[44].

Pour que ce soit à l'égard de Moscou que Nizan prenne, cette fois, un peu de recul, il lui faut s'abstraire quelque temps du rythme kominternien. L'occasion lui en sera donnée à deux reprises par l'appareil, bon prince. Pendant l'été, pour un séjour de pure détente sur les bords de la Caspienne et surtout en avril, en Asie centrale. Le prétexte en est l'invitation du gouvernement de la république du Tadjikistan, à l'occasion du congrès tadjik des écrivains, préparatoire au congrès fédéral du mois d'août. Pour le couple, il s'agit surtout de voir, à mille milles de la capitale, ces zones de marches où le socialisme se construit quotidiennement dans la lutte contre la nature. Un membre du gouvernement tadjik les accompagnera, ainsi qu'Isaac Babel et la fille d'Ehrenbourg.

Le départ a lieu de la gare de Kazan le 11, en plein dégel. Le voyage en train jusqu'à Stalinabad dure sept jours. Tachkent, Samarkand, Boukhara… bien des lieux mythiques, et la frontière de l'Afghanistan en prime. Ils seront de retour à Moscou début mai. Une fois de plus, l'exotisme vient à la rencontre de Nizan, mais celui-ci, il veut l'assumer, dans ce pays de l'utopie réalisée.

Nous verrons plus loin que la transcription littéraire de cette expérience rend un son ambigu. Dans l'immédiat, le croyant en vacances peut s'abandonner sans remords aux délices de la nature et de la culture, aux champs de tulipes rouges à perte de vue, aux poèmes déclamés par les écrivains tadjiks dans les champs de coton des kolkhozes, entre deux semis. À quelques milliers de kilomètres au nord, dans la taïga sibérienne, Dovjenko commence à tourner *Aerograd*, épopée lyrique à la gloire du monde nouveau. Nizan datera de « Stalinabad » le début de la rédaction de son second roman, *Le Cheval de Troie*.

Il n'est pas sans signification que cette œuvre, qui sera la plus explicitement engagée de sa trilogie romanesque, ait été ébauchée dans cette grande datcha russe, au moment même où il se force à croire qu'il vit l'accomplissement d'une vie réintégrée, même si, dans les rues de terre battue du grand village fraîchement promu capitale des Tadjiks, dans les beuveries grandioses et inquiétantes de ses compagnons, d'imperceptibles failles sont en train d'apparaître.

La faille s'élargit un peu encore, en novembre, à la veille du retour en France, le soir de la première des *Aventures de M. Pickwick*, par le Théâtre d'Art de Moscou. Les spectateurs attentifs découvrent avec anxiété que les loges des officiels se dégarnissent peu à peu, dans un remue-ménage suspect. À l'orchestre, des hommes se lèvent, gagnent la sortie à leur tour. Il plane soudain sur la salle une atmosphère de veille de déclaration de guerre. Et c'en est bien une : le Tout-Moscou est en train d'apprendre qu'on vient d'assassiner Kirov.

En pleine nuit, Staline réveille le peuple de la capitale. Dans le hurlement des sirènes et l'entrecroisement des projecteurs, il annonce, avec des sanglots dans la voix, la mort de son meilleur ami, qu'il a sans doute fait exécuter.

115

Aragon, qui est lui aussi à Moscou, décrira l'extraordinaire mise en scène des funérailles. Le grand massacre commence. Des décrets ont été pris dans la nuit même, légalisant le jugement et l'exécution sans recours et sans délai des « affaires d'État » ; les premiers suicides, vrais ou faux, de Vieux-bolcheviks, sont relatés. Dans la seule région de Leningrad on comptera 80 000 déportations en quatre ans sous prétexte de complicité dans l'assassinat de Kirov. Dès le 15 décembre, Zinoviev et Kamenev sont impliqués. Vedettes du congrès d'août, Radek et Boukharine restent provisoirement en place, mais leur tour approche.

Paris. « *Ça a été un séjour extrêmement corrupteur* », dira Nizan à Sartre et Simone d'un ton négligent, tout en se rongeant les ongles de plus belle. Sartre, lui, rentre de Berlin, où il a été pendant un an pensionnaire de l'Institut français et, en tant que tel, observateur lui aussi de l'installation d'une dictature. Habitués au langage sibyllin de Nizan, ses amis se demanderont toujours s'il fallait y voir une appréciation à double sens, et pas seulement une allusion à des conditions de séjour privilégiées, wagons-lits et vins de Kagor.

Du moins avouera-t-il au même Sartre, en confidence, que sur un point au moins, il revient de Jérusalem volé : à la question naïve et vitale qu'il n'a pu s'empêcher de poser aux jeunes Soviétiques : « *Avez-vous encore peur de la mort ?* », ceux-ci ont répondu oui[45]. Rirette a conservé un carnet à la couverture rougeâtre qui avait été acheté à Moscou. Au milieu d'exercices linguistiques en russe, on n'y trouve guère que des notations sur la mort ou la vie future. Dans leur obscurité même certaines pages vont dans le sens des révélations sartriennes :

> « *C'est drôle de penser que l'on peut*
> *mourir dans son lit – non*
> *mourir pour la cause – oui*
> « *Kirov chacun de nous serait prêt à mourir pour Kirov.*
> « *Peur de la mort. Nouvelle cause. Parce que mes enfants ?*
> *Les enfants sont leur famille. Chaque jour nouveau peur de mourir* sans
avoir vu ce qui viendrait après. *C'est un problème de mourir la vie capitaliste n'a rien donné on n'a pas vécu le pas* terminé fini *mais pas à 30.* »[46]

Sans être moins marxiste, Nizan rentrait d'URSS plus métaphysicien qu'en y allant.

La preuve par le Pamir

S'il y a une clé du séjour soviétique, peut-être faut-il la chercher dans ce journal dispersé, fragmenté qu'est toujours chez un écrivain la suite de ses textes, même les plus anodins. Non qu'on puisse y trouver une quelconque critique directe du régime, inconcevable et d'ailleurs sans doute, à cette date, informulable. Plusieurs écrits de circonstance confirment au contraire sa parfaite orthodoxie : l'URSS est en train de concocter un homme nouveau régénéré, et Staline, plus terrien, plus nature que Trotsky, y prend, avec l'aide de Barbusse, des airs de grand « humaniste »[47]. Ils sont cependant de peu de poids à côté des deux reportages lyriques qui constituent aujourd'hui les seuls vestiges du grand livre consacré à l'Union soviétique qu'il semble avoir envisagé à son retour[48] : « Le tombeau de Timour », qui parle du voyage vers l'Est, et surtout « Sindobod Toçikiston » (Vive le Tadjikistan ![49]) qui parle du séjour.

Nizan est parti pour cette dernière fuite orientale avec le rêve inassouvi d'un « *univers sans mystification et sans ruse, délivré enfin des relations de duplicité* »[50]. Il a souhaité vivre, ne serait-ce qu'un instant, au contact d'un monde auquel il peut dire oui sans honte : « *Le temps arrivera où l'esprit ne redoutera plus ses propres adhésions* », avait-il prophétisé dans *Aden Arabie*[51]. Dans *La Conspiration*, on verra l'écrivain Régnier confier à son journal : « *J'imagine une époque où la grandeur sera moins dans le refus que dans l'adhésion.* »[52] Or Nizan gardera le silence sur Moscou, sur le lieu même du pouvoir, plus que jamais domaine réservé, cité interdite, et le spectacle qu'il nous offre de l'Asie centrale est loin d'avoir le lissé lumineux des images pieuses qu'en ramènent les autres communistes.

Nulle contrée n'est en ce temps-là, comme sans doute dans le nôtre, plus chargée de mythes que l'Asie centrale. Far-East du grand cinéma soviétique, terre des pionniers rouges, où moins que les koulaks et les trotskystes, les ennemis s'appellent le froid, le chaud, le vent, la sécheresse, les sauterelles : voici pour le militant. Mais pour l'Occidental rêveur, c'est aussi le pays de Boukhara et de Samarkand, et pour tout homme de l'Eurasie ce nombril de l'univers d'où, d'après certaines légendes, tout vient.

Ce voyage vers le Pamir prend alors des airs de retour aux sources.

« *On était en Asie, on guettait les paysages comme lorsqu'on revient dans un pays natal.* » (« Timour »)

Il ne l'écrira pas, mais Rirette s'en souvient fort bien : quand ils arrivèrent à Boukhara, elle crut soudain reconnaître la ville. Pour mettre ce sentiment troublant à l'épreuve, elle entraîna Paul-Yves dans un dédale de rues. Sans avoir jamais vu un plan de la vieille cité, elle pouvait annoncer à l'avance ce qu'ils allaient trouver. Vaguement effrayé de lui-même, le couple préféra s'arrêter, après quelques minutes, rebrousser chemin vers les lieux civilisés et rationnels, les hommes du Gosplan et du Guépéou. Mais ils avaient eu chaud.

Ce n'est pas pour rien que « Sindobod Toçikiston » s'ouvre sur un départ perpétuellement remis et finalement avorté pour le Pamir – « *C'est ainsi qu'on parlait du Pamir, mais il n'y avait jamais moyen d'y partir vraiment.* »

Là, « *à des milliers de kilomètres de toutes les mers* » (« Sindobod »), sur la terre la plus « ferme » qui se puisse trouver, en ce centre initial et final à la fois où les secrets symétriques d'hier et de demain sont enfermés, l'intellectuel angoissé ne trouve pas l'apaisement, malgré (ou à cause de) la fébrilité qu'il met à saisir les images qui passent, à emmagasiner sans les commenter les instantanés, comme s'il se contentait de publier les tablettes d'une écriture encore indéchiffrée, pour mémoire. Ébranlé par les confidences des jeunes Soviétiques, il se trouve soudain confronté, avec une conscience beaucoup plus crue qu'à Aden, à l'omniprésence de l'animalité, du désert, de la mort, tout ce qui est absence de l'homme. Il a beau s'attendrir sur ces « Vainqueurs de Timour », le nomade sanguinaire, que sont les secrétaires du Parti, les commandants de l'Armée rouge, les ingénieurs surtout, sortes d'Antoine Bloyé réussi, qui construisent des ponts pour le peuple et font reculer les terres vierges par l'irrigation, le serpent est dans l'Éden.

Il gît dans l'horreur sacrée, l'incompréhension, la répugnance invincible qui le saisit, et en même temps le fascine, devant ce successeur de Gengis Khan, tout possédé de « *la haine des établissements de l'homme* », devant la frontière d'Afghanistan, « *genre de paysage inquiétant* », devant la mer d'Aral, « *qui est la mer la plus effrayante du monde* », devant la steppe, plus océanique encore : « *Nous éprouvions le même genre de sentiment que sur le pont d'un navire en mer : des sentiments qui n'étaient pas du genre de la sérénité.* » (« Sindobod »)

Paradoxalement, Nizan parle beaucoup de la mer, en ces lieux si continentaux. C'est que la mer, chez lui, est avant tout un paysage qui ne porte pas les traces de l'homme, qui « *nous échappe* ». Il parsème son récit d'atrocités tadjikes et, après les moustiques, les sauterelles et les varans, s'arrête, inquiet, sans réponse, devant un insecte sans nom, particulièrement répugnant : « *Il y a une question de l'insecte et de l'homme.* »

La page finale de « Vive le Tadjikistan » ne réinstalle pas la sérénité. Trois scènes s'y trouvent en collision, dans un raccourci qu'on peut trouver assez hégélien. N° 1 : À Kourgan-Tubé, des paysans chantent en travaillant un hymne à la collectivisation. N° 2 : Au passage du Vakhch un vieil homme pleure devant le cadavre de son fils, qui a eu la tête écrasée par le bac. N° 3 : À Stalinabad, dans la nuit, c'est la fièvre : on est à la veille du 1er mai. Des dépêches arrivent du monde entier, qui parlent des luttes ouvrières. Traduisons. Thèse : Qu'il est beau de travailler pour une société réconciliée. J'ai même vu, dira-t-il plus tard, des kolkhoziens planter un jardin pour le plaisir… Antithèse : Plaisir ou pas, la mort la plus absurde est toujours là, à rôder. Synthèse : Prolétaires de tous les pays, unissez-vous. C'est la lutte finale…

Le passage de la muscade n'est pas si évident, et le lecteur reste plutôt sous le coup de la mort du jeune Tadjik, comme des nombreuses autres anecdotes cruelles ou troublantes qui parsèment le récit. Même celles qui font sourire demeurent franchement ambiguës ; ainsi de ce vieux devin soûl, symbole des anciens temps, emmené au poste par un milicien, et qui se termine par « *Comment prédire l'avenir quand le Gosplan s'en charge ?* » Il n'est pas certain que cette réponse suffise à Nizan. On a dit que l'humour était la politesse du désespoir. À la lumière de ce récit, c'est toute la littérature de Nizan qui pourrait recevoir cette définition. Ce stalinien continue à se ronger les ongles.

L'entrée dans une Église a toujours quelque chose d'une autodissolution. Mais il y a parfois du résidu, un noyau, qui résiste. Chez Aragon, cette résistance donnera l'ambiguïté du *Monde réel* et surtout, plus tard, *La Semaine sainte*, *La Mise à mort*, *Matisse roman*… Chez Nizan, le résidu s'appellera *Antoine Bloyé*, *Le Cheval de Troie*, *La Conspiration*. Le temps des essais, dans les deux sens du mot, est clos. Place aux réalisations romanesques. L'inachèvement du témoignage soviétique, comme celui du témoignage bressan, sont bien autant de signes ; désormais, quand il voudra s'investir profondément dans l'écriture, c'est la fiction qui, spontanément, viendra sous sa plume. Ce qu'il ressent toujours en lui d'appel vers le constructif, il pourra le réaliser dans le militantisme quotidien de la presse communiste ; ce qu'il conserve, cultive en lui d'angoisse et de doute, il le mettra dans ses romans.

On peut même penser que la conjoncture politique française, à son retour d'URSS, l'y encourage. La dernière phrase d'*Aden Arabie*, écrite en 1930, annonçait sans le savoir le 6 février 1934, avec « *ces hommes en veston noir, les bras ouverts sur le pavé, au milieu de la place déserte de la Concorde* ». Tout le drame politique de Nizan est que, si cette scène a bien eu lieu, les acteurs en ont été fort différents de ceux auxquels il songeait alors : les hommes en veston noir n'auront pas été des flics abattus par la révolution prolétarienne en marche, mais des manifestants petit-bourgeois de droite, abattus par la police républicaine. L'Histoire, décidément, est trop compliquée pour les intellectuels.

Dans *Le Cheval de Troie*, le lecteur découvre insensiblement qu'après un temps où les militants ne voyaient l'avenir que comme « *un grand piège angoissant* »[53], la France s'est mise à bouger. « *Soudain, sur ces places, les pierres volaient, les chevaux galopaient, les matraques sonnaient sur les têtes, les revolvers tiraient […]. C'était une époque qui rappelait la formation des guerres de Religion lorsque les granges des protestants brûlaient, lorsque les hommes partaient sur les routes pour combattre.* »[54]

Or ce n'était qu'une hypothèse, et pas la bonne. Achevé au printemps 1935, à Grimaud, le roman était immédiatement contredit par les faits. Il n'y eut pas de guerre civile, de guerre de religion, et Jacques Duclos, quelques semaines plus tard, allait réconcilier, à la stupéfaction générale, le drapeau rouge et le drapeau tricolore, *La Marseillaise* et *L'Internationale*. Mais, du même coup, il n'y avait plus de « *piège angoissant* ». Une inquiétude était née, peut-être, du côté du Pamir inaccessible, mais en France c'était 1936. L'abandon lyrique à la victoire populaire, la gauche au pouvoir, les premières réformes, le parti communiste plus puissant que jamais pouvaient l'équilibrer sans trop de peine. Nizan accepta que fût payée d'une sensible modification stratégique une telle approximation de son « oui » rentré.

Dans *La Conspiration* il fait cet aveu troublant, qu'un jeune homme « *est le seul être qui ait le cœur de tout exiger et de se croire volé s'il n'a pas tout. Plus tard, il n'y aura plus que des contrats, des échanges.* »[55] Le temps du Front populaire fut sans doute pour lui celui d'un tel contrat, d'un tel échange. Mais l'air du temps le rendait aussi plus libre de verser dans son écriture contrôlée les rumeurs de ses inquiétudes, de son mauvais esprit, ou, plus gaiement, de sa fantaisie.

Cela donna, l'espace de trois, quatre années, le plus grand romancier politique français, et l'un des plus brillants journalistes. Au plus fort de sa période sectaire, il était allé jusqu'à écrire que la culture du peuple, assez riche de sa généalogie progressiste, n'avait « *besoin ni de romans, ni de sonnets* »[56]. Elle n'en avait peut-être pas besoin, après tout. Mais lui, si.

ÉCRIRE

> « Longtemps j'ai pris ma plume pour une
> épée : à présent je connais mon impuissance.
> N'importe : je fais, je ferai des livres ; il en
> faut. »
>
> (*Les Mots*)

En cherchant bien, on peut trouver chez n'importe quel romancier la théorie de sa propre littérature : il suffit de s'armer de patience, d'une loupe et de ciseaux. Nizan, écrivain doublé d'un penseur militant, n'échappe pas à ce genre d'investigation. Fort heureusement, il n'échappe pas non plus à la règle qui veut que la pratique contredise ou assouplisse périodiquement la théorie. Il faut dire qu'il n'aime pas beaucoup les étiquettes. Certes, il lui arrive de parler doctement du romancier révolutionnaire, mais les crises durent peu, et il laisse à Aragon le copyright du vocable « réalisme socialiste », que celui-ci acclimate en France à partir de 1934. Sa façon de définir la « littérature responsable » reste des plus traditionnelles : l'écrivain, chez lui, a « *pour fonction de définir et de révéler aux hommes leurs plus hautes valeurs morales et leurs plus vastes ambitions* »[1]. C'est en faire évidemment un médiateur privilégié, presque sacré. Vision d'un clerc, parlant d'une littérature de clerc : « *On n'apprend aux hommes que des choses qu'ils savaient déjà sans se douter de leur science. L'exposition de ce savoir latent est une des missions de l'écrivain.* »[2] Chaque livre devient alors instrumental ; un roman finirait par se confondre avec un essai.

Mais il faut imaginer un clerc en révolte : la littérature nizanienne n'est prise de conscience que parce qu'elle est d'abord « *mise en accusation du monde* » et par là « *volonté de le changer* ». Ses personnages cessent de faire la concurrence à l'état civil pour devenir autant de problèmes incarnés. Fini pour longtemps le romanesque de la vie privée : « *Depuis 1914, toute vie est publique.* »[3] D'où le paradoxe de l'écrivain révolutionnaire : « *On ne peut écrire sur la politique que si on la vit, et on se dit que si on la vit on n'aura point le temps de l'écrire.*

[...] *Le problème du romancier est peut-être aujourd'hui de trouver un rythme alterné d'action et de création qui le fasse passer de l'engagement dans la politique à un récit sur la politique. Ce rythme fut celui des romanciers de l'amour.* »[4] Ce sera celui du Malraux de *L'Espoir*, en qui il verra la plus juste approximation de son idéal.

De tout ce qui précède, le lecteur non prévenu attend la défense et l'illustration d'une littérature prêcheuse. Nizan en a suffisamment conscience pour multiplier les garde-fous. Sa définition du réalisme – « *une littérature possédée du désir de l'actuel* »[5] – est assez fougueuse et assez vague pour ne fermer aucune porte. Son refus d'assimiler l'impact d'une œuvre d'art à sa timidité formelle va à l'encontre du jdanovisme montant : « *L'efficacité la plus grande étant du côté de la plus grande découverte, le lecteur adhérant à l'œuvre d'art dans la mesure où il gagne en conscience ce qu'il perd en facilité.* »[6]

Qu'on ne s'attende donc pas à ce qu'il se satisfasse d'une littérature satisfaite, qu'elle soit signée Maurois ou Cholokov. « *Ce consentement révolté à la présence terrible du monde* »[7] qu'il reconnaît dans son propre regard n'est pas fait pour les petites natures : « *On se demande comment il pourrait y avoir actuellement dans le monde une littérature* authentique*, qui ne soit pas une littérature déplaisante.* »[8] Nizan distinguera un jour deux écritures possibles : celle de la colère, comme au Siècle d'Or, et celle de la ruse. Les essais participaient certainement de la première ; la fiction tiendra plutôt de la seconde. « *La littérature révolutionnaire est la forme moderne de la tragédie* »[9], soit. Voyons un peu comment il ruse avec la tragédie.

Sans doute est-il nécessaire pour la clarté du propos d'envisager la production littéraire de Nizan comme une suite de textes vivant leur propre existence d'une manière relativement autonome l'un par rapport à l'autre. Rien cependant n'indique de véritable solution de continuité. À considérer la seule chronologie des rédactions, l'enchaînement est à peu près permanent. Tout s'est sans doute enclenché à la mort du père, en février 1930, dans la ville de Nantes où il s'est retiré depuis à peine cinq mois. Le destin de cet enfant du peuple mort dans la peau d'un technicien habile, vieilli avant l'âge, hante plus que jamais l'esprit du fils, qui juge maintenant avec l'œil du militant l'enfant affolé des nuits de 1917.

L'article « Secrets de famille », qu'il publie le 14 mars 1931 dans *Monde*, évoque déjà, en termes politiques, son propre héritage familial, confronté au sens général de l'histoire contemporaine. Un soir, de retour à Nantes, où il doit donner une conférence sur « Marx et la philosophie », il est reçu par son camarade Bruhat, alors en poste au lycée de la ville. Il est lancé. Toute la nuit, ou presque, il va lui raconter l'histoire de son père. Cette nuit-là, *Antoine Bloyé* s'est construit, comme un grand arbre. Reste à l'écrire. Après *Les Chiens de garde* et la mise en congé de l'université, double rupture avec l'*alma mater*, l'adieu à l'autre famille originelle devient une nécessité. Ainsi ce passage à la fiction se fait-il comme tout naturellement. Œuvre de transition, *Antoine Bloyé* aura encore quelques traits de l'essai en forme de roman, un *Aden Arabie* du père à peine transposé.

La petite maison Rieder aurait bien aimé publier des romans, mais sa réputation est tout intellectuelle. Elle accepte que Nizan lui fasse des infidélités[10], sans grande illusion sur le retour de l'enfant prodigue. Jean Guéhenno, lié à Rieder par *Europe*, est d'abord auteur et directeur de collection chez Grasset. Il recommande Nizan, dont le manuscrit reçoit un excellent accueil des lecteurs attitrés de la maison, au premier rang desquels Gabriel Marcel. Le contrat est signé le 13 mars 1933 ; le livre sort le 25 octobre. Dès cette date, *Présentation d'une ville*, paru fragmentairement dans le premier numéro de *Commune*, a montré que Nizan était gros d'un second témoignage autobiographique centré, non plus sur un être, mais sur une communauté, deux même, imbriquées mais de densité différente, la ville de Bourg-en-Bresse et, en son sein, la petite phalange communiste.

La vacance dense et ambiguë d'Asie centrale lui permet de se mettre à l'établi. On a vu qu'il date de Stalinabad le début de la rédaction, information confirmée par une lettre à sa mère en date du 2 juin 1934. Entre des dizaines de conférences, d'articles, il réussit à boucler l'ensemble à Saint-Tropez et Grimaud, vers la mi-avril. « *Mon roman est fini et il est parti* », annonce-t-il à sa mère le 22. Il ajoute benoîtement, histoire de troubler la pauvre Clémentine : « *Très révolutionnaire avec des combats de rue, des morts, etc. Je crois, très réussi.* »[11]

Sorti de là, trois années paraissent s'étendre jusqu'à la remise du troisième et dernier manuscrit romanesque, celui de *La Conspiration*, ce qui, compte tenu de son rythme de travail, peut paraître long. L'ampleur des tâches journalistiques qui fondent sur lui à cette date suffirait à expliquer cet écart. Mais ce serait oublier la plus grande complexité formelle de ce dernier texte et, surtout, la multiplicité et la diversification, entre-temps, de ses exercices littéraires : adaptation d'une pièce d'Aristophane, commandée en 1934 mais jouée seulement en février 1937, éditée un peu plus tard, une nouvelle, *Histoire de Thésée*, divers contes, *Les Matérialistes*.

Compte tenu de la place qu'occupera désormais chez lui l'écriture du reportage, descriptive et ponctuelle mais participant souvent du romanesque, on peut dire que l'activité fictionnelle de Nizan n'a jamais connu d'interruption réelle. On en trouverait une preuve supplémentaire dans les entretiens qu'il accorde à la sortie de *La Conspiration*, où il parle déjà du prochain roman. Titre, cadre, plan général en sont connus. Un an plus tard, sur le front, alors qu'il rédige cette suite, il évoquera de la même façon l'hypothèse d'un volume supplémentaire.

Au-delà de cette continuité organique, la lecture de ce flux romanesque permet d'en mieux reconnaître la communauté profonde dans le propos et dans le ton, jusque dans la spécificité de leurs démarches. *Antoine Bloyé*, à l'instar du *Jacques Aron* de Friedmann, est le livre du père écrit par le fils. Plus habilement construit que celui-ci, il encadre l'évocation de ce destin, à peu près chronologique, dans la méditation d'une veillée funèbre : « *La dernière nuit, le fils resta seul.* »[12]

De ce rapport doublement intense – liens du sang et lieu de la mort – naît le tableau, recomposé par le regard sans indulgence du survivant, moins pourtant coléreux qu'attristé, d'une vie longuement gâchée.

Ce qu'on y découvre – en apparence la biographie de Pierre Nizan – n'a rien d'exceptionnel. L'événement le plus grave de cette vie – jusqu'à la mort, qui fait de l'existence la plus plate une existence tragique – est le limogeage de 1915 : il faudrait beaucoup de bonne volonté pour le transformer en cataclysme romantique. Une sensibilité d'écorché vif découvre pourtant dans ce père un drame en deux actes, comme deux morts successives, insidieuses, qui n'ont plus laissé à la troisième, la « bonne », qu'une dépouille vide, un sépulcre blanchi à embarquer vers le cimetière.

Le premier acte tient dans la trahison de la classe ouvrière natale dont s'est rendu coupable le jeune boursier promu par le travail et la compétence – ce qu'on appelait au XIXe siècle le « talent » – à la petite bourgeoisie, aux plaisirs chiches du sous-commandement industriel. Le franchissement de la ligne ne s'est pas fait en un jour, mais la mutation est évidente. Plutôt que d'être un homme, Antoine Bloyé a choisi d'être « quelqu'un » : il a dû payer. La seconde béance commence à s'ouvrir quand l'homme mûr accède à une conscience, obscure, inaboutie, de ladite trahison. Parcouru de paniques glauques, il ne se relèvera jamais de ce coup-là : « *Il avait tout le temps vécu sa mort.* »[13]

Par là, le banal itinéraire Bloyé devient exemplaire, comme si un nouveau personnage venait d'être admis dans la Danse de Mort, entre le laboureur et le négociant. La seconde moitié du XXe siècle y reconnaît sans mal, au ras de l'interprétation, le drame du « cadre » contemporain, en perpétuel porte-à-faux social. Mais ce récit méticuleux d'un homme mutilé, stérilisé, réifié (« *tout le monde pouvait le manier comme une pièce* »[14]) par le travail, c'est-à-dire par lui-même, prend aisément une portée universelle. C'est en ce sens qu'il faut comprendre l'épigraphe, malheureusement en allemand non traduit (dernier reste d'affectation normalienne), extraite de *L'Idéologie allemande* : « *Si le communisme veut supprimer aussi bien le "souci" du bourgeois que la détresse du prolétaire, il est évident qu'il ne peut le faire sans supprimer la cause de l'un et de l'autre : le travail.* » La figure de Bloyé s'érige en symbole de l'homme aliéné.

Les moyens mis en œuvre ajoutent à la rigueur de ce qui, sans eux, ne serait qu'une démonstration désincarnée. On ne saurait, comme l'ont fait certains critiques de l'époque, lecteurs rapides par nécessité, les qualifier de « naturalistes ». Certes la description des étapes franchies, des milieux géographiques et sociaux traversés, a la transparence d'un exposé. Abusé par l'exactitude de l'enquête menée par Nizan auprès des collègues de son père, un critique ira même jusqu'à supposer que l'ouvrage avait été écrit par un véritable cheminot[15]… Mais il y passe toujours, par le choix des mots, des épithètes, par les raccourcis, les correspondances dressées, les maximes cristallisées ici et là, le frémissement de révolte qui soulève toutes les autres parties.

Dans ce premier exercice romanesque, l'auteur fait déjà feu de tout bois. Le tableau de la naissance de Saint-Nazaire a quelque chose d'une épopée de l'ère industrielle. Le chapitre dédié au destin absurde et affligeant de la « petite Marie », fille aînée des Bloyé, morte à six ans, est en soi comme une courte nouvelle atteignant à l'horrible par la simplicité des moyens, presque leur nudité. Enfin, face à Antoine, se dresse fugitivement l'image d'une femme et d'un quartier, Marcelle, la tenancière rousse d'un café lové au plus profond de la misère parisienne, dans le XIIIe arrondissement de Léo Malet, face à la sinistre rue Watt. L'homme signe son arrêt de mort intime le jour où il renonce au côté-de-Marcelle, « *le côté du grand vent* »[16], pour le côté-d'Anne-Guyader, abrité de tout, respectable et spongieux. Il y a une couleur d'*Antoine Bloyé*, sourde et triste comme les couleurs de ce tournant de siècle, où la lèpre des bas-quartiers ferroviaires n'est pas moins sombre que le brou de noix des intérieurs petit-bourgeois.

Cette couleur plut. Une note de Gabriel Marcel à Bernard Grasset fait de ce premier roman, qu'il vient de lire pour avis, « *sans aucun doute possible le meilleur manuscrit qu*['il ait] *lu depuis des mois* »[17]. Les archives

Nizan nous apprennent que c'était aussi l'opinion du vieux colonel Mayer, homme Protée préoccupé de mille choses et, par exemple, de typographie : on apprécie comme elles le méritent les ironies de l'histoire quand on découvre que cet officier anticonformiste, qui était devenu à la même époque le conseiller stratégique de De Gaulle, a été chargé par Nizan de la relecture (formelle) de son manuscrit, en vertu du principe : « *Léon Blum m'a raconté l'autre jour qu'il s'est amusé à refaire la ponctuation de quelques pages de Marcel Proust et qu'elles y avaient beaucoup gagné* […]. »

On ne sait pas si *Antoine Bloyé* a beaucoup gagné aux conseils typographiques du colonel. Toujours est-il que la critique fut des plus favorables, à commencer par l'illustre et puissant André Thérive, titulaire du rez-de-chaussée du *Temps*[18].

Comme il arrive souvent, les défauts qu'on trouva au roman touchaient moins à ce qu'on y lisait qu'à l'idée que chacun se faisait des intentions de l'auteur. Jean Fréville, dans *L'Humanité*[19], fut assez froid : la thèse marxiste n'était pas assez explicite. Inversement, l'extrême droite littéraire, avec Jean-Pierre Maxence[20], parlera d'un « *Paul Bourget du marxisme* » : les deux critiques s'annulaient l'une l'autre et constituaient le meilleur hommage au talent de l'auteur. Plus intelligent, et plus artiste, Aragon saura, quelques mois plus tard, dans un contexte moins sectaire[21], récupérer l'intégralité de l'œuvre dans le sens voulu par l'appareil. En se présentant au public en costume d'écrivain de Parti, Nizan s'exposait d'ailleurs à être jugé sur la cohérence intellectuelle de son propos, qui ne préoccupait guère chez la plupart de ses confrères. Sans doute était-ce seulement là que le bât blessait : à partir des éléments fournis par l'auteur, ne pouvait-on pas interpréter la détresse de Bloyé sous l'angle psychologique individuel, sans recourir à la lutte des classes ? Poser la question du roman en ces termes, comme le fit par exemple Pierre-Henri Simon, c'était là prendre au sérieux le personnage principal, lui reconnaître une réalité singulière : indice des romans réussis.

Le Cheval de Troie

On ne saura jamais dans quelle mesure Nizan avait été sensible au reproche d'insuffisant engagement et d'excessif individualisme avancé par les plus sectaires de ses camarades. *Le Cheval de Troie* y répond en tous les cas implicitement. Drame cerné par le temps d'une semaine et l'espace d'une ville de province, il raconte en effet l'irruption de l'Histoire, du mouvement historique dans la vie collective d'une cité. Avec *Antoine Bloyé* un fils ramenait son père au monde, comme pour un jugement premier. Ici une ville, symboliquement nommée Villefranche, accouche, dans le sang et la douleur, de sa révolution.

Le site, les personnages doivent une fois de plus beaucoup à l'expérience de l'auteur. Villefranche-sur-Rhône est un composé de Bourg, de Vienne, de Villefranche-sur-Saône ; les communistes et les bourgeois qui y sont décrits, les enseignants du lycée au premier chef, avaient souvent les traits reconnaissables des contemporains locaux. Ce qu'on y dit de la vie d'un rayon communiste de province ou de la répression d'une manifestation ouvrière doit à l'évidence tout au travail du militant et du candidat de 1932, au journaliste politique de 1935. Mais, bien entendu, l'essentiel n'est pas là.

Il est dans la composition rigoureuse du roman, où les divers personnages typés – les quelques militants communistes et le professeur de lycée Lange – convergent insensiblement vers cet après-midi de dimanche 1932 où chacun connaîtra enfin la figure de son destin. Là où *Antoine Bloyé* déroulait lentement le fil d'un drame solitaire, *Le Jour de la colère* (titre d'abord proposé par Nizan ; quand le roman sera traduit, quelques mois après, en Union soviétique, il sera intitulé *Le Jour des morts*) se noue autour d'un moment d'intensité collective : une manifestation du Front commun dispersée par la police, au milieu de violents combats de rue entre extrémistes des deux bords.

La perspective politique, et même partisane, est cette fois des plus claires. Les héros positifs existent, et ce sont des militants communistes. La manifestation, l'événement sont leur œuvre, exclusivement. Le livre se termine sur l'exaltation redoublée du combat sans pitié contre les ennemis, au nom de la vengeance des morts. Voici l'élan sauvage d'Albert, l'ouvrier, qui se jette dans la mêlée après avoir appris la mort de sa femme : « *La justice, la misère, la mort n'étaient pas des adversaires visibles, mais les gardes étaient des ennemis charnels : son désespoir fondait, il avait une sortie, il se faisait fureur.* »[22] Voici la guerre civile aux portes : « *Un monde naissait. La France entrait dans le jeu des nations, pour elle aussi la violence qui refait l'histoire commençait. Plus de projets, d'attentes dans cet avenir incroyable où on ne compterait un jour les victimes qu'en gros, où personne n'aurait le temps de remarquer spécialement telle ou telle mort : ce serait comme un cataclysme naturel, un cyclone, un raz de marée. Ils pensaient vite. Maillard dit :*

– Imaginez-vous. Quand on dira peut-être : à Marseille, ou à Lille, ou à Toulouse, il y a eu deux cents morts, il y a eu quinze cents morts... »
Voici la vie des militants justifiée par la mort de l'un d'entre eux :
« – Et après ? dit Berthe. On mourra quand même, on finira toujours par le trou...
– Si nous disons cela, dit Bloyé, nous ne serons plus des hommes. J'y pense souvent... On peut détruire d'abord toutes les façons injustes de mourir, et ensuite, quand on n'aura plus affaire qu'à la mort dont personne n'est responsable, il faudra essayer aussi de lui donner un sens. »[23]

Rien pourtant d'un simple appel à l'insurrection et au meurtre. La manifestation est réprimée, un communiste reste sur le carreau. Dans le même après-midi, Catherine meurt seule dans sa cité ouvrière, d'un avortement clandestin. Quand, dans les rues de la ville, le professeur Lange, jusque-là indifférent aux êtres et aux choses, choisit son camp, c'est celui du fascisme. L'indéterminé grippe la machine, la mort frappe à l'aveuglette. Il y a du blanc et du noir, mais aussi du néant qui n'a pas de couleur. C'est que ce sont des hommes qui se débattent là, pas des principes, et pas seulement des « problèmes ».

Ce roman, où l'auteur a renoncé à adopter un point de vue privilégié, après, semble-t-il, y avoir songé[24], réussit à typer plusieurs personnages avec plus de force qu'*Antoine Bloyé*. Les visages les plus émouvants sont sans doute ceux des trois femmes, de celles qui ont renoncé à être belles parce qu'elles vivaient dans le monde où les corps ne sont pas égaux[25] : Berthe, lasse et volontaire pourtant, Marie-Louise et son mal d'être ce jeune animal qu'on prétend encager (« *Tout est défendu, disait-elle. Ce n'est pas une défense sur les murs, il n'y a pas d'affiches, c'est un étouffement* »[26]), Catherine surtout, et sa mort abandonnée. Le couple qu'elle compose avec Albert est loin d'être parfait. Lui trop souvent mâle dominateur, elle acculée par la gêne à sacrifier son enfant : plusieurs années avant les scènes des *Chemins de la liberté* un avortement tient le centre d'un récit politique. Mais le roman s'ouvre et se ferme sur un couple vivant, pas encore démoli, celui de Bloyé (tout porte à croire que c'est le fils d'Antoine) et de Marie-Louise.

En face de la communauté communiste se dresse l'autre engagé corps et âme, Lange, déchu, bien sûr, l'un des personnages les plus complexes de toute l'œuvre de Nizan. Sartre s'y reconnaîtra. Nizan s'en défendra mollement, parlera de Brice Parain. Il est certain qu'on pense à cette *Nausée* que le petit camarade était en train d'écrire quand on lit que Lange

« *imaginait un livre qui décrirait uniquement les rapports d'un homme avec une ville où les hommes ne seraient que des éléments du décor, qui parlerait d'un homme seul, semblable à un îlot désert* »[27]. Mais là n'est pas la question : après tout, Lange est professeur au lycée de Villefranche et il se ronge les ongles. Spectateur tragique, behavioriste conséquent mais malheureux : il serait facile de retrouver en lui autant du Nizan de 1925 que de Roquentin ou de Meursault. Il va glisser insensiblement du nihilisme au fascisme, comme il aurait fini par glisser dans l'alcoolisme, le suicide ou la littérature. Ce qui demeure, par la place que ces réflexions et situations tiennent dans le roman, c'est le tableau d'une conscience engluée dans le solipsisme, une sorte de néant portatif : « *Le scandale*, lancera-t-il haineusement à son collègue Bloyé, *c'est qu'il existe des mondes... Vous travaillez à fabriquer un monde où je ne serais pas moins seul...* »[28]

Lange est un intellectuel bourgeois qui se refuse à trahir sa classe, tout en ne croyant plus en elle. Cet esprit cultivé, à force de démystifier le Système, se trouve incapable de participer au mouvement corporel d'une foule ouvrière, redressée par la misère et l'humiliation. Quand il sera enjoint par le sort de prendre parti, dans un monde désormais manichéen où son abstraction n'a plus de place, il choisira sa classe, et tirera sur les « salauds » d'en face dans un orgasme explicitement suggéré (page 175). Dans la galerie, assez courte, des héros fascistes de la littérature française, Lange a plus de cohérence que Gilles et plus de vraisemblance qu'Aurélien. Sans l'avoir cherché (mais *Le Cheval de Troie* est contemporain des plus longs entretiens que Nizan ait eus avec Malraux), il réalise le personnage-problème posé un jour par l'auteur de *La Condition humaine* : le fasciste, pessimiste actif.

Roman en apparence le plus sectaire de son auteur, *Le Cheval de Troie* réussit à être aussi, et d'abord, celui où l'analyse psychologique du fascisme et la dénonciation sociale de l'aliénation féminine sont poussées le plus loin. Mais cette présence de quelques individus, campés sans bavardage dans les moments les plus intenses de leur vie, ne rend pas moins plausible le personnage collectif du rayon communiste, parcouru d'émotions, de coups de bourdon, de colères, d'activités fébriles, qui ne sont pas la simple juxtaposition des psychologies autonomes de Bloyé, Maillard, Levent, Marie-Louise, Berthe, Albert, Paul... Elle rend surtout plus convaincante la vision unanimiste du dimanche final, où du même mouvement Villefranche se découvre « *un cœur capable de passion* »[29]. Le flux de sang de la femme avortée et du militant assassiné en pleine rue, dans sa concordance, établit un lien indissoluble entre l'individuel et l'historique.

Le roman se termine comme commençait *Antoine Bloyé* : sur une méditation funèbre des militants autour du corps, d'abord présent puis métaphorique, de Paul, l'assassiné. Le ton qu'ils adoptent confirme le sens du récit heurté de la manifestation : *Le Cheval de Troie*, comme son nom l'indique assez bien, est une épopée. Les dialogues des personnages respectent la règle épique que définira Nizan deux ans plus tard, à propos d'un roman de Tristan Rémy : «*Chaque parole importante des personnages comporte la référence à l'avenir.* »[30]

Antoine Bloyé avait plus d'épaisseur, *La Conspiration* aura plus d'éclat, mais c'est *Le Cheval de Troie* qui a le souffle. De tous, c'est sans doute celui qui se rapproche le plus de la construction cinématographique ; on pense, par endroits, à Malraux. Mais il garde bien à lui la fulgurance des formules, la cruauté des portraits, la hantise de la mort, l'ambiguïté de Lange et l'opacité de certaines scènes, comme celle de la mort de Catherine ou de la déambulation du professeur dans le passage du Théâtre, la nuit.

Sa réputation de texte de propagande, d'exercice de style « réaliste socialiste », dont il est fort loin, a fait beaucoup de mal au *Cheval de Troie*, qui a surtout fait peur aux deux camps, effrayés du tableau terrible qui leur était présenté de leur avenir. C'est pourtant peut-être des trois celui qui mériterait le plus de durer, par la rigueur de sa construction, la variété de ses perspectives, la cohérence de la forme et du fond. Mais on comprend que *La Conspiration* plaise plus aux âmes distinguées. *Le Cheval de Troie* était une Iliade, c'est une Odyssée.

La Conspiration

Avec elle, Nizan accentue les libertés prises déjà dans *Le Cheval de Troie* avec son autobiographie. On y trouve sans doute des souvenirs de la *Revue marxiste* ou, par ouï-dire, des deux revues antérieures, mais seul un esprit prévenu (Henri Lefebvre, par exemple) pouvait y chercher un quelconque documentaire sur une aventure intellectuelle à vrai dire assez secondaire. À peine si l'on peut y reconnaître aussi l'écho d'anecdotes racontées par Rirette, dans l'aventure d'un jeune homme et sa belle-sœur, par Politzer, dans le personnage d'un philosophe devenu flic, le souvenir d'événements politiques des années 1928 et 1929 dans l'arrestation d'un militant communiste clandestinement installé dans un pavillon de banlieue, etc. : Nizan ne parle pas plus des « autres » que Balzac ne parle d'autrui dans *Les Illusions perdues*.

La seule influence extérieure dont il faille sans doute tenir compte ici ou là est celle d'écrits antérieurs. Un peu le diptyque de Friedmann, qu'en 1932, dans sa première chronique littéraire marxiste, Nizan quali-fiait de « *document sur une jeunesse dont les recherches peuvent aujour-d'hui paraître assez comiques* », et où figure aussi une séquence intitulée « *Extraits d'un cahier noir* ». Beaucoup *Les Déracinés* de Barrès, qui raconte l'éducation sentimentale et politique de sept élèves et où l'on rencontre, comme dans *La Conspiration*, une panthéonisation, la visite à un « maître », un journal intime, une aventure amoureuse, une déchéance criminelle... J'arrête ici cette énumération, qui n'attend plus que son raton laveur. Comme on s'en doute, ce qui fait le charme, aujourd'hui encore, de *La Conspiration*, ce ne sont pas ses « sources ».

Sans doute tient-il au mélange, complexe, faussement nonchalant, des niveaux où il se déploie, et des tons adoptés pour en rendre compte. Non pas que le style en soit éclectique. Il garde sa fermeté, il est tou-jours, comme au premier jour, à la première ligne du premier essai, capable de maximes, de raccourcis cinglants. Mais le monde dont il rend compte a perdu l'évidence de celui de Villefranche. L'amertume s'y fait douce, parfois pince-sans-rire, la pente générale est, au sens fort plein du mot, à l'ironie.

Le récit enchevêtre l'aventure éphémère d'une revue révolutionnaire, rédigée par une petite équipe d'étudiants en philosophie, à trois ou quatre équipées personnelles, de longueur et d'importance variables, toutes nées du tronc central mais dont les ramifications poussent dans toutes les directions : la branche Bernard Rosenthal, la branche Simon, la branche Serge Pluvinage, la branche Philippe Laforgue, plus un vieux bois sec rapporté, la branche Régnier. À bien des égards, *La Conspiration* se tient à égale distance des deux premiers livres. Par la durée des événements racontés – un an et demi environ –, leur situation dans le temps – juin 1928-décembre 1929 –, la multiplicité des points de vue, entre le narra-teur quasi unique d'*Antoine Bloyé* et sa dilution complète dans *Le Cheval de Troie*, sa structure, enfin, qui, tout en épousant la chronologie, retrouve le sens des harmoniques et des symétries propre au second roman.

À ceux qui aiment les formules balancées, on pourrait lâcher cet os à ronger : après *Antoine Bloyé* roman du père, *Le Cheval de Troie* roman de la mère (Catherine-Parti-Villefranche), voici donc le roman des fils. Qui dit roman des fils dit évidemment roman d'initiation. Les deux premiers l'étaient implicitement, celui-là le proclame. Comment sort-on de sa jeunesse ? (et en quel état ?), voici son problème, le problème de ses héros. Répondre à cette question, c'est raconter le livre, et raconter le livre, c'est beaucoup plus que pour *Le Cheval de Troie*, raconter les personnages.

La réussite du roman est dans cette maîtrise de tant de destins, dans la richesse que recèle chacun d'eux, même fugitivement évoqué, le tout resserré dans un récit finalement assez bref ou qui, plutôt, donne l'impression de la brièveté. On reconnaît le métier acquis par l'auteur à la puissance conférée à deux figures qui lui sont en apparence des plus éloignées. Rosenthal (« Rosen ») et Pluvinage, alors que Laforgue, dont la situation sociale, familiale, l'esprit et les préoccupations lui sont si proches, n'est évoqué qu'*in extremis*. Sa comédie humaine s'élargit au tableau de la grande bourgeoisie, jusque-là absente, par le jeu équivoque qui aura finalement raison de la révolte romantique de Rosen. Son tragique prend une épaisseur un peu poisseuse, un air de fatalité oppressante inaccoutumée dans la longue confession écrite de Pluvinage, hommage implicite au Dostoïevski des *Possédés*.

Les scènes Rosenthal sont vécues dans le chatoiement d'attitudes, de défis, d'éclat et d'éclats. Un voyage lumineux à Naxos, un amour passionné pour sa belle-sœur Catherine, autant que sa manière de mener ses camarades de la revue, de soutenir avec fierté le jugement familial donnent le ton de l'atmosphère dans laquelle il se meut. Le suicide seul, mais il met fin à tout, le fait tomber de son haut dans les espaces glauques où, au contraire, dès la naissance baigne Pluvinage.

Serge, ou comment on devient traître parce qu'on « *s'est cru d'avance raté* »[31]. Il a été le premier à entrer dans le communisme : ce sera pour découvrir que la police aussi peut être une religion, celle du jeu caché. Pluvinage est un stalinien qui s'ignore. Le méchant procès qu'on a cherché après sa mort à Nizan, en se fondant sur cette partie du roman, est, en soi, un hommage rendu à la force littéraire de cet espace de désespérance sans issue, où le personnage du commissaire Massart, père supposé de Serge, finit par avoir, dans sa passion d'intellectuel-flic, une présence diabolique des plus troublantes. C'est que dans *La Conspiration* le monde des adversaires n'a plus la simplicité du *Cheval de Troie*. Quantité de degrés, de circulations s'y distinguent. L'adversaire-flic ne se confond plus avec l'adversaire-agent de change. M. Rosenthal est un bourgeois honteux et Pluvinage un commissaire traître.

Situé au sein de *La Conspiration* comme Lange l'était au sein du *Cheval de Troie*, l'écrivain Régnier est une figure complexe, où le petit jeu des devinettes relèverait ici quelque chose d'Aragon, là de Barbusse, ailleurs de Drieu. Pour Nizan il apparaît surtout comme un solennel raté de l'autre avant-guerre, empêtré dans ses problèmes d'autobiographie, un ancien combattant mal reconverti dans l'égotisme. Bref, un être « *trop paresseux pour la colère* »[32]. À l'instar de Lange, c'est un impuissant, jeté dans un monde de puissances affrontées. Il ne termine pas fasciste, mais morose. Il ne se suicide pas, mais il tient un journal intime. Chacun devine que ça ne vaut guère mieux. Une note le peint tout cru : « *Un homme ne se recommence guère que par une femme. Ou par la guerre, la révolution. Écrivons des livres.* »[33] En lisant ce portrait, combien d'autres auteurs NRF se sont-ils reconnus ? On ne le saura jamais. Après tout, Nizan était un écrivain maison.

Dans toute cette galerie, seul le dirigeant communiste Carré présente un visage lisse, l'air d'un héros soviétique, somme toute rafraîchissant. Mais l'auteur n'a pas eu envie de s'éterniser sur son cas, et son témoignage, auquel il tient, manque de poids face aux traîtres et aux tourmentés qui se meuvent autour de lui. Carré ne bouge pas ; il a cette immobilité après laquelle Nizan – et Bernard – soupirent, tout en faisant sans cesse le contraire de ce qu'il faudrait pour l'atteindre. C'est qu'ils ne le veulent pas.

La diversité des points de vue multiplie aussi les coups de sonde dans des veines jusque-là inexplorées. *La Conspiration* est ainsi le seul texte de Nizan où le problème juif soit abordé explicitement, même si on ne peut pas dire qu'il le soit de front puisque tel n'est pas son propos. C'est aussi son plus beau texte amoureux. L'importance, la richesse du personnage de Rosen tiennent en grande partie à la confluence de ces deux thèmes.

Le mari d'Henriette Alphen peut se permettre d'aborder la question juive sans les précautions en usage chez les goys honteux. Mais prendre l'ironie sans indulgence du regard qu'il porte sur la bourgeoisie assimilée des beaux quartiers pour de l'antisémitisme, comme on l'a affirmé[34], dénote une ignorance foncière de toute la littérature nizanienne, doublée d'une tendance largement délirante et typiquement terroriste, à soupçonner d'ethnocide tout discours mettant en scène la mort d'un frère de race. Rosen n'est pas éliminé par une famille *juive* en tant que *Juif*, pas plus qu'Antoine Bloyé ne traîne après lui une fatalité *bretonne*. M. Rosenthal est aux antipodes de Jéhovah, et son fils aîné, jeune gandin d'extrême droite, n'est qu'un jeune gandin d'extrême droite. La parution du Statut des Juifs aurait peut-être causé quelque trouble à cette honorable famille, mais l'éditeur du *Livre brun* était mieux placé que beaucoup d'autres pour subodorer qu'elle en aurait été plus peinée qu'horrifiée et aurait d'abord cherché à transiger, pour la conservation de ses droits acquis. Bernard meurt d'un mal de famille dont l'aryen Nizan a failli crever. Ils sont frères de cette race-là.

Ils sont aussi frères dans l'amour passionné et possessif qu'ils portent à « leur » femme. Jamais l'image romanesque du couple n'a été si pleine chez Nizan. Sans doute le point de vue redevient-il essentiellement masculin, la Catherine de *La Conspiration*, image inversée de la Catherine du *Cheval de Troie*, un bel animal imprenable dans les lacets du matérialisme dialectique. Mais la prise de conscience qui est la sienne après le suicide de son amant – prise de conscience qui vaut celle, plus sociable, de Laforgue à la fin du livre, et qu'on oublie généralement de relever – annonce des suites dont *La Soirée à Somosierra*, nous le savons aujourd'hui, était largement remplie.

Sachons nous satisfaire de ce que le destin nous a laissé. *La Conspiration* est un livre qui approche la synthèse si rarement réussie entre les nécessités du discours politique (ici : « Que la révolte n'est pas la révolution ») et celles de la création romanesque, nourrie d'aléatoire. Une demi-douzaine d'êtres y prennent définitivement forme humaine, une demi-douzaine de lieux s'y imposent avec force, tels qu'on peut les imaginer aisément, les yeux fermés (ou grands ouverts) : La Muette, Clignancourt, La Vicomté, Naxos… Sa construction, qui nous paraît si simple aujourd'hui, après tant d'expérimentations littéraires omni-directionnelles, recelait à l'époque assez de pièges pour que cette « forme fragmentée » (*fragmentary form*) servît d'argument à un éditeur américain pour en refuser la traduction[35]. La convergence du *Cheval de Troie* a fait place à une sorte de composition musicale ternaire, où chacun des trois mouvements arpège autour d'un leitmotiv personnel. Le style alterne savamment la fulgurance et le nonchaloir. Moins emporté que dans l'épopée de Villefranche, il joue sur un registre plus en demi-teintes, plus diapré aussi : « *C'est ainsi que Laforgue et ses amis restaient si tard éveillés, comme pour multiplier leurs chances. Mais à deux heures du matin dans Paris, on ne peut plus guère compter que sur le raccolage d'une fille qui aura les jambes tellement rompues par sa garde et tellement envie de dormir que ce n'est pas dans sa chambre qu'on devra attendre grand-chose de la vie, pendant qu'elle se déshabillera en bâillant, et sans penser à ces gestes angoissants de coquetterie, d'humilité, qu'ont les femmes éveillées pour cacher un défaut de leurs seins, un repli de leur ventre, une cicatrice, ou l'âge, ou les signes mous du malheur.*

« *Ils rentraient tous les soirs volés.* »[36]

Sur le fond, l'auteur se réserve toujours la faculté de juger, mais il n'en use que par éclair, au profit d'une ironie active qui, en n'épargnant pas les héros, ne s'épargne pas elle-même. C'est peut-être ce propos délibéré et répété de démystification, droit venu du premier essai, qui empêche *La Conspiration* de dater, mais qui, en même temps, conduit à se poser des questions sur la situation présente (1938) des rapports de Nizan avec son idéologie-refuge.

Plusieurs commentateurs ont surtout retenu du roman l'image globale de l'échec. Nizan pouvait leur répondre qu'ils avaient tort, puisque aussi bien Catherine et Philippe, Simon lui-même, sans parler de Carré, s'af-fermissent dans l'épreuve, passent avec succès l'examen d'entrée dans ce qu'on appellera, pour simplifier, la vie. Mais il est bien vrai que leurs expériences pâlissent à côté des deux destins également irréversibles de Rosen et de Serge, cristallisé dans les deux seuls actes qui ne connaissent point de remède : le suicide et la trahison.

La manifestation communiste de 1924, où les jeunes gens se plongent avec volupté et prennent, pour la première fois, conscience de leur rap-port au « monde réel », est sans lendemain, malgré son intensité. L'effi-cacité révolutionnaire de leur revue, romantiquement intitulée *La Guerre civile*, est discutable, celle de leur « conspiration » militaire, nulle. À la première épreuve du temps qui passe, le groupe éclate. Les héros de *La Conspiration* sont sympathiques et dérisoires parce qu'ils croient encore possible d'expérimenter tout de suite une vie où l'on serait « *absolument délivré de la peur de mourir* »[37], parce qu'on les saisit dans les pre-mières pages à un âge où ils n'ont pas encore compris le fin mot de l'his-toire : « *Comme c'est lourd et mou le monde !* »[38], « *Comme c'est puissant et inflexible, une famille !* »[39]

La question est, évidemment, de savoir pourquoi Nizan a éprouvé le besoin d'écrire, vers 1936, sur l'échec d'un certain gauchisme. Il avait dit : « *Personne n'est capable d'écrire en 1935 la suite des livres de 1933. Nous vivons dans un temps qui presse chacun de choisir une posi-tion politique : on verra peut-être un jour que le 6 février 1934 établit un plan de clivage dans les lettres comme dans la politique.* »[40] C'était pour justifier *Le Cheval de Troie*. Mais cela pouvait s'appliquer à « la suite ». Or la grande kermesse de 1936 était bien faite pour troubler cet esprit inquiet. Sans doute a-t-il ressenti alors le décalage cruel entre sa logique de la guerre civile et celle de la main tendue. Ce hiatus n'enlevait pas un gramme de la qualité intrinsèque du texte de 1935, pas plus que les convictions catholiques et légitimistes du Balzac de 1840 n'en font un romancier illisible en l'an 2000. On pourrait même postuler le contraire. Mais c'est ici un point de vue de lecteur. L'auteur-militant jouait sa vie sur d'autres cartes. En prenant un peu de recul par rapport à l'actualité politique, il découvrait la deuxième période cruciale de son existence, après la mort du père : l'entrée dans le ventre de l'Église. *La Conspiration* fut un adieu aux armes romantiques, dans l'attente perplexe d'un avenir redevenu flou, sans être encore tout à fait opaque. Il était plus facile de reconnaître comment et pourquoi on avait été trompé à vingt-cinq ans, que de savoir si on allait l'être derechef à trente-cinq. Les romanciers ne sont pas plus des démiurges que les hommes ne sont des saints. S'il en était autrement, il n'y aurait plus de littérature.

Celle-ci était donc fort bonne. L'accueil de la critique fut à la dimension de l'ambiguïté. Jamais aucun livre de Nizan ne recueillit pareille presse. Sartre[41] fut peut-être le plus réticent, en ne trouvant pas assez de complicité entre l'auteur et ses personnages, point de vue sartrien s'il en fut mais d'application nulle à la littérature du petit camarade, qui en est, à tout prendre, aux antipodes. Mais ses éloges l'emportaient convenablement sur les réserves. Aucune définition du style nizanien, en particulier, n'avait été plus fine : « *Sec et négligent, ses longues phrases carté-siennes, qui tombent en leur milieu, comme si elles ne pouvaient plus se soutenir, et rebondissent tout à coup pour finir dans les airs...* »

Les autres stentors furent enthousiastes à souhait. Aragon s'emballa sur « *le roman terrible* »[42], en le comparant à Courbet, « *ce naturalisme qui ne craint pas un certain fantastique surmonté* ». On subodore que cette formulation alambiquée et, finalement, restrictive, satisfit moins l'intéressé que l'appréciation de l'officiel Thérive : « *Voici un des livres les plus remarquables qui aient paru depuis quelques années* [...]. *Je n'hésite pas à penser que* La Conspiration *marque un art beaucoup plus délicat, un talent mieux assuré que celui de M. Aragon, dont* Les Cloches de Bâle *ou* Les Beaux Quartiers *figurent les classiques dans la littérature du Parti.* [...] *M. Malraux, en grand visionnaire qu'il est, aurait eu du mal à composer un livre aussi simplement humain.* »[43]

L'avis général fut que *La Conspiration* était le meilleur des trois romans. C'est communément celui de la postérité. J'ai dit plus haut que si j'étais acculé à choisir, je prendrais plutôt le second. Mais peu importe. Il n'est pas certain que Nizan ait fait « des progrès » d'un livre à l'autre. Pourquoi d'ailleurs considérer son œuvre comme une carrière à la Bloyé, un cursus à la Laforgue ? Les trois romans auxquels le destin a voulu que son œuvre s'arrêtât ont chacun un univers spécifique, nullement interchangeable. Comprise comme un seul roman synthétique, la trilogie a peut-être des chapitres « forts » et « faibles » : ce qui compte, c'est l'équilibre général. Une série de points forts, cela ne s'appelle pas un chef-d'œuvre, mais une anthologie.

Il y a donc un grand roman unique signé Paul Nizan. Ses grands personnages sont la Famille et la Mort, en face desquels les fils n'ont d'autre choix que la révolte ou l'abandon. Les familles peuvent s'appeler société capitaliste, entreprise, foyer, parti, secte : même famille. Elles collent à la peau des individus, avec la même évidence que leur anéantissement final. Le tragique naît de ce que personne ne s'y sauve impunément. La révolte est toujours justifiée mais la faiblesse, la trahison, la déchéance ne sont jamais loin. Les héros nizaniens, pétris de mort mais sans remords, foncent dans la vie avec rage. Ce qui les empêche d'être purement et simplement transformés en fanatiques – et, par là, en personnages romanesques fort ennuyeux –, c'est que « *temporels jusqu'aux os* », ils ont gardé une carcasse bien trop métaphysique pour rendre tout uniment le mal pour le mal. De cela un texte témoigne. Composé du voyage à Naxos de *La Conspiration*, de la comédie des *Acharniens* et de l'*Histoire de Thésée*, on pourrait l'appeler « le texte grec de Nizan ».

La lumière grecque

1934, 1938 : contemporain des *Matérialistes de l'Antiquité*, il en est comme la correspondance en manière de fiction. Tous les thèmes familiers s'y retrouvent, mais épurés, mis à nu par la lumière crue de la Méditerranée. Le récit le plus ambigu, le plus troublant, est aussi celui qui touche au plus profond de la mythologie. *L'Histoire de Thésée*[44] est censée nous raconter une nouvelle fois l'affrontement du grand héros d'Athènes et du Minotaure, la fameuse victoire initiale où la civilisation naissante écrase la bestialité qui dévorait sa substance. Mais il faut prêter attention au titre : c'est, pour la première fois, l'histoire qui va nous en être donnée, non la fable. Or, que voit-on ? Un Minotaure émouvant, au fin corps de jeune homme, tué dans l'abandon du sommeil par un héros sans panache. Thésée n'est pas vraiment un couard, mais il est loin de faire preuve de caractère. Ariane, qui a perdu le fil, connaîtra elle aussi des défaillances, mais à l'heure où, à bout de forces, son compagnon sombre dans la terreur, c'est elle qui aperçoit la lumière du jour, et les sauve.

On retrouve dans ces quelques pages l'entreprise démystificatrice commencée au retour d'Aden. Ce mythe originel de tout un discours humaniste appelait la hache du démolisseur. Mais l'ensemble rend un son plus proche de l'amertume que de la jubilation agressive. On est loin de la juvénilité des premiers essais. En tant que tueur du dernier être fabuleux, Thésée fonde l'ère humaine, l'Histoire, mais c'est là précisément que tout se complique : « *Il ne se doutait pas que le temps des monstres était passé, que les hommes ne connaissaient plus que leurs lions, leurs hydres, leurs dragons intérieurs et qu'il serait moins facile de les tuer.* »

Ariane, tout aussi anxieuse, fragile que son compagnon, mais à sa manière, a du moins sur lui une supériorité considérable, où l'on retrouve le fond de l'image féminine chez Nizan : elle est là pour témoigner que le monstre a été tué sans combat, sans noblesse. Elle connaît l'imposture originelle sur laquelle va se fonder l'aventure humaine. Elle ne dit rien, mais sa présence, son sourire suffisent. C'en est déjà trop pour Thésée, qui l'abandonne sur Naxos : deuxième ignominie fondatrice. Le monde civilisé commence bien. Le monstre et la femme, deux gêneurs, en sont exclus, ou marginalisés. Rien là, on le voit, de très mobilisateur ; tout, même, d'une critique diffuse des présupposés épiques régnant à l'époque du *Cheval de Troie* et de ses héros positifs, comme une confirmation de l'hypothèse basse de *La Conspiration* : le Grand Soir n'est plus pour demain.

C'est là le chapitre cruel de la leçon grecque. Le chapitre de la volupté, de l'abandon au plaisir siège, on l'a vu, aussi sur cette île de Naxos, où Bernard Rosenthal découvre auprès de sa sœur Marie-Anne (Ariane ?) la simplicité des choses : leçon de choses.

À égale distance de l'une et l'autre expérience se tient la comédie des *Acharniens*, mise en scène bouffonne de l'épicurisme, où un Nizan sans contrainte redit son fait à la bêtise humaine, tout en ne s'arrêtant pas à endoctriner.

À Moscou, en 1934, Léon Moussinac avait adapté *Les Trente Millions de Gladiator*, de Labiche, pour la troupe yiddish du Théâtre juif d'État. Le normalien Nizan connaissait le grec ; jusque-là peu attiré par le théâtre, il venait de découvrir avec émerveillement le travail de Meyerhold [45] : Moussinac lui commanda pour le même théâtre l'adaptation d'une pièce d'Aristophane. *Les Acharniens*, première comédie de l'auteur, était peut-être la moins connue. Son thème principal – la défense de la paix – était d'une évidente actualité : les associations culturelles des compagnons de route ne se créaient-elles par « *pour la paix contre le fascisme* » ? Nizan se mit à la tâche avec un plaisir visible, qu'on retrouve dans la gaîté de son adaptation. Il y acquit, accessoirement, une connaissance assez intime du théâtre aristophanesque pour en faire plus tard le sujet d'une conférence, que j'ai eu la chance de retrouver dans les archives de Rirette[46].

Malgré son parti pris d'énormité, *Les Acharniens* illustre à merveille cette littérature du bonheur dont l'hypothèse gît en permanence, comme en creux, dans l'œuvre de Nizan. Quand il l'évoque, fugitivement, dans ses comptes rendus critiques, c'est pour citer certains passage de Dickens, le Tolstoï de *Guerre et Paix* et « *quelques comédies de Shakespeare* »[47]. Il aurait pu ajouter celles d'Aristophane. « *Les chasses, les courses dans la neige, les masques et les déguisements des jeunes filles, les déclarations nocturnes, les voix qui chantent dans la nuit* » : ainsi dessine-t-il le bonheur tolstoïen. La fraîcheur des sources au cœur des oliveraies, les hymnes à Dionysos, les banquets à l'ombre des tonnelles : voici venir le bonheur grec, sur les pas de Dicéopolis, paysan d'Athènes.

Notre homme, las des misères de la guerre, de la bouffissure des marchands de canons (ou de cuirasses) et de l'arrogance des fiers-à-bras, a décidé de signer pour son seul compte un traité de non-belligérance avec Sparte, l'ennemi héréditaire. Une troupe d'anciens combattants cacochymes, venue d'Acharnis, tente de lui faire passer le goût de la paix, mais elle doit reculer devant l'énergie de sa riposte. Dicéopolis commence à faire des adeptes. La paix revenue sur son micro-climat, la prospérité afflue. La dernière scène montre dans un parallèle malicieux le sabreur Lamachos rentrant éclopé et geignard du champ de bataille, et Dicéopolis sortant de table, somptueusement éméché, soutenu par deux filles de joie.

On voit que la satire trouve son compte dans cette *Guerre de Troie n'aura pas lieu* comique, exactement contemporaine de l'autre, et que Nizan peut avoir des façons plus drôles de démystifier l'héroïsme que *L'Histoire de Thésée*. Mais seule la lecture de sa pièce peut rendre ce « *mouvement presque continu de poésie consacré à la nature, au travail rural et à un érotisme sans détours* » qui a séduit le pèlerin de Naxos. Il y a dans cette adaptation comme dans l'avant-propos qui la présente au public du Front populaire[48] la nostalgie – et aussi l'espoir – d'un art de communion, fondé sur le dialogue avec la nature, sur les grandes masses et la simplicité des moyens. *Le Cheval de Troie* le disait dans la fureur, *Les Acharniens* le suggère dans l'allégresse : la révolution sera aussi une fête, ou ne sera pas.

Vienne le temps des doutes et des désillusions, le plaisir du jeu demeure, le consentement à soi et à quelques autres s'épanouit. Cette ligne ludique, cette ligne de l'acquiescement n'éliminait pas les autres. On peut simplement penser qu'elle était en train de prendre de l'importance, quand le destin arrêta les frais. On sait peu de choses sûres du quatrième roman, *La Soirée à Somosierra* [on trouvera en Annexes, p. 259-260, le seul document qui, à ma connaissance, en témoigne directement]. Assez cependant pour pouvoir dire qu'il aurait représenté une étape supplémentaire dans cette voie. N'est-ce pas Nizan lui-même qui le définissait, dès le départ, comme « *un roman sur le bonheur* »[49] ?

L'amour des deux personnages les plus stendhaliens de *La Conspiration*, Catherine et Laforgue, y occupait, semble-t-il, le devant de la scène tout au long de la première moitié, intitulée « Les amours de septembre » : « *Les choses se sont un peu arrangées hier entre Catherine et Laforgue, qui se conduisent avec une franchise et un cynisme bien déplaisants et piétinent avec beaucoup de légèreté la mémoire de ce pauvre Rosenthal* »[50], indique Paul-Yves, dans une lettre de guerre à Rirette. Il n'est pas sans signification que le statut de médiateur personnel soit ainsi passé, insensiblement, de Pierre Bloyé, dans les deux romans du début, à Philippe Laforgue, dans les deux derniers. Le second n'est pas moins révolté contre l'intolérable que le premier, mais il y met moins de crispation, d'acrimonie, plus d'humour. Il y a un temps pour tuer les pères, un temps pour aimer les femmes. Bien loin de surenchérir sur la mauvaise conscience, la montée des périls approfondit le rapport de Nizan à la plénitude. Chanter la guerre civile en plein cœur de la farandole, puis ne plus paraître occupé que du plaisir en entrant dans la guerre mondiale : décidément, ces littérateurs n'en font jamais qu'à leur tête.

Un bonheur n'arrive jamais seul. Écrivain en pleine possession de ses moyens, Nizan atteint dans le même temps à la célébrité. Renommée toute relative, bien sûr, celle de l'homme de lettres primé à la rentrée d'automne. Mais cette reconnaissance par la corporation compte toujours beaucoup pour un marginal : il ne sert à rien de cracher dans la soupe, si l'on n'est pas soi-même un chef.

Dès la première tentative, l'institution littéraire, à vrai dire, ne lui avait pas été cruelle. Le 7 décembre 1933, à la grande surprise du militant encore mal disposé au compromis avec le siècle, *Antoine Bloyé* recueillit la fameuse « voix au Goncourt » qui dans le métier console tant de grandes douleurs muettes. Sans doute la presse l'avait-elle cité parmi les candidats en piste, mais au milieu d'une foule. L'écurie Grasset, à elle seule, jouant la fringance, ne présentait pas moins de six nouveaux venus pour le grand steeple-chase d'automne, parmi lesquels Robert Francis et Jean Blanzat.

Un compère en anticonformisme vint à la rescousse. Son nom était Lucien Descaves (1861-1949). Un vieux de la vieille, déjà, un membre de l'Académie depuis les origines. Mauvais esprit de l'autre siècle, l'auteur des *Sous offs* a sans doute retrouvé dans *Antoine Bloyé* quelque chose de la grogne naturaliste qui avait fait sa réputation, déjà bien évaporée à l'époque. Comme il boudait les séances de l'Académie depuis plusieurs années, il se contenta d'envoyer son vote par correspondance, avec consigne de le maintenir à tous les tours. Eût-il été présent, Nizan aurait peut-être eu plus d'une voix ; il ne l'aurait, de toutes les façons, pas emporté. Le vainqueur, cette année-là, avait des titres de plus grand poids, littéraires et commerciaux. Il s'appelait André Malraux, et son roman, *La Condition humaine*. L'AEAR elle-même n'avait pas à se plaindre : Malraux en était, lui aussi. La présence de Nizan au communiqué final, même pour un modeste accessit, surprit assez les chroniqueurs habituels pour que les dépêches d'agence, embarrassées devant cet inconnu, en écorchassent complaisamment le nom, qui devint selon les cas Nizon ou Nisant.

Cette apparition inespérée d'un premier livre, sanctionné par une vente honnête, attira les bons faiseurs. Nizan était un auteur Grasset, tenu en main par un contrat classique. Gaston Gallimard, qui savait mettre à récupérer un auteur échappé l'obstination et la vigueur qu'il consacrait ensuite à le promouvoir, n'eut de cesse qu'il n'eût attiré à lui le jeune espoir. On retrouve dans les papiers de celui-ci quelques traces de l'opération. Nizan y apparaît très vite séduit. Le tout, comme pour Marcel Proust en 1914, fut de trouver un argument suffisamment solide pour rompre avec Grasset sans perdre la face.

Il semble qu'il ait expérimenté deux tactiques, où se mêlaient astucieusement politique et littérature. Dans un premier temps, il chercha à inquiéter son éditeur par l'annonce d'un second roman sensiblement plus « rouge » que le premier. Un tel argument ne convaincra jamais un éditeur pour peu que celui-ci soit persuadé que ledit ouvrage à scandale fera recette. Le 24 octobre, Pierre Tisné, collaborateur de Bernard Grasset, le « rassure » : « *Pour votre roman, plus il sera violent, plus je crois qu'il répondra à votre tournure d'esprit actuelle. Donc sa qualité ne peut qu'en être accrue.* »[51]

La rupture surviendra au printemps suivant, sur un deuxième prétexte : celui de l'orientation « fascisante » des publications Grasset, où, pourtant, à côté du colonel de La Rocque et d'Henri de Man continuaient à être publiés Jean Guéhenno ou André Chamson. Louis Brun, autre collaborateur de la rue des Saints-Pères, ne s'y méprit pas :

« Mon cher Nizan,

Je n'apprécie guère le ton de votre lettre. Comment prendre au sérieux ce que vous dites de la soi-disant orientation de la maison vers le fascisme ? Notre maison est tout simplement éclectique. »[52]

À cette date, d'ailleurs, le manuscrit du *Jour de la colère* était déjà approuvé par la NRF, à laquelle un contrat de traduction d'essais liait Nizan depuis le 19 octobre 1933. Le 21 mars 1935, il écrivait même à sa mère, pour la rassurer sans doute, car à cette époque le manuscrit n'était pas encore achevé : « *La NRF veut essayer avec lui le prix Goncourt.* »[53]

Cette année-là pourtant il n'eut même pas droit à la voix de Lucien Descaves. Le livre promu à bout de bras par l'intelligentsia de gauche fut *Le Sang noir*, de Louis Guilloux, qui n'était d'ailleurs pas sans avoir quelques points communs avec *Le Cheval de Troie*. L'Académie préféra couronner un Joseph Peyré bien oublié aujourd'hui, juste devant un Maxence van der Meersch qui ne l'est pas moins. Les organisations culturelles du Front populaire conduisirent une vigoureuse campagne en faveur du Guilloux. On alla même jusqu'à envisager l'attribution d'un contre-Goncourt. Tout ce bruit, joint à la qualité intrinsèque de l'ouvrage, fit le plus grand bien à sa réputation, mais contribua un peu plus à l'obscurité du *Cheval de Troie*.

La demi-revanche de Nizan, trois ans plus tard, fut assez ambiguë. Le prix Interallié est par principe attribué à un journaliste. En l'espace de ces trois années, Nizan était devenu une personnalité en vue de la presse parisienne. Ses chances étaient des plus sûres et, effectivement, le résultat fut acquis très rapidement, face à un autre auteur Gallimard, Pierre Frederix. Mais cette année-là, l'Interallié fut décerné non pas après mais la veille du Goncourt. On peut se demander si pour ce dernier les chances de *La Conspiration* n'auraient pas été sérieuses, avec des concurrents nommés François de Roux, Théophile Briant et même Henri Troyat (le vainqueur final). Inutile d'épiloguer. Chacun sait que lesdits prix ne couronnent pas toujours – c'est un euphémisme – le roman que confirmera la postérité : ce lendemain d'Interallié, *La Nausée* ne recueillit qu'une voix au Renaudot, qui alla à un certain Pierre-Jean Launay.

L'essentiel était d'avoir été enfin lauré. Le Goncourt serait pour la prochaine fois, comme le diplôme d'études supérieures était venu après la licence, et l'agrégation après le diplôme. Ce jeune garçon avait tout l'avenir devant lui. C'était bien ce que pensait le Parti. Jamais celui-ci ne l'avait autant remarqué. *L'Humanité* hissa la première page et de fraternelles agapes réunirent autour du premier communiste lauréat de l'Interallié une douzaine de camarades fidèles, au premier rang desquels Thorez lui-même, qui depuis son *Fils du peuple* faisait un peu partie de la corporation.

Il ne manqua même pas à Nizan ce petit quelque chose de plus qui fait les écrivains arrivés : la puissance des relations. C'est par lui qu'avait transité, en 1936, le manuscrit de *La Melancholia* de Sartre, en partance pour les éditions Gallimard. Sa recommandation n'avait pas suffi à le faire accepter dès la première lecture, mais l'ouvrage avait finalement été accepté moyennant un changement de titre : *La Nausée* sortit en mars 1938. En juillet de la même année, *Le Mur* paraissait dans la *NRF* avant d'aller rejoindre, une dizaine de mois plus tard, les autres nouvelles qui constitueraient le recueil homonyme. Il n'était pas jusqu'à Simone qui ne se piquât d'écrire.

Avec le plaisir que l'on devine, les deux complices pouvaient maintenant s'échanger des clins d'œil, comme au bon vieux temps. Paul-Yves fit le compte rendu de *La Nausée* pour son journal, Jean-Paul celui de *La Conspiration* pour la *NRF*. Dans le roman du premier, on voyait apparaître un « *commandant Sartre* », dont la seule caractéristique était de « *n'avoir pas le sens des visages* »[54]. Dans *L'Enfance d'un Chef*, l'une des nouvelles du *Mur*, un « général Nizan » se révélait être l'ombre du séduisant et provocateur Bergère.

Sartre a raconté dans son « Avant-propos » la scène du cocktail Gallimard de juin 1939, au cours de laquelle Léon Brunschvicg, prenant Sartre pour Nizan, le félicita pour ses *Chiens de garde*, dans lesquels, ajoutait-il sans acrimonie, il ne l'avait pourtant guère ménagé. Personne ne le détrompa. Nizan sourit, et ce fut tout. Sartre cite l'anecdote pour montrer à quel point leurs deux personnalités pouvaient se confondre dans l'esprit de certains. Mais c'est aussi une belle image, presque trop belle, pour dire adieu à la compagnie.

Une vingtaine d'années plus tôt, deux lycéens ambitieux se juraient l'un à l'autre qu'ils sauveraient le monde, et pour commencer eux-mêmes, par l'écriture, qu'on entendrait parler d'eux et qu'on n'avait qu'à bien se tenir. Et les voici, fêtés comme ils le méritent, dans cette antichambre de l'Hôtel des Grands Hommes, le coquetèle Gallimard. Les voici une dernière fois confondus dans leur image de mauvais esprits brillants sujets, auxquels on pardonnera toujours beaucoup au nom du talent. Il fut un temps où une telle scène aurait fait grimacer le jeune intellectuel préoccupé des fusils-mitrailleurs. Mais le manichéisme se porte mal, quand M. André Thérive, du *Temps*, et M. Léon Brunschvicg, de l'Institut, sont d'accord pour vous congratuler, quand Radek et Boukharine, les orateurs vedettes du Congrès de Moscou, sont accusés d'avoir voulu assassiner Lénine, Kirov, Gorki, Staline et quelques autres, quand la presse communiste annonce – ou n'annonce pas – la « disparition » des amis Babel, Pilniak, Meyerhold. On est heureux et on est triste à la fois, comme toujours. Mais à un degré supérieur. On est là, au bord du gouffre, un peu embarrassé de soi-même, ne sachant s'il faut parler ou se taire. Alors, comme le malheureux Régnier, floué par la vie, on écrit des livres.

DIRE

> « Ce n'est pas à moi d'écrire l'histoire,
> puisque le gouvernement s'obstine à ne pas la
> faire et que le public n'en veut pas. À chacun
> son métier : la plus grande histoire aux histo-
> riens, aux grands quotidiens, le quotidien. »
> *(Nekrassov)*

« *À trente ans, c'est déjà fini, on s'arrange.* »[1] S'arrange-t-il ? Ce n'est pas évident. Quelque chose vient de se mettre en branle, enfin, qui l'exalte, à défaut peut-être de le convaincre, de le combler. L'urgence des temps n'a jamais été aussi grande à gauche depuis 1920, jamais la révolution plus proche. Jamais il n'aura autant « travaillé » – au sens où l'on entend généralement communément le travail : nuits courtes, air affairé, agenda surchargé. C'est le temps du Brunet des *Chemins de la liberté*, dont Sartre envie l'apparente plénitude, sans s'y rallier : « *Sa vie était un destin. Son âge, sa classe, son temps, il avait tout repris, tout assumé.* »[2]

Le mouvement fait appel à lui sans cesse, pour monter au créneau avec ses armes spécifiques : articles, conférences[3], cours, interventions, secrétariat d'association ou de périodique. Du cinéma au camping, de la muséographie à l'urbanisme, les associations culturelles se mettent à pousser comme champignons après la pluie, avant même la victoire de 1936. Le Parti n'a pas trop d'artistes et d'intellectuels sûrs pour, selon les cas, diriger ou influencer leur cours.

La belle saison

Comme l'esprit est désormais à l'ouverture, voici que les clercs communistes reçoivent, avec des responsabilités accrues, des consignes chaque jour plus libérales. Même celui qui resterait attaché à une certaine rigueur de principe ne peut manquer d'apprécier à sa juste valeur ce moment de grâce, où le pouvoir se met à avoir des airs de plaisir. Quant à ceux que leur éducation, leur caractère ou, tout simplement, leur conviction profonde portaient à ne se soumettre qu'avec chagrin aux consignes sectaires, ils respirent profondément et « tendent la main » avec volupté.

Vaillant-Couturier achève prématurément sa vie à l'apogée d'un ample mouvement de rénovation qui, en l'espace de trois années, a changé du tout au tout le visage de la presse communiste. Au congrès du Parti tenu en Arles à la fin de 1937 – le dernier jusqu'à la guerre –, le vieil ami Bruhat s'illustre en proclamant, lyrique : « *Il nous plaît de voir les ouvriers et les paysans communistes [...] s'arrêter devant le portail de Saint-Trophime pour admirer les sculptures d'inspiration si ardemment populaire. Mais oui [...] les communistes montent la garde autour de Saint-Trophime et ce sont eux qui chassent de ce pays les pillards modernes des Alyscamps.* »[4]

Après dix années de cure, où son style s'est affermi au contact du militantisme, Nizan s'ébroue dans le jeu du texte. De vieux cousins de la famille naguère oubliés sont de nouveau accueillis. Une synthèse inattendue s'ébauche entre Marx et Stendhal, fragile mais fructueuse. On en trouvait déjà quelques traces dans *La Conspiration*, mais c'est la production journalistique qui en témoigne le plus clairement.

L'axe central en est la collaboration aux deux principaux organes du Parti : *L'Humanité*, de juillet 1935 à décembre 1936, et *Ce Soir*, de sa fondation, en mars 1937, à la guerre. Ce dernier journal a été lancé par le Parti pour faire pièce au *Paris Soir* de Pierre Lazareff. À sa tête, Thorez a placé Aragon, qui reçoit récompense pour son intuitive compréhension des moindres variations tactiques de l'organisation, quatre ans seulement après être entré à *L'Humanité* par la petite porte, six mois, ce qui ne gâte rien, après un troisième séjour en Union soviétique, dont il devient un habitué. La direction est partagée, en théorie, avec Jean-Richard Bloch. Ainsi s'ouvre-t-on au public des simples sympathisants, *Ce Soir* ne se réclamant officiellement d'aucune étiquette politique. L'objectif est particulièrement ambitieux : enraciner un journal populaire ayant le cœur à gauche, sans trop céder sur la qualité rédactionnelle. Malgré la collaboration régulière de signatures prestigieuses, comme celle de Jean Renoir, on peut dire aujourd'hui que c'est la première préoccupation qui, très vite, l'a emporté dans l'ordinaire du quotidien, où Maurice Chevalier est certainement plus souvent cité que Karl Marx. Le tout sanctionné par un succès quantitatif incontestable.

Sous les deux titres, Nizan travaille à la rubrique de politique étrangère, mais si dans le premier il est placé sous la houlette de Gabriel Péri, dans le second c'est lui qui dirige l'ensemble du service. À *L'Huma*, il continuera à fournir son contingent hebdomadaire de notes de lecture, jusqu'au mois d'août 1937, avant de les transporter elles aussi à *Ce Soir*. Pendant quelques mois, cette même année 1937, il assumera même, dans ce dernier journal, la fonction, toute technique, de secrétaire général. À cette occasion, il approchera quotidiennement le rédacteur en chef, Élie Richard, vieux routier de la presse à grand tirage, peu soucieux d'idéologie, qui lui découvrira le monde des professionnels du papier-journal.

Ce n'est pas tout. À partir de juillet 1937, et chaque mois jusqu'à la guerre, il va codiriger avec l'écrivain pacifiste Luc Durtain, autre compagnon de route peu encombrant, une brillante revue destinée en priorité aux lycéens et étudiants, *Les Cahiers de la Jeunesse*, « *revue théorique de la jeunesse démocratique* ». L'homme qui a prononcé en son temps le réquisitoire le plus vif et le plus convaincant contre les mystifications dont peut être victime la jeunesse intellectuelle se retrouve donc sur le terrain de la propagande culturelle de luxe. Il remplit excellemment son contrat, et fait de son mensuel, où il écrit fort peu, un lieu de confrontation brillante de l'intelligentsia antifasciste. Renoir y avoisine Mauriac, Giono, Anouilh et Pablo Neruda, Santiago Carrillo ; Élie Faure y parle de Chaplin, Lucien Febvre de Rabelais, Edgar Snow de la Chine – et Montherlant du sport[5].

Dans tout ce mouvement, il réussit encore à donner des textes à diverses publications liées, plus ou moins officiellement, au Parti : l'hebdomadaire illustré *Regards*, héritier direct du grand prototype mondial *Vu* et préfiguration de *Match*, très lu dans les foyers ouvriers, que dirige l'ami Moussinac, *La Russie d'aujourd'hui*, magazine en plein essor des Amis de l'URSS, le nouveau *Clarté*, organe austère du Comité mondial contre la guerre et le fascisme, *Commune*, dont Aragon assure désormais seul la rédaction en chef, *La Correspondance internationale*, etc. On retrouve même, en 1937, sa signature au sommaire de la revue américaine *New Masses*, animée par Theodor Drayer, pour des articles sur l'actualité politique européenne.

Dans les périodiques indépendants de l'Église, il est plus que jamais chargé de témoigner d'une présence communiste, une figuration intelligente en quelque sorte. On l'a placé dès son retour de Moscou à *Monde*, dont les animateurs n'ont plus rien du « groupe des traîtres » de 1932. Il y tiendra le feuilleton littéraire jusqu'à la mort du journal, le 10 octobre

1935, consécutive à celle de Barbusse, au cours d'un séjour en Union soviétique. Un mois plus tard, son nom figure déjà au sommaire du premier numéro de *Vendredi*, le grand hebdomadaire du Front populaire, lancé en toute indépendance financière par le trio symbolique composé du radical Chamson, du socialisant Guéhenno et de la communiste Andrée Viollis. Pour couronner le tout, quand il en a le temps, il se paye le luxe d'une contribution à la *NRF*.

À la surprise de l'intéressée, il réussit à convaincre sa femme de se joindre au métier. Sans l'avertir, il la propose début août 1935, au rédacteur en chef du futur *Vendredi*, le catholique de gauche Louis Martin-Chauffier, comme responsable de la page féminine. Colère de Rirette, qui finit par accepter. On la charge alors de recruter une équipe de femmes « progressistes » – il n'y a pas à l'époque de grand mouvement féministe : les plus radicales s'expriment au sein des partis de gauche traditionnels et dans les associations culturelles sympathisantes. Pendant trois ans, elle tiendra ainsi chaque semaine la rubrique intitulée modestement « La tapisserie de Pénélope », commandera des articles à Lulu Jourdain, fille de Francis et sœur de Frantz (« Lulu » et « Rirette » seront, on le sait, les noms des deux héroïnes de la nouvelle contemporaine de Sartre, *Intimité*, publiée dans *Le Mur*, sans autre rapport, d'ailleurs, avec la réalité), Anne Green (sœur de Julien), Erta Liebknecht, descendante de Karl, Édith Thomas, Mme Lahy-Hollebecque… De Simone Téry à Marianne Oswald, les artistes et les intellectuelles militantes apprennent le chemin de Grandchamp, de la rue Méchain.

Ayant révélé à elle-même et aux autres ses dons de rédactrice en chef, Rirette se verra quelques mois plus tard choisie par le Parti pour seconder Danielle Casanova, quand celle-ci lancera l'Union des jeunes filles de France et son journal *Jeunes filles de France*. Le courrier du cœur des jeunes filles romantiques et les bonnes recettes ménagères, « Tante Mirabelle » ou « Cousine Prune », ce sera elle.

Ainsi Mme et M. Nizan noircissent-ils le papier à qui mieux mieux. Ils deviendront un couple remarqué de la presse parisienne, sans passer pour autant dans le Tout-Paris. Paul-Yves, qui gagne sensiblement moins à *L'Huma* que s'il était resté professeur, commence à atteindre l'« honnête aisance » grâce à *Ce Soir* (3 000 francs par mois environ) et aux mensualités de Gallimard. Nourri des expériences contrastées de Paris et de Moscou, de *Bifur* et de *Commune*, du quotidien populaire et du mensuel estudiantin, le métier commence à entrer. Le Nizan de 1933 était encore au marbre un militant en service commandé. Celui de 1938 a professionnalisé son goût hégélien du « c'est ainsi ». Sa curiosité insatiable s'attache sans douleur apparente aux objets souvent dispersés qui s'offrent à lui, ou qu'on lui signale. Sa concentration, il la retrouve dans l'écriture qui, même bousculée par le temps, écrasée par le descriptif, l'informatif, demeure ferme, nette. Comme tous les bons journalistes, Nizan s'expérimente progressivement comme écrivain du quotidien ; en quoi ceux-ci se distinguent du simple scribe. Comme tous les bons militants, il s'ingénie à doubler sa vie professionnelle d'une vie de prosélyte.

Bons offices

Ramenée aux seules activités professionnelles et militantes, la biographie de Nizan (du couple, souvent) pendant les trois années du Front populaire pourrait figurer comme un portulan des principaux lieux où se joue le sort du rassemblement antifasciste. Le Parti tente de rallier les intellectuels : Nizan prépare le congrès *ad hoc*. Le Parti tend la main aux spiritualistes : c'est Nizan qu'il envoie dialoguer avec les catholiques. En Espagne, le Frente popular se trouve entraîné dans une guerre qui anticipe le conflit mondial : Nizan en est l'un des premiers observateurs. En France, une polémique s'ouvre pour la première fois à gauche sur la nature du régime soviétique : Nizan est sur la brèche.

On le retrouve même en 1937 coscénariste avec André Wurmser. Le film est on ne peut plus officieux : produit par l'Association des Amis de l'URSS, il est envoyé comme une sorte de cadeau cinématographique à Moscou, pour le vingtième anniversaire de la Révolution d'Octobre. *Visages de la France* (réalisateur : André Vigneau, directeur artistique : Jean Lurçat, musique d'Honegger, *lyrics* de Desnos) est présenté dans la presse comme un documentaire lyrique sur l'histoire du « peuple de France ». Il est malheureusement, à l'heure actuelle, invisible. Peut-être une copie en subsiste-t-elle à la Cinémathèque de Moscou... En l'absence du film lui-même, on se gardera de toute extrapolation[6]. Ce que l'on conserve des autres participations, plus tangible, suffit amplement.

Le « Congrès international des écrivains pour la défense de la culture » s'ouvre à la Mutualité le 21 juin 1935. Cinq jours durant, des dizaines de personnalités prestigieuses y débattront de l'avenir de la culture, des menaces que les fascismes font peser sur elle, et des moyens de promouvoir en face d'eux une culture par et pour le « peuple », maître mot de l'époque. La littérature universitaire sur cet événement a été depuis quelques années particulièrement prolifique. Pour y avoir contribué à mon échelle, je n'ai nullement l'intention de reprendre ici par le menu l'analyse de ce débat par ailleurs fort instructif, véritable instantané de la situation de l'intelligentsia occidentale, à la veille de la Seconde Guerre mondiale. Nous importera seulement ici la figure qu'y fait Nizan.

Ce ne fut pas celle d'un orateur attendu ou révélé. Le thème de son intervention « Sur l'humanisme », sans être en porte-à-faux par rapport au ton général des échanges, remarquablement feutré, appartient encore à la ligne de ses essais, on l'a vu. Il témoigne de la continuité, de la cohérence de la pensée théorique nizanienne, mais ce n'était pas ce qui intéressait le plus ni le Parti ni les contemporains. Le plus important se produisit en coulisses et, plus précisément, en amont du spectacle.

S'il est bien un exemple de l'intérêt des biographies individuelles pour l'élucidation de l'histoire générale, c'est celui-ci : seule la comparaison serrée du travail imparti, à une année d'intervalle, à Nizan par le Parti, à Moscou en 1934, à Paris en 1935, nous permet de comprendre à quel point l'opération de la Mutualité, assumée officiellement par l'« Association internationale des écrivains pour la défense de la culture », a été en fait portée à bout de bras par lui, en relation étroite avec Moscou.

Une lettre de Nizan conservée dans les archives d'André Chamson ne laisse aucun doute sur le rôle organique qui lui fut confié dès son retour d'Union soviétique. Cornac en 1934, rassembleur en 1935 : « *Cher Chamson, je vous envoie un petit texte que je vous prie de lire soigneusement : il est de la main de J. R. Bloch, revu par Durtain, Ehrenbourg, Malraux, moi-même. Il s'agit d'un congrès prévu en principe pour le 27 mai avec des étrangers importants (les deux Mann pour l'Allemagne, Gide pour la France, Huxley, Foster, Mrs Woolf pour l'Angleterre par exemple). Nous pensons que la meilleure procédure consiste à envoyer des invitations signées d'un groupe de vingt écrivains, qui prennent l'initiative de l'entreprise.* »[7] Suivent les noms des signataires sûrs ou probables, parmi lesquels Barbusse a droit à un « *il le faut bien malheureusement* » qui en dit long sur leurs rapports.

À l'exception de l'anodin Luc Durtain, on aura remarqué que le groupe concepteur initial est directement issu du voyage de 1934, et que Nizan y est le seul membre du Parti. En 1933, c'était lui qui prenait langue avec Bloch pour l'amener à collaborer à *Commune*, premier pas vers une entrée chaque jour plus décidée de l'écrivain socialiste de 1919 dans la vaste et séduisante machinerie internationale du Komintern. On voit que deux ans plus tard son travail de recruteur se poursuit, avec un plein succès. Le mouvement donné, le militant peut s'effacer : on retrouve Nizan parmi les observateurs ou participants des congrès ultérieurs de l'Association, en 1936 à Londres, en 1937 en Espagne, par exemple, mais le devant de la scène est désormais occupé par des compagnons de route plus neufs.

C'est dans la même perspective d'ouverture que Nizan ébauche à l'été 1935, en compagnie du critique René Lalou et du vieil ami Lévy, un projet de collection, d'introduction aimable aux grands classiques, marquée au sceau du nouvel esprit de réintégration patrimoniale. Intitulée significativement « Nos héritages », ou « Héritages », elle aurait vu, par exemple, Marcel Aymé parler de Rabelais, Giraudoux de La Fontaine et Montherlant de Montaigne… Gide, le premier, accepta. Le projet n'eut pas de suite sous cette forme précise, mais un an plus tard l'autre vieil ami Friedmann pouvait annoncer dans les colonnes de *L'Humanité* une collection du même style aux Éditions sociales internationales : c'était « Socialisme et Culture », où parurent *Les Matérialistes de l'Antiquité*. À peine moins éclectique, puisque Raymond Aron y était prévu pour parler de Feuerbach…

À cette date, il est vrai, la « défense de la culture » prenait un sens particulièrement dramatique, avec le défi de la guerre d'Espagne. Un hasard objectif, une fois de plus, mit Nizan aux premières loges. L'insurrection éclate le 17 juillet 1936. À la date du 18 paraît dans *La Correspondance internationale*, hebdomadaire d'information internationale des partis communistes, le dernier d'une série de dix articles sur la nouvelle Espagne, résultats d'un premier séjour, au printemps, dont certains détails se seraient sans doute retrouvés dans *La Soirée à Somosierra*. Cette coïncidence mit en valeur le caractère prémonitoire de certaines études sur l'armée espagnole ou la *guardia civil*. Sacré expert, Nizan fut renvoyé en Espagne à la fin du mois. Le séjour, partiellement raconté dans ses articles de *L'Humanité* et de *Regards*[8], fut romanesque à souhait, et convenablement dangereux, depuis le passage de la frontière sans laissez-passer jusqu'aux fusillades incertaines de Valence, où Paul-Yves et Rirette crurent un moment à la mort l'un de l'autre. Leur amie Gerda Taro, cinéaste et photographe, épouse de Robert Capa, périt, elle, un peu plus tard, sur le front de Brunete. Le troisième voyage espagnol de Nizan, cette année-là, fut pour ramener en France le corps de Gerda.

À la lumière des combats espagnols, les débats et polémiques français pouvaient paraître à Nizan, hanté comme Malraux du complexe de l'intellectuel armé, bien dérisoires. Il y participe cependant à deux reprises, sur ordre, et sans enthousiasme excessif. Au moment du Congrès de 1935, le Parti l'avait chargé d'entrer en contact avec les quelques intellectuels catholiques dont la première réaction face à un communiste n'était pas d'appeler un exorciste. Emmanuel Mounier, dans ses *Carnets*, note, à la date du 20 juin 1935 : « *Nizan a dit ici et là qu'il avait fait fausse route à notre sujet et qu'il le dirait publiquement.* »[9]

Il avait fait sans doute fausse route, mais on ne conserve aucun texte où il l'affirme. Par contre, son entreprise de séduction commence. Pourquoi le Parti l'a-t-il choisi ? Peut-être estime-t-on en haut lieu qu'il est l'un des rares clercs communistes à posséder un bagage, même défraîchi, de culture métaphysique ; peut-être, selon un procédé classique, veut-on mettre à l'épreuve la ductilité de cet anticlérical déclaré, qui a parlé, un an auparavant encore, en termes cuisants de *L'Église dans la ville*, à partir de l'exemple de son expérience bressane.

Nizan entrera donc en relation avec quelques laïcs accessibles et quelques religieux marginaux, au premier rang desquels le Père dominicain Maydieu. Le personnage est haut en couleur, et bien propre à séduire l'anticonformiste. Cet ingénieur de Centrale, ancien Camelot du Roi, est devenu depuis quelques années l'âme des Éditions du Cerf et des groupes avoisinant la revue *Sept*, où il milite à sa façon pour un dialogue des catholiques avec le monde ouvrier, les athées, les révolutionnaires. Truculent, sans respect humain, il est un peu l'image inversée de Nizan, dans sa passion prosélytique d'orateur de banlieue, accoutumé au spectacle de la misère, mal disposé à l'égard du monde bourgeois.

Les deux hommes auront de l'estime l'un pour l'autre, mais le débat n'ira pas très loin. À l'heure où Nizan découvre avec inquiétude les procès de Moscou, la revue *Sept*, de son côté, doit se soumettre aux remontrances de la hiérarchie, à la suite de la publication d'une déclaration anodine demandée à Léon Blum. Elle disparaît pour laisser la place à *Temps présent*, où les religieux joueront un moins grand rôle (et dont, soit dit en passant, Charles de Gaulle sera le lecteur sympathisant). La guerre d'Espagne, d'autres urgences recomposent le tableau.

Du point de vue de Nizan, il ne restera de cette ébauche de dialogue que deux occasions manquées. La première est la réunion contradictoire organisée, sans doute par lui, le 2 juillet 1936 à la Maison de la Culture sur le thème « Christianisme et communisme ». À notre connaissance, ce fut la seule rencontre de ce type (publique et officielle) de tout l'entre-deux-guerres. Le président de séance était Malraux, les deux orateurs catholiques, Jacques Madaule et Louis Martin-Chauffier, les deux communistes, Vaillant-Couturier et Nizan. Dans ses *Carnets*, Mounier, présent, résumera ainsi l'intervention de notre homme : « *Pour le chrétien, la vie commence à la mort, pour le marxiste, toute l'aventure humaine est antérieure à la mort.* » Il ajoute : « *Revenu longuement avec Malraux et Nizan à la sortie.* »[10] On peut rêver à ces rues de Paris, dans la douceur de juillet, dix jours avant les grandes fêtes triomphales du Front populaire, où, déambulant, André Malraux, Paul Nizan et Emmanuel Mounier discutaient pour la première fois des rapports entre marxisme et christianisme...

On voit assez, par le raccourci qu'en donne Mounier, combien la pensée sur la mort continuait, même en cet instant de grâce, à déterminer la réflexion de Nizan, et combien il était peu disposé à partager la thèse du compromis sur le fond, prônée à la même époque par le petit groupe des « chrétiens-communistes », souvent protestants d'ailleurs, de *Terre nouvelle*. Il aura une dernière occasion de s'en expliquer, l'année suivante, en rendant compte dans *L'Humanité* du principal livre paru à l'époque sur le problème, *Catholicisme et communisme*, de Robert Honnert, publié, significativement, par les Éditions sociales[11]. La position de Nizan est claire. Elle abonde tout à fait dans le sens du Père Maydieu, cité dans l'article, le jour où il déclarait à Nizan : « *Ce qu'il y a de grave entre vous et nous, c'est que les uns et les autres nous jouons sur la certitude de la victoire.* »

En foi de quoi il n'est pas question de chercher entre deux camps irréconciliables un compromis boiteux, mais de demander à l'Église de se débarrasser enfin des mauvaises habitudes contractées à l'époque de Constantin et de Théodose. Que le christianisme abandonne enfin toute prétention à régenter le pouvoir civil et se redéploie sur le plan d'« *un combat uniquement spirituel* ». Son dernier mot sur la question lançait une formule dont l'avenir allait illustrer toute la fécondité : « *Dans un pareil État* [socialiste], *pour la première fois réduite à la nudité de son dogme et de sa foi,* [l'Église] *pourrait réellement jouer avec ses seules armes la partie de Dieu. On pourrait aller jusqu'à dire, sans aucun paradoxe, que seuls une société et un État athées donnent à l'Église toutes ses chances...* »

Dans l'espace compris entre ces deux interventions, Nizan avait été appelé à prendre position sur une question tout aussi fondamentale, et beaucoup plus douloureuse. Le *Retour de l'URSS* de Gide est sorti dans les librairies le 30 octobre 1936. En moins d'un an cette mince plaquette sera tirée à 146 300 exemplaires[12]. Le Parti fait donner contre elle et ses suites le ban et l'arrière-ban. Nizan servira sur le front des compagnons de route, à *Vendredi*. Son compte rendu paraît le 29 janvier, juxtaposé à un texte louangeur de Pierre Herbart. Son argumentation reproche essentiellement à Gide d'avoir compté pour quantité négligeable, tout en la reconnaissant, la fin de « *l'exploitation du plus grand nombre pour le profit de quelques-uns* », et d'extrapoler, à partir d'expériences exiguës, une vision carcérale du régime soviétique. Cependant Nizan ne nie pas explicitement l'exactitude des faits cités. Son article tranche par sa modération sur la littérature communiste contemporaine, vite déchaînée. On comprend que l'intéressé lui-même, au risque de le compromettre aux yeux de ses camarades, ait cité, dans ses *Retouches à mon Retour de l'URSS*, Nizan parmi les « *quelques critiques de bonne foi* » avec lesquels il acceptait de poursuivre la discussion. Il n'y eut pas de suite. Nizan ne parla jamais des *Retouches*, sans s'exprimer désormais plus clairement sur le stalinisme.

Il est bien placé depuis 1934 pour avoir, lui aussi, quelques craintes sur l'évolution du régime, mais il se refuse visiblement à en déduire la faillite du dogme. Il peut se permettre de ne pas insulter Gide dans la mesure même où il considère sa position comme injuste et non pas malhonnête. Il ne sent pas ses convictions touchées dans leurs œuvres vives, pas plus que par l'apparition de chrétiens progressistes. En fin de compte, tous ces textes témoignent pour un équilibre, une maturité qu'on pouvait ne pas attendre de l'auteur des *Chiens de garde* et qu'on trouverait rarement parmi ses pairs, dans ces années de l'immédiat avant-guerre.

Il faut assurément une bonne santé physique, intellectuelle et politique pour conserver un tel sang-froid devant la montée des périls. Bien que de plus en plus centré dans ses activités professionnelles sur *Ce Soir*, Nizan conservera jusqu'au bout cette faculté d'intervention multiple. Ses trois derniers mois de militant en 1939, jusqu'à son départ pour des vacances qui allaient se conclure comme on sait, ne le prouvent pas moins que les autres : le trimestre commence en mai par une dernière prise de parole dans un congrès international sur le thème d'urgence : « *Les gouvernements des démocraties doivent assister les peuples menacés* », et se clôt, en juillet, sur une enquête consacrée… aux menées des fascistes et pro-Allemands français, autour d'Otto Abetz et de Brinon, sous le titre, prémonitoire et (pour lui) cruel, de « La France trahie ». Entre-temps, il avait, de la même plume, continué jusqu'à la fin à rendre compte de la vie littéraire.

Les écrits restent

Le premier texte de Nizan qui ait paru fut une critique littéraire. Depuis lors, il en avait donné plus de cent soixante, réparties dans une vingtaine de périodiques[13]. Sans avoir jamais été son activité exclusive, ni même principale, cette confrontation avec la production écrite de ses contemporains et de quelques grands Anciens choisis s'étendit ainsi, avec des éclipses, sur une quinzaine d'années, de *La Prisonnière* de Proust à *La Nausée* de Sartre. Il est peu de romanciers français de renom qui aient consacré une aussi large part de leur vie à cet exercice aride, ambigu et souvent stérilisant. On ne saurait en sous-estimer l'importance, même s'il a fallu attendre 1971 et la parution du recueil *Pour une nouvelle culture*, pour que les professionnels découvrissent un nom de plus à mettre à une place de choix dans la galerie de leurs ancêtres.

Place de choix, mais difficile à définir. Assurément Nizan n'est pas un Thibaudet, un Thérive, un Brasillach. L'ambition de tenir le « rez-de-chaussée » littéraire d'un organe de haute prétention intellectuelle ne lui est jamais venue. Ce n'est pas non plus un expert en écritures, à la frontière des sciences sociales et de la psychologie, habile à spéculer sur le non-dit, le je ne sais quoi et le presque rien. Il a certes quelques idées précises sur la littérature, mais leur exposition en grande largeur ne figure pas parmi ses préoccupations immédiates. On lui connaît quelques variations du second style, à commencer par son premier compte rendu, en 1924, dans *Fruits verts*, quelques brillants exercices sur le premier, telle sa longue analyse du Gide 1934, dans *Littérature internationale*. Mais enfin ce n'est pas là son déploiement ordinaire.

Le Nizan critique est un écrivain qui milite, plume en main, et qui annote les écrits des autres. Le risque est évident de se trouver devant une série de copies corrigées par un professeur en marxisme scolastique. L'avantage n'est pourtant pas à négliger, qui est d'éviter, au profit d'une considération permanente des enjeux historiques, la frivolité, feinte ou réelle, d'un « moi je » dont la seule raison d'être réside dans une certaine facilité à mettre les grands plats dans les petits. Dans ses années de noviciat communiste, Nizan, en pleine possession de l'avantage, n'échappera pas toujours au risque.

À l'époque du Front populaire il sera de plus en plus difficile de le surprendre en flagrant délit de sectarisme littéraire, ce qui ne veut pas dire que ses jugements en aient été aseptisés, bien au contraire. Quand dans *Ce Soir* il disposera de l'autonomie dont il bénéficie par ailleurs en tant que chef de rubrique diplomatique, son style ramassé fera souvent mouche. Les seules limites imposées tiendront plus au surmenage qu'à la censure. Ajoutons, et c'est là peut-être l'essentiel, que ne faisant pas métier de critique, il pouvait d'autant plus aisément échapper aux pressions du sérail et regagner ici ce qu'il perdait là.

Cette situation intermédiaire explique que Nizan écrive sur tout, de *Fantômas* au *Discours de la Méthode*. Il lui arrivera même, fugitivement, de dire son mot sur le théâtre et le cinéma. On regrette qu'il n'ait pas eu le temps d'y revenir plus souvent quand on le voit choisir, à propos d'O'Neill, le camp de Calderon, Lope, Gogol, Becque – en un mot Molière –, contre le symbolisme d'un Ibsen ou d'un Maeterlinck : « *Pas un symbole chez Molière, pas une théorie, chaque fois qu'il est au plus haut de son art, comme dans* Don Juan *: la thèse n'apparaît que dans les comédies les plus faibles, comme* Les Femmes savantes. »[14]

Quant au cinéma, qui fut un temps son rêve, il se voit, d'une certaine façon, assigné la place ainsi refusée au théâtre « poétique ». Nourri, à Paris et surtout à Moscou, de projections d'Eisenstein, Dovjenko ou Vertov, il tend à faire de l'esthétique de celui-ci, analysée en 1935 à l'occasion de la sortie en URSS des *Trois chants pour Lénine*, la dramaturgie filmique selon son cœur. Au cinéma « *le traitement poétique du son et de l'image* », à la littérature écrite « *le traitement psychologique des sentiments et des pensées* »[15]. Confronté, dans la réalité de la production française, aux films du « réalisme français » et aux pièces de Giraudoux, on comprend qu'il ait été en général plus porté à parler de littérature que de spectacle.

Il lui arrivera de soutenir à bout de bras, surtout dans les débuts, une œuvre médiocre, pour peu qu'elle fût signée d'une ouvrière en textile ou d'un soudeur communiste. Mais, en sens inverse, sauf un article de l'époque sectaire où *Le Surréalisme au service de la révolution* est vivement épinglé pour sa prétention à « *poser des problèmes post-révolutionnaires* »[16], on ne peut guère relever que des sévérités entérinées par l'avenir. Bien entendu, on ne tiendra pas compte ici des récupérations au second degré. Ainsi Nizan n'a-t-il à l'égard du feuilleton policier[17] ou de la littérature enfantine[18] aucune des indulgences émues des surréalistes d'hier et des amateurs de rétro de demain. Il y voit tout crûment de vastes entreprises d'aliénation où le policier, l'aventurier ne sont plus que deux types humains qui caractérisent la morale bourgeoise de la répression et du risque. *Fantomas* devient alors « *le plus célèbre des écrits destinés à exalter la bourrique* ». Georges Simenon lui-même, auquel il reconnaît un « *don d'atmosphère qui annonçait un romancier authentique* », cesse de trouver grâce à ses yeux du jour où son œuvre se trouve encombrée de l'« *ignoble et sentimental commissaire Maigret* »[19].

Sa position en la matière est d'autant plus cohérente qu'il peut alors se payer le luxe de distinguer, le moment venu, dans le Pierre Véry de *Goupi mains rouges* l'écrivain populaire selon son cœur[20]. Et de rappeler les lettres de noblesse d'un genre qui faisait les délices de Karl Marx : Edgar Poe, Conan Doyle, déjà dégradé, les premiers Gaston Leroux. En rendant hommage, en 1937, à Dashiell Hammett, que chacun s'entend aujourd'hui à saluer comme le fondateur du roman noir contemporain, il montrait assez qu'il se tenait au courant d'une production dont, au témoignage de Rirette, il consommait surtout la variété enfantine : son livre de chevet était communément un roman de la comtesse de Ségur.

En matière de jugement littéraire, Nizan ne change pas. S'il a inauguré sa carrière en disant du bien du dernier Proust ou du Gobineau romanesque[21], il n'en dira jamais de mal : il se contentera de n'en plus parler. Quand un auteur qu'il a aimé avant sa conversion continue à se produire sur la place, il le dissèque avec sévérité, mais sans plus. Il faudra attendre 1939 pour qu'il dresse l'acte de décès du Giraudoux de sa jeunesse : « *M. Giraudoux abuse décidément du droit qu'on peut avoir d'animer des fantômes poétiques* [...] » Disons-le : « *M. Giraudoux est devenu un romancier ennuyeux.* »[22]

Nizan ne surprend plus guère aujourd'hui en accablant sous les sarcasmes un André Maurois ou un Jacques de Lacretelle. Il s'écartait pourtant en cela de la majorité de la critique contemporaine, beaucoup plus révérencieuse à l'égard des valeurs consacrées de la littérature académique, même quand il s'agissait d'exprimer à son égard quelques réserves. Nizan n'a pas de ces pudeurs corporatistes. André Maurois, dit-il en 1933, « *plaît aux femmes de la bourgeoisie en leur donnant habilement l'impression qu'elles sont intelligentes* »[23]. Que l'occasion lui soit donnée de revenir plus tard sur un tel auteur, et le verdict se fait plus subtil, plus aigu, par là plus cruel encore : l'André Maurois de 1935 manifeste alors « *un certain effacement de pensées, une façon de rabotage des idées qui caractérisent très vite un homme soumis à la politesse. La politesse, vice d'André Maurois.* »[24] Quant à Julien Green, il offre ce spectacle « *consternant* » : « *un esprit naturellement distingué* »[25]. Traduisons : un réel talent d'écriture appliqué à une « *affreuse sécheresse de sentiment* ». On voit que Green, Maurois et tant d'autres ne sont là qu'à titre d'exemples, et que son propos les dépasse de beaucoup. Il s'agit de parler de « *cette littérature de gens du monde qui parlent uniquement de leurs relations.* »[26] Au-delà de ces enfants dégénérés du proustisme, c'est toute la « culture bourgeoise » qui se trouve jugée et condamnée en beaucoup moins de mots qu'il n'en a fallu pour l'écrire.

Quand l'objet mal-aimé est de meilleure venue, l'analyse prend la peine de s'affiner. Nizan n'aura guère l'occasion de parler de Mauriac, lorsque l'engagement de celui-ci aux côtés des antifranquistes aura commencé à lui attirer les bonnes grâces du parti communiste. Il ne doit donc qu'à son instinct de le classer parmi les quelques bons romanciers de l'autre camp. Celui qui, voulant faire l'ange, fait la bête. Bien entendu, il a dès l'abord reconnu en lui l'un de ces hommes qui seront « *quelque jour de l'Académie des généraux, des ambassadeurs et des penseurs-flics. Il ne déparera pas cette assemblée.* »[27] Mais, pour le reste, il se contente de démontrer ses ambiguïtés au fond, non de postuler sa mauvaise foi, en des termes qui le rendent presque sympathique. Mauriac est un frère, tiré comme lui à hue et à dia par les nécessités de l'écriture et de l'idéologie. « *Mauriac est un grand romancier que ses limites étouffent. Il voudrait affirmer Dieu partout, mais il ne le peut jamais que [...] dans une conclusion en trompe-l'œil. Il perd donc sur le tableau religieux. Mais il perd en même temps sur le tableau romanesque.* »[28] « *M. Mauriac pourrait être un très grand romancier révolutionnaire* », va-t-il jusqu'à dire, mais... « *c'est alors que le chrétien intervient [...] M. Mauriac se fait violence. Cela ne vaut rien pour les romanciers.* »[29] Poussant plus loin l'analyse, il diagnostique : « *C'est un homme que le ciel ennuie. Il est romancier beaucoup plus infernal que céleste.* » Et termine par une nonchalance féroce : « *Naturellement, les pages purement terrestres du livre sont comme d'habitude remarquables.* »[30]

On sait que Mauriac sera fortement ébranlé par l'article qu'en 1939 Sartre consacrera aux contradictions internes de sa technique romanesque ; le texte de Nizan, plus rapide, moins dogmatique, va peut-être plus loin dans la critique radicale du projet malagarien.

Un brelan d'excommuniés

Cette sympathie inquiète pour un autre soi-même qu'il craint de voir se « perdre » rend en quelque sorte extra-lucide le jugement que Nizan porte sur le romancier beaucoup plus ambigu et beaucoup plus considérable que fut Céline. Pas de doute, pas de demi-mesure : *Le Voyage*, à sa sortie, est bien « *une œuvre considérable, d'une force et d'une ampleur à laquelle ne nous habituent pas les nains bien frisés de la littérature bourgeoise* »[31], mais, en même temps, du même mouvement, est posée la limite, détecté le danger, à une date où certains parlent du « bolchevisme » de Céline – dans trois ans Jacques Duclos lui lancera même un appel à rejoindre les rangs du Front populaire. « *Céline n'est pas parmi nous : impossible d'accepter sa profonde anarchie, son mépris, sa répulsion générale qui n'exceptent point le prolétariat... Nous verrons bien où ira cet homme qui n'est dupe de rien.* » Nizan, qui a voulu n'être dupe de rien, a fini par rejoindre le communisme. Mais il sait qu'il y a au moins une autre solution.

Quand, au *Voyage* succède *Mort à crédit*, l'affaire est entendue. Céline prétend qu'il va se mettre à raconter des histoires « *telles qu'ils reviendront après pour me tuer des quatre coins du monde* » : la réponse de Nizan ne tombe pas dans le piège tendu par le polémiste. Il se contente de statuer froidement : « *M. Céline se vante. Les gens bien achèteront ses livres. On ne le tuera pas.* »[32] L'essentiel de son article est ainsi consacré, non à répondre sur le fond à un auteur gagné par le délire de la persécution, mais à dynamiter ses prétentions littéraires. Il est le premier et, aujourd'hui encore, l'un des rares à toucher le point sensible. À provocateur, provocateur et demi : l'article de Nizan n'est ni plus ni moins intitulé : « Pour le cinquantenaire du symbolisme » et consacré à une démonstration serrée de Céline comme symboliste attardé. Simplement, « *là où le symboliste des années 1990 écrivait azur, M. Céline écrit merde* ». Rien de rabelaisien chez lui, tout de mallarméen[33]. Or « *il y a un style Rimbaud, il n'y a pas de style Mallarmé* ». Là où certains saluent la naissance d'une langue fulgurante, libérée, Nizan ne voit qu'imitation dégradée du *Voyage*, fabrication laborieuse, un texte-machine truffé de vers de huit pieds inavoués dont il donne quelques exemples savoureux.

Il met la même économie de moyens au service des textes qu'il aime. Assez affranchi des consignes pour saluer ici un Breton[34], là un Cocteau, ailleurs un Montherlant[35], pour crier le holà au Giono idéologue de l'immédiat avant-guerre[36] ou sourire des contradictions de Julien Benda, pourtant compagnon de route[37], il peut prophétiser sans erreur que *Terre des hommes* restera comme le meilleur Saint-Exupéry[38], que, des quatre ou cinq romans-fleuves en cours, *Les Thibault* « *est celui qui a les chances les plus importantes de durer* »[39], ou que *La Condition humaine* est « *l'une des œuvres de notre temps qui paraissent le plus solidement assurées de durer* »[40]. Il se paye même le luxe de signaler à deux reprises l'intérêt de l'œuvre d'un certain « Docteur Lacan », dont tel livre sur *La Psychose paranoïaque*, tel article sur le style et la paranoïa lui paraissent traduire « *une influence très certaine et très consciente du matérialisme dialectique* »[41].

Quand le petit camarade se met à faire des siennes, il s'amuse à user du ton le plus distant pour dire le plus grand bien de *La Nausée*, le tout à grands coups de « *M. J.-P. Sartre, qui est, je crois, professeur de philosophie et à qui l'on doit un livre excellent sur* Les images » et de « *grande ville bourgeoise, où il nous semble reconnaître* Le Havre ». Mais cette parodie du style *Revue des deux Mondes* a le temps de comparer Sartre à Kafka (« *si sa pensée n'était entièrement étrangère aux problèmes moraux* »), d'en faire « *un romancier philosophe de premier plan* » et, surtout, d'en prédire l'engagement ultérieur, fort peu discernable à l'époque : « *M. Jean-Paul Sartre […] a des dons trop précis et trop cruels de romancier pour ne pas s'engager dans les grandes dénonciations.* »[42]

La même remarquable machine intellectuelle fonctionne à l'égard de la littérature étrangère, particulièrement l'anglo-saxonne, qu'il peut lire dans le texte. Il révèle au public communiste cette « *grande et singulière littérature américaine* »[43], encore plus méconnue, d'ailleurs, du public non communiste : Caldwell, Dos Passos, Faulkner, Hammett, et son avant-dernière critique est pour saluer la première traduction française de Steinbeck[44]. Ce n'est pas là simple curiosité sans préjugé. Nizan reconnaît en la plupart de ces écrivains du nouveau monde quelque chose comme des pairs.

Toute entreprise critique finit par construire son réseau spécifique de correspondances, de complicités. C'est ce qui explique la place que vont finir par prendre chez lui deux figures d'écrivains dont le rapprochement donne sans doute une intéressante image du Nizan des profondeurs : Drieu La Rochelle, Dostoïevski. On devine les points communs avec le premier : même circulation entre l'essai et le roman, même préoccupation de l'engagement, même attirance pour les solutions extrêmes. On voit mieux encore les divergences : l'âge, qui fait de Drieu un parfait représentant de la génération flouée de 1914, l'étalement des contradictions, le dilettantisme... Restait, du moins au début de leur dialogue, le talent, j'entends ici celui de Drieu. Dans la grande confraternité des chercheurs d'absolu, Nizan n'oublie pas d'y rendre hommage. Analysant *Socialisme fasciste* à son retour de Moscou, il a assez de recul pour reconnaître, en connaisseur : « *Drieu a singulièrement progressé dans le sens de la technique... Il est actuellement l'écrivain qui a trouvé le ton le plus adapté à l'essai. Il n'y a guère de doute que le style de Drieu ne soit parfois le meilleur style de l'essai français d'aujourd'hui.* »[45]

Mais ces attendus ne sont là que pour mieux souligner l'impasse intellectuelle dans laquelle il lui paraît s'enfoncer. Jadis source d'énergie, au temps des grandes hésitations baroques des années 1920, la contradiction vivante nommée Drieu La Rochelle, cette multiplicité d'êtres qui dans son corps « *sont tous occupés à des travaux différents et à la solution de divers problèmes* », est en train de démolir une personne. Comme si Nizan se mettait maintenant à donner des leçons au jeune homme divisé qu'il était lui-même dans les mêmes années 1920.

Aussi, par-delà l'image qu'il y voit de la « *faillite de la pensée bourgeoise* », ne peut-il s'empêcher de s'attrister, et de lancer un dernier appel à cet homme dont on sent qu'il aimerait l'appeler son frère : « *Il y a dans Drieu des accents qui font regretter qu'un homme qui était en lui se soit perdu et qu'il y a de moins en moins de chances de le voir se retrouver. Drieu ne sera pas la seule victime des temps de l'après-guerre prête à se transformer en domestique des bourreaux.* »[46]

Par la suite, Nizan reviendra à plusieurs reprises sur le cas Drieu, comme s'il se sentait, au sein de l'Église communiste, le premier interpellé, provoqué par ses écrits. C'est lui qui, par exemple, répond, dans *Vendredi*[47], aux deux articles nébuleux parus les 9 et 30 novembre 1935 dans *Révolution ?* (le point d'interrogation fait partie du titre), où Drieu, poursuivant ses rêves d'avant la crise et Hitler, avait lancé, en préfiguration du PPF, un appel au rassemblement, autour de Doriot, de tous les communistes de gauche hostiles à la stratégie de Front populaire, autrement dit ceux « *qui ne veulent pas rentrer dans le sein de la social-démocratie* » : « *Je ne vois point de lien possible avec Drieu, ses infidélités, ses grands jeux, ses défaites, ses amours, ses grâces, ses livres* », répond durement Nizan, avec la hargne du dépit amoureux, « *Drieu nous fait la charité de son alliance, de son fascisme* », la charité de Sorel, de Nietzsche, de Goebbels. Ce sont des charités qu'on refuse. Sans aucune politesse « [...] *on ne tolérera pas la vengeance sur la jeunesse des hommes trompés* ».

Débat strictement idéologique, dira-t-on, où ne parlent plus que deux militants ? Ce serait oublier à quel point pour ces deux-là l'écriture est une morale, politique faite verbe. Ce serait se refuser à voir combien Nizan pouvait frapper juste – parce qu'il savait de quoi il parlait – en concluant en 1935 sur la morale : « *Les idées de Drieu me paraissent moins politiques qu'érotiques [...]. Il faut que Drieu en prenne son parti. Son parti logique, à défaut de son parti pris, de parti politique : il mourra seul.* »[48] Et en 1937 sur le style : le mensonge du rapport de Drieu au peuple « *entraîne du même coup le mensonge de son art et comme la ruine finale de son talent* »[49].

Entre-temps, l'Histoire venait de fournir une belle métaphore de ce croisement de destins qui avaient tous les deux rendez-vous, à l'intervalle d'une guerre, avec la mort. En 1935, Drieu, cohérent jusqu'à l'absurde dans sa recherche de la conciliation des inconciliables, a résolu de se rendre à Moscou. Et c'est Nizan lui-même qui s'offre à lui faciliter les démarches. Cela donne un billet, daté du 5 septembre : Drieu y remercie Nizan « *de l'humaine attention* » dont celui-ci a fait preuve, « *mais Malraux a pu déjà faire le nécessaire. Et je pars.* » Suit la phrase fatale : « *Toutefois je passerai d'abord par Nuremberg où j'assisterai au congrès nazi.* » *In extremis* en effet il vient de recevoir, par l'intermédiaire d'Otto Abetz, une invitation officielle. Au programme du voyage allemand figurera, entre autres, la visite d'un camp de travail modèle, près de Munich, appelé Dachau... Drieu rentrera de son séjour rallié. Le billet se terminait par un appel, lui aussi : « *J'ai lu de vos écrits et j'aimerais vous rencontrer.* »[50] La rencontre n'eut pas lieu.

Il était plus facile à Nizan de rencontrer un mort, fût-il ambigu, comme Dostoïevski. Et voici sans doute le grand œuvre qui, jusqu'aux jours de la guerre inclusivement, hantera son esprit. L'auteur des *Possédés*, que Nizan annote avec passion[51] avant de s'en inspirer pour *La Conspiration*, siège au plus haut de son panthéon personnel. Archétype du romancier problématique tel qu'il aspire à le devenir, il annonce et domine les saints annexes nommés Kafka, Faulkner, Malraux.

Peu importe ici l'écart des idéologies ; les *a priori* théoriques et techniques de Dostoïevski sont les siens. Il lui reproche d'ailleurs moins son utopie orthodoxe et slavophile que le pessimisme de son « *monde des impasses* »[52], sa conception d'une déchéance consubstantielle à l'homme, indestructible par des moyens terrestres. En d'autres termes, le plus beau titre de gloire de Dostoïevski est d'être, vraiment, « *le plus grand romancier du malheur* ».

Cet absolutiste a parfois le pressentiment d'une solution autre, quand, par exemple, il fait dire à Kirilov que « *Dieu est la souffrance que cause la peur de la mort* »[53] ou quand il laisse longuement la parole au Grand Inquisiteur, mais il succombe avant le port sous le poids de la tradition religieuse. Sur le fond, tout romancier révolutionnaire sera donc un anti-Dostoïevski radical. Mais la technique romanesque de celui-là devra tout à l'homme qui a dit qu'on ne pouvait plus guère écrire que « *des mémoires, documents pour l'avenir* ». À son exemple les romans authentiquement enracinés dans le contemporain seront peuplés de héros moins « *singes de types réels* » qu'« *incarnations de problèmes* ». Le réactionnaire Dostoïevski devient ainsi l'archétype du romancier actuel, en même temps que la part maudite de Nizan, son vrai Mister Hyde, bien différent de celui imaginé plus tard par quelques militants dévôts.

Critique philosophe et philosophe romancier, Nizan ne pouvait évidemment pas oublier sa formation intellectuelle. De la même façon que Sartre aimait *Terre des hommes* comme « *la meilleure illustration possible, la plus concrète, la plus convaincante des thèses de Heidegger* »[54], de même notre agrégé en rupture de ban ne pouvait s'empêcher de rapprocher *La Condition humaine* de *Sein und Zeit*, et de faire de Dostoïevski l'idéal du romancier prémoderne. Mais comme il écrivait tout cela dans un quotidien populaire, et d'une plume pleine d'alacrité, on peut dire qu'il témoignait pour une forme de critique nouvelle, plus doctrinaire que la traditionnelle, mais assez lisible pour amadouer les classiques. Certains de ses lecteurs, et non des moindres, en eurent obscurément conscience, et pensèrent à lui donner plus large carrière. Nous savons aujourd'hui, par une note des *Cahiers de la Petite Dame*[55] en date du 23 octobre 1936, que Gide songea à « *pousser Nizan à la* NRF*, un peu pour remplacer Thibaudet* ». Remplacer Thibaudet, même « un peu » : la gloire. Une fois de plus, comme pour l'École d'Athènes, comme pour la société Besse, ce Nizan possible ne vit pas le jour, un Nizan arbitre des élégances, admis au sein du club littéraire le plus prestigieux des deux avant-guerre. Le *Retour de l'URSS* rompit sans doute les ponts. Décidément, Staline ne fit aucun bien à ce pauvre Nizan… À la mort de celui-ci, son œuvre critique n'avait eu le temps et les moyens que d'être brillante.

Période tweed

Critique ou prosélyte, l'ancien normalien poursuivait sur une vieille lancée. Rien par contre ne laissait prévoir, vers 1933, qu'il serait cinq ans plus tard l'une des personnalités en vue de la presse diplomatique internationale. Son goût pour le tweed, l'amitié de Vaillant-Couturier, la tactique habituelle de Parti, qui faisait d'un philosophe un expert en économie politique et d'un ouvrier-pâtissier un agent du Komintern, enfin et surtout le séjour à Moscou expliquent sans doute le choix de 1935, qui amènera l'auteur d'*Aden Arabie* à consacrer désormais le plus clair de son temps professionnel à la lecture des dépêches internationales, à la fréquentation des coquetèles d'ambassades et à la déambulation dans les couloirs des grandes conférences. Caprice du sort et des appareils bien estimable, qui plaçait Nizan (on pourrait presque dire « notre héros ») en un point d'observation tout à fait éminent, l'année même où, avec le plébiscite sarrois, le pacte franco-soviétique et l'affaire d'Éthiopie, la machinerie qui allait aboutir à la guerre mondiale se mettait décidément en marche. S'il fut un temps où, par exception, la politique étrangère occupa plus souvent qu'à son tour la première page des journaux, ce fut bien celui où Nizan fut occupé à la commenter.

Lui qui avait fustigé le voyage de fuite et l'exotisme de bazar pourra goûter à petites doses les courts déplacements qui, sans rompre le cordon ombilical avec la rédaction parisienne, lui permettent de prendre l'air d'une capitale en état de siège ou d'une organisation internationale en émoi. Des lieux mythiques s'ouvrent devant sa carte d'accrédité, le Quai d'Orsay, la SDN. Quelques amitiés se nouent avec les rares confrères résolument anti-hitlériens, comme l'Anglais Alexander Werth, sans doute le meilleur observateur étranger de la vie politique française de cette époque, ou la Française Geneviève Tabouis, du journal *L'Œuvre*. Débarqué dans un milieu apparemment à mille milles de son présent univers mental et de celui de ses lecteurs, il ouvre grands les yeux, prend des notes en vrac et se paye quelques fantaisies littéraires.

En temps ordinaire, l'envoyé spécial ou le chef de rubrique d'une presse désormais en vue sur la place[56] prend tout à fait au sérieux sa tâche d'informateur international et d'illustrateur officieux de la position diplomatique du PCF, qui se confond avec celle de l'Union soviétique. Ce qu'il apprend à voir en Espagne dans les premiers jours de l'insurrection (août 1936), à Bruxelles au moment des succès rexistes (octobre 1936) ou à Prague pendant la crise de l'automne 1938, n'a rien, à vrai dire, qui fasse sourire.

On sent même que le professionnel se plaît à respecter les lois du genre et à renchérir, dans la forme, sur le « ton ambassade », pour mieux le subvertir dans le fond. Quand le sujet en vaudra la peine, il en composera même un livre : ce sera, à l'orée de 1939, *Chronique de septembre*, d'abord intitulé *Histoire de septembre*. La substitution des termes éclaire le propos de l'auteur, qui entend bien se livrer à cette occasion à une sorte d'exercice de style historique. Et si ladite *Chronique* s'attache à raconter, textes à l'appui, les trente jours de la crise de Munich, son introduction a tous les traits d'une leçon de méthode journalistique, digne d'une école professionnelle. Conscient de la mission historique remise en quelque sorte par le public entre les mains des experts du commentaire diplomatique, le conjoncturiste entend permettre à celui-ci de juger enfin sur pièces, et non dans la parcellarisation équivoque des articles au jour le jour. Poussant à ses extrêmes limites le relativisme, il énonce, avec une certaine solennité, que le journaliste, point différent en cela de l'historien, n'a finalement des faits qu'une connaissance indirecte, « *à savoir fondée sur des* traces »[57]. Suit un ouvrage d'une froideur remarquable, peuplé d'entités dénommées « M. Hitler » ou « M. Chamberlain », qui se déploient dans une forêt de gros communiqués compacts, cités *in extenso*.

Parcouru superficiellement, l'ouvrage paraît austère, solide et, surtout, fort peu partisan. Les sympathies de l'auteur ne s'y font jour qu'*in extremis*, et plusieurs de ses adversaires politiques auraient pu prendre son livre comme ouvrage de référence, sans y trouver à chaque page des jugements de valeur malsonnants. On est loin du ton des *Chiens de garde*. Les marxistes orthodoxes peuvent même lui reprocher de ne faire aucun sort particulier au contexte économique et social du drame, les experts en stratégie pourraient trouver insuffisante la considération des données militaires.

S'arrêter à un tel jugement serait méconnaître l'économie du texte, le sens qu'entend lui donner son auteur. Sur le fond, c'est s'aveugler sur le choix clair qu'il y fait d'une stratégie d'alliance des démocraties occidentales avec l'Union soviétique, la Petite Entente et les États-Unis. La diplomatie de Nizan, à l'automne 1938, est visible, cohérente. L'avenir proche lui donnera raison, sans permettre d'annuler les effets de septembre. Le gouvernement conservateur d'A. N. Chamberlain, dominé par son anti-communisme et sa russophobie, a conduit ses alliés français et centre-européens à s'incliner devant les grondements de « M. Hitler ». En abandonnant la Tchécoslovaquie, les deux grands Occidentaux commettent une faute considérable : ils perdent un allié de poids sur le revers allemand ; ils donnent raison à une tactique de chantage ; ils restaurent pour quelque temps un régime italien plus fragile qu'il n'y paraît ; enfin ils humilient le Soviétique et, subsidiairement, l'Américain, dont les propositions de participation au règlement pour l'un, de bons offices pour l'autre ont été traitées par le mépris.

Je viens de dire qu'il s'agit ici de la position diplomatique de Nizan, et avec lui d'une minorité d'hommes politiques, de diplomates et de journalistes ; ce n'est pas celle du Parti communiste français : leur attitude respective un an plus tard, face à l'effondrement du rêve de sécurité collective France/Royaume-Uni/URSS, témoigne en faveur de la logique anti-hitlérienne de celui-là, prosoviétique de celui-ci.

Mais, après tout, il importe peu que Nizan ait été plus lucide. Nous sommes à la recherche d'un destin, pas d'une vie de saint. Il suffit que *Chronique de septembre* administre la preuve que les commentaires quotidiens du nouvel expert se fondaient sur une analyse affinée de la conjoncture, qui n'avait rien à envier aux vieux routiers de la profession. Le plus important de l'ouvrage, aujourd'hui, est ailleurs, dans le sens même de sa forme, où, abstraction faite des annexes, se succèdent quatre parties de très inégale longueur mais d'égale importance : un court exposé méthodologique mentionné plus haut, sur ce qu'un journaliste français baptisera plus tard l'histoire de l'immédiat, ses servitudes et finalement ses grandeurs ; quatre pages de noms propres alignés, de « Alexandrowski, ministre de l'URSS à Prague » à « Zenkl, Primator de Prague », intitulées « Les personnages », pour ne pas dire « Dramatis personae », comme dans Shakespeare ; une centaine de pages occupées par le récit d'allées et venues diplomatiques, remises de notes, discours, conciliabules ; une dizaine de pages de conclusion, enfin, où se trouve clairement avancée l'hypothèse d'une préférence occulte de Londres et Paris pour les « puissances d'ordre », contre Moscou. Un mot résume la version la plus radicale de cette hypothèse, présentée au conditionnel mais seule développée en détail : « *Mystification* ».

Le parti pris formel de Nizan, son exercice de style, prend alors toute sa signification : nous avons bien affaire à un drame historique dans la lignée de *Richard II*, d'*Henry IV*, où, dans un temps et un espace limités (trente jours, deux ou trois chancelleries, un ou deux lieux de rencontre), s'affrontent des hommes comptables du destin de millions d'autres. Dans une telle dramaturgie, l'artifice, le formalisme, l'archaïsme, bien loin d'être des freins, sont des moteurs : plus la comédie est glaciale, voire guindée, plus le drame ressort du contraste avec la sauvagerie des conséquences, jouées hors de scène, dans des coulisses où un peuple chasse l'autre, en attendant mieux.

Un tel projet formel rejoignait admirablement le propos fondamental, politique, du chroniqueur communiste, en lui permettant aussi de mettre en circulation un argumentaire dru, exprimé dans la langue du sérail, en faveur de la conclusion rapide d'une alliance anglo-franco-soviétique. Il présentait l'intérêt supplémentaire de permettre à Nizan de poursuivre cette démarche, par bien des traits pédagogiques, qui l'amenait, depuis *Aden Arabie*, à informer, dévoiler et convaincre, y compris lui-même : dans une lecture des ouvrages de Nizan comme autant de fragments d'une grande autobiographie, *Chronique de septembre*, dernier livre édité du vivant de son auteur, n'a rien d'incongru : il témoigne du temps où, après avoir joué (cru, c'est tout comme) à l'intellectuel révolté, au soldat du prolétariat, il vivait la vie d'un médiateur tragique, vaste champ d'expérience pour un amateur de comédie humaine[58].

L'écriture du quotidien

Chemin faisant, au gré des enquêtes qu'on lui commande et de l'esprit nouveau qui souffle, un Nizan dépouillé peau à peau de son enveloppe de jésuite combattant, allégé dans son style de certains tics partisans, va pouvoir donner ainsi, l'espace de deux ou trois courtes années, quelques textes tout à fait dignes de figurer un jour dans une anthologie du reportage. Rédigés dans la fièvre au fil de la plume, les meilleurs d'entre eux supportent pourtant la comparaison avec telle page des romans, telle formule des essais.

Côté tragique, la guerre d'Espagne inspire à l'envoyé spécial de *L'Humanité* et de *Regards* quelques pages dignes, avec un an d'avance, de *L'Espoir*. Celle-ci, par exemple, écrite dans le feu de l'action, où Rirette et Paul-Yves voient sous leurs yeux s'affronter les deux camps dans les rues de Valence. Le texte ne figure pas dans les recueils posthumes, nous le citerons donc abondamment.

Attente : « *Un enfant traversa la place, couvert d'une grande chape noire et argent de Toussaint, coiffé d'un panier en forme de mitre.*

Le soir vint. Sous les palmiers des avenues, des jeunes filles en robes claires se promenaient encore, les enfants criaient, des chargements d'oiseaux s'abattaient dans les branches.

Sur la berge du fleuve, au gouvernement civil, des barricades de sacs de terre montaient. Les gardes d'assaut, la garde civile se concentraient dans la cour intérieure. On montait aux fenêtres des mitrailleuses, derrière des matelas.

Le téléphone sonnait. Quelqu'un cria que les rebelles allaient attaquer : tous les fusils s'armèrent. Mais rien ne se passa.

Derrière des barricades du quai, les miliciens de vingt ans mal armés, qui n'avaient pas encore vu le feu, regardaient les pierres de la place déserte, les parapets du quai et cette nuit inquiétante au-delà du fleuve.

Toute la ville attendait l'éclat. Des groupes couraient en armes. Les oiseaux criaient dans les feuilles. Des camions passaient. "UHP" criaient les occupants. L'un d'eux portait une mitrailleuse qu'on acclama.

Naturellement, il n'était pas question d'aller dormir. À onze heures, des coups de feu partirent de la rive rebelle : les vitres d'en face s'abattirent. Tout ce bruit éveilla les oiseaux, dispersa la foule de la place Gastelar.

À minuit, les mitrailleuses commencèrent à tirer. Et ainsi il y eut de la fusillade confuse toute la nuit. »

Explosion de la victoire :

« *Sur le quai, un milicien dit :*

– Ils se sont rendus...

C'était une nouvelle qui se répandait comme un coup de foudre : toutes les rues s'emplirent d'une foule qui dévala du côté des casernes. À l'entrée des ponts, il y avait des gardes d'assaut ; ils étaient débordés par ces hommes qui couraient à la conquête des armes. Des autos, des camions changeaient de vitesse. Déjà, les premiers vainqueurs revenaient avec des colliers de bandes de mitrailleuses, des chapelets de casques, de fusils.

Dans la caserne blanche du 10ᵉ d'infanterie, les troupes du génie venues de Paterna entrèrent, commandées par Carlos Fabra, promu lieutenant la veille. Il marchait le poing levé, la figure blanche de joie, acclamé. Les chefs de la révolte étaient fusillés ; les soldats fraternisaient avec les vainqueurs.

Qu'est-ce qui est plus secret, plus fermé, plus hostile qu'une caserne ? Cette foule prenait possession de ces bâtiments nus. Comme d'un monastère, d'une prison. C'était une découverte. Il y avait chez ces hommes un sentiment pareil à celui des enfants qui explorent un grenier rempli d'antiques merveilles.

Dans les chambrées, les paquetages étaient ouverts, les lettres, les souvenirs, s'envolaient dans les courants d'air du matin ; toute une vie s'évanouissait. À la bibliothèque, les ouvriers lisaient les titres des livres : l'un d'eux ouvrit une traduction de Dumas et commença à lire. Quelqu'un tenait une mappemonde dans ses mains comme il aurait tenu toute la terre ; un autre faisait rouler dans sa main une boule brillante de billard comme il aurait tenu un œuf fragile. Un vieillard soufflotait dans un trombone.

À l'horloge du Foyer des soldats où les cartes traînaient encore sur les tables, il était 8 h 10. »[59]

La phrase finale de l'article « Hôtel Colon »[60] donne le ton de l'ensemble, son sens intime : « *On pensait au décor d'un étrange opéra, d'une mise en scène spontanée de la jeunesse, de la passion et de la mort.* » Il y a là quelque chose de ce reportage tragique, sec et frémissant à la fois, dont l'approche hantait, on l'a vu, le théoricien romanesque. *Somosierra* en contint peut-être quelques échos. Ceux-ci sont les seuls qui nous soient parvenus.

Côté comédie légère, le Nizan de 1925 montre le bout de l'oreille, dix ans plus tard. Mais il a renoncé à être biscornu, et décidé d'être toujours, quoi qu'il en soit, engagé. Rien de moins ennuyeux que le Nizan des « Funérailles anglaises » ou de « La mort des Six Jours »[61]. Mais rien de moins gratuit non plus. Il l'a dit lui-même, dans le compte rendu en forme d'adieu qu'il adressa en 1939, on l'a vu, au Giraudoux de sa jeunesse : « *L'œuvre de M. Giraudoux restera comme une démonstration exemplaire des extrêmes dangers que fait courir à l'art ce qu'on nomme la poésie quand il ne s'agit que de la satisfaction la plus facile de soi.* »[62] Nizan, même quand il se consacre à des objets en apparence dérisoires, ne se livre pas tout entier à la satisfaction de soi. Sans paraître y toucher, il sait extraire d'une cérémonie protocolaire ou d'une épreuve sportive classique un sens politique, nullement surajouté.

En 1938, pour le 32e Tour de France, *Ce Soir*, qui met les bouchées doubles pour battre *Paris Soir* sur son propre terrain, envoie ses meilleures plumes couvrir l'épreuve, qui est sans doute à cette époque à l'apogée de son prestige mythique (rappelons que le Tour 1938 fut « celui » de Bartali, mais tout le monde le savait). Ainsi verra-t-on Jean Renoir livrer ses impressions avant le départ de l'épreuve. Et c'est Nizan, pour qui la caravane du Tour est une société aussi exotique que celle d'Aden (qu'on ne se récrie pas, la comparaison est de lui), qui va prendre place, du 6 au 9 juillet, dans la voiture grise du quotidien.

En trois jours, deux étapes et un repos, de Saint-Brieuc à Royan, il a reparcouru avec émotion, pour la dernière fois, certaines routes de son enfance, sympathisé avec un obscur du classement général, courageux et modeste, qui terminera à un bon rang (« *Je préfère Jean-Marie Goasmat à M. Alexis Léger* »)[63], et trouvé spontanément le ton lyrique familier aux grands Touristes, avec sa petite touche personnelle : « *Tout le peloton se dispose en éventail, roue contre roue, avec la sûreté de l'instinct qui fait que les oiseaux migrateurs se mettent à voler en triangle* »[64], etc.

Mais il a aussi trouvé le temps d'ébaucher une analyse plus subtile du phénomène. En peu de mots, écrits dans la fièvre à l'étape du soir, il intègre sans tarder le Tour à ses propres préoccupations intellectuelles : « *Naturellement, au commencement, on se dit qu'on n'est point dupe et que toute cette histoire ne tromperait pas un enfant de douze ans, mais ce genre de pensée ne résiste pas à cinquante kilomètres de course.* » C'est que son optimisme conquérant découvre bien vite dans la compétition un avatar de la seule activité humaine qui vaille la peine d'être vécue, la « *lutte contre la nature* »[65]. Abruti et charmé à la fois par la foire qui entoure l'épreuve, il aperçoit clairement la force mythique de la Grande Belle, et combien elle « *apporte aux populations oubliées une bande de nouveaux dieux, les dieux des machineries urbaines, de l'économie domestique et de la mythologie sportive* ». Du bon usage philosophique du Tour de France.

D'autres pérégrinations ont pour prétexte ses fonctions de chroniqueur international. La mort de Nizan et l'enfouissement de son dernier livre nous privent à tout jamais de la transcription romanesque de cette expérience renouvelée d'un certain néant diplomatique. Seules quelques confidences de Rirette, quelques rares lettres nous permettent de goûter encore aujourd'hui le suc de ces agitations élégantes et vaines, à la veille du plus grand drame collectif que l'humanité ait jamais connu jusqu'à présent. Une carte de Varsovie, datée du 5 décembre 1937, ouvre de brefs aperçus sur ce que pouvait être une dernière tournée diplomatique (celle du ministre des Affaires étrangères du Front populaire, Yvon Delbos) à travers l'Europe centrale, un an avant Munich, et sur le jeune homme sarcastique et nonchalant qui, dans son coin, contemplait sans mot dire, mais en n'en pensant pas moins, la comédie européenne : « *On a des conversations et des réceptions où mon absence de décorations me fait comme je le prévoyais remarquer. En général on est vertueux, à part quelques-uns qui courent la gueuse. Mais mon genre est plutôt la conversation historique et élevée et l'exploration du pays en compagnie des correspondants du* Temps *et des* Débats. *Dans l'ensemble, les faux-monnayeurs et les faux témoins ont la partie belle. On fait avec eux des déjeuners excellents, pleins d'une politesse sifflante et d'une cordialité à cran d'arrêt.* »[66] Sur le fond, l'observateur comprend bien vite que, si grande politique il y a quelque part, elle se fait sans eux, qu'on « *traite comme du Bourgogne* », et dans les bras desquels les services de renseignement polonais ou roumain jettent de belles étrangères, tout comme dans un film de Vladimir Volkoff ou une chanson d'Hanka Ordonowna.

Univers d'Albert Cohen ou univers de Paul Morand, Nizan, pipe de bruyère au bec, sait rester égal à lui-même, surtout le jour où, à sa grande satisfaction intime, il reçoit par courrier, en tant que participant au voyage de Delbos, la seule décoration que ce bolcheviste reçût jamais, y compris à titre posthume, celle d'officier de l'ordre de Saint Sava (royaume de Yougoslavie)[67]. Son allusion aux « faux-monnayeurs et faux témoins » montre assez que le mauvais esprit n'abdiquait pas.

Deux ou trois textes, parus à l'époque, nous conservent ce ton de fantaisie critique, genre rare et difficile s'il en est, et d'autant plus que les objets retenus paraissent plus futiles : coquetèle d'ambassade (« La brillante soirée du Quai d'Orsay »), enterrement d'un roi (« Les funérailles anglaises ») [*cf.* Annexes, p. 260], couronnement d'un autre (la série d'articles sur l'intronisation de George VI, en mai 1937) pour lesquels il est accompagné par un jeune photographe de *Ce Soir*, un ami nommé Henri Cartier-Bresson.

L'ancien dandy s'y laisse parfois aller à une sorte de préciosité malicieuse : « *On ne reconnaissait point, hier soir, le Quai d'Orsay, promu à la dignité de palais royal, transfiguré par les feux blancs des projecteurs, par les reflets des plumages d'eau qui retombaient dans la Seine noire le long des berges du cours la Reine : le petit jardin du ministère avait pris, à travers les illusions de la lumière, les dimensions d'un parc où quelques académiciens nonchalants jouaient un rôle végétal, paraissant soudain assortis aux parterres, aux arbres comme des buissons de Macbeth.* »

Mais c'est pour retomber aussitôt à pieds joints dans la vulgarité bon enfant de l'Old Merry England, la misère triste et digne des chômeurs du Pays de Galles, ou la fatuité d'un riche : « *Un commandeur de la Légion d'honneur portait une étonnante croix de diamants, une dame lui dit :*

– Ah ! cher ami, vous avez une ravissante cravate.

– Oh ! dit-il, c'est un bien de famille. Les 10 000 ouvriers de mon père ont donné chacun 5 sous pour elle.

Ce mot eût plu à Marcel Proust, mais il n'y avait, hier soir, pour représenter la littérature mondaine, que M. Maurois qui se trouvait alors dans un autre salon et qui n'eût rien fait de ce mot trop cruel, s'il l'avait entendu. »[68]

Le petit chef-d'œuvre du genre tient sans doute dans les quelques lignes qui, au détour du récit des « Funérailles anglaises », croquent le passage de la veuve de George V pleurant son royal époux : « *Dans son carrosse de glaces, la reine Mary, immobile sous des étoffes noires, un parapluie à bec courbe dans la main : les femmes la regardaient avidement pour voir la douleur d'une reine : justement, elles ne voyaient rien, elles se rejetaient en arrière. Ce n'est pas une femme qui passait, c'était peut-être la Reine de Cœur ou plutôt la Duchesse qui allait ouvrir la portière du carrosse, s'écrier : "Vous n'en savez pas lourd".* »[69]

Autant d'exemples qui vont à l'encontre du lieu commun paresseux selon lequel l'écriture incisive, à la fois légère et cruelle, serait l'apanage des écrivains de droite, comme si, d'ailleurs, autant que de Morand et de Lewis Carroll, ce Nizan-là ne pouvait pas se réclamer de Mirbeau ou de Jules Renard.

On aimerait quitter Nizan là, dans ce quelque chose qui ressemble tant à du bonheur. Le temps de Quiberon est revenu, quand « *il faisait assez beau pour qu'on pût s'endormir sans défiance* »[70]. On l'imagine, au temps de *L'Huma*, rêvant dans la rue devant ces grands navires bourdonnants, illuminés, que sont les bâtiments des grands quotidiens, au plus profond de la nuit. Il est de ces contrées où « *quand le vent vient du nord l'odeur du papier se mêle aux odeurs de fruit qui arrivent le long de la rue Montmartre depuis la porte Saint-Eustache* »[71]. On le voit, on le sait goûtant le parfum de l'encre fraîche, le cliquetis des linotypes, la fraternité des camarades, travailleurs manuels et intellectuels sur le même chantier, comme il l'avait rêvé. Dans son appartement de la rue Méchin, la seule illustration remarquable est, dans l'entrée, la photographie d'un vieux typo à son marbre, comme un rappel constant du sens de son combat.

Bien sûr, il y a l'impénétrable Aragon, le mol Moussinac, la mort de Vaillant-Couturier, celle de Gerda Taro, mais il y a aussi Gabriel Péri, aux élégances d'aristocrate, Jean Bruhat, toujours fidèle, Henri Cartier-Bresson. Bien sûr, il y a ce rythme harassant et l'œuvre romanesque qui n'avance pas si vite, mais il y a l'Interallié 38, *La Soirée à Somosierra* qui germe et le petit camarade qui promet. Bien sûr, il y a la guerre d'Espagne et Munich, il est bien placé pour le savoir, mais il y a les disques de Kurt Weill et de Sophie Tucker, les personnages de la Commedia dell'arte genevoise, Rirette plus exubérante que jamais, Pat et Bonnette qui ont passé « l'âge de raison ». Il faut imaginer Fabrice heureux. Et tué à Waterloo.

L'Ankou

« Nuit. Ô tribunal de la nuit, toi qui fus,
qui seras, qui es, j'ai été ! J'ai été ! »
(*Les Séquestrés d'Altona*)

Contemplez l'homme comblé : mari, père, militant, journaliste, écrivain. Mais il a tout misé sur un absolu, et les absolus ont tout du château de cartes. Le jour où l'édifice savant et dérisoire s'effondrera sous ses yeux, il ne lui restera plus qu'une carte en main, quelque chose comme la dame de pique. En Bretagne la mort ne surprend jamais tout à fait sa victime. Le vieil homme de l'Ankou s'annonce toujours dans le lointain au bruit de sa charrette grinçante dans les chemins défoncés. La mort personnelle de Nizan, qui l'avait frôlé à l'orée de sa vie adulte, le lendemain même de son mariage, s'était éloignée. Pas seulement dans sa présence physique, celle que la médecine, faute de mieux, tente de maîtriser en la baptisant de noms grecs, mais aussi dans sa musique entêtante. Ce fut au moment où le plaisir de vivre fut plus que jamais à l'ordre du jour qu'elle fondit sur lui, à grands tours de roue.

Le corps défendant

L'Ankou est le principal personnage des écrits de Nizan. Être de raison, il circule au travers de ses notes d'étudiant, où Kierkegaard donne la réplique à Stavroguine, où Heidegger n'est invité que pour parler d'elle : « *Provisoirement, le fait de l'angoisse est primitif ; elle me donne dès que je la réfléchis une certaine évidence de la mort.* »[1] Mais ladite évidence hante surtout les romans, lieux de l'incarnation. Physiquement,

173

elle doit beaucoup à la septicémie de 1927. Dans son vécu paradoxal, elle paraît beaucoup moins déchirure, éclatement, que viscosité, enlisement. Dans *La Conspiration*, Philippe rôde autour de ses « *frontières sablonneuses* »[2], Bernard s'enfonce à la fin dans ses « *vases gluantes* »[3]. L'attaque même à laquelle succombe Antoine Bloyé n'est jamais que le dernier serrement d'une asphyxie continue. La mort la plus visible, la plus clinique, la plus directement atroce est celle de la Catherine du *Cheval de Troie*. Pourtant elle s'y englue, elle aussi, seule, lentement, dans une lente dérive entre deux draps poisseux de sang qui sans cesse coule de son ventre crevé. « *La mort n'arrive pas comme un être visible qui fait hurler les chiens. La mort est une présence.* [...] *Il était impossible de fuir puisqu'elle était partout, transparente, irrespirable, ce n'était pas un combat où on est poursuivi, où on peut fuir, se cacher, agir, c'était une prison dont le volume diminuait.* »[4]

À peu de choses près, ce fut la sienne, à Recques sur Hem. Mais elle fit hurler les chiens.

Comme tout le monde, il était incapable de parler de la mort. Il se contenta d'en faire le fil rouge de toutes ses œuvres, depuis *La Complainte du carabin...* jusqu'à *La Conspiration* dont les héros sont des jeunes gens, et « *personne ne pense avec plus de constance à la mort que les jeunes gens* »[5]. Sur le trajet entre les deux figurent pêle-mêle les pages d'*Aden Arabie* hantées par la mort violente vers laquelle s'acheminent l'humaniste, l'Européen et l'Homo economicus, ou la feuille volante, gracieuse et sarcastique, des « Funérailles anglaises » – et la structure même des trois romans. La veillée funèbre est une figure récurrente de la trilogie. Celle de Jaurès est, dans *La Conspiration*, l'occasion de la première rencontre des héros avec la vraie vie, la politique. Celle de Paul domine le dernier chapitre du *Cheval de Troie*, suscite le chœur parlé des militants confrontés à la grande interrogation dont dépend tout leur combat. Quant à *Antoine Bloyé*, ce n'est, dans son architecture, qu'une longue veillée du père par le fils.

On reconnaît un héros nizanien de quelque conséquence à ce qu'il est tôt ou tard confronté, affronté à la mort. Il n'est pas nécessaire de finir par en crever pour cela. Les deux grands survivants de *La Conspiration*, Pluvinage et Laforgue, en sont comme pénétrés jusqu'aux os. Chez le premier, et c'est là tout son drame, la présence est constante depuis le début. Il bat tous les records, c'est presque une caricature : fils d'un « *chef de bureau des inhumations à la direction des affaires municipales et du contentieux* », il est élevé dans la société des « *fonctionnaires de la mort et de l'agonie* »[6]. Au-delà d'une fatalité, toujours récusable, de petit-bourgeois, il traîne après lui comme un parfum de mort, tout à fait (méta)physique. Après avoir tué en lui le militant sauvé, sa vie ne sera effectivement plus qu'une longue agonie. Philippe, lui, se contente d'être un instant terrassé par un mal tout corporel. Il en sort comme d'une diète, prêt à dévorer la vie à belles dents. Un fait exprès : c'est son créateur qui, alors, mourra.

Avec la mort réussie-ratée de Rosen, la synthèse proposée par *La Conspiration* ressemble à une solution médiane entre celles présentées par les deux premiers romans. Dans *Antoine Bloyé*, les trois morts se placent dans le désordre d'un univers privé de sens : Antoine, bien sûr, mais aussi Marie, petit être lancé dans la vie par erreur, anéanti trop tôt ou trop tard, et à l'autre extrémité le grand-père, Jean-Pierre Bloyé, éteint dans l'humilité des pauvres, au lieu-dit La Châtaigneraie, là-bas, à l'écart. Dans *Le Cheval de Troie*, les deux morts finales forment deux liens qui se nouent dans une même problématique non plus surimposée par un regard extérieur, mais parlée, rendue explicite par les militants de la cellule. Par-delà leur apparente solitude, ces deux morts sont assumées par une communauté, elles la renforcent même. Ainsi sont-elles l'exact opposé de la communauté bourgeoise des professeurs du lycée : « *Ils savaient qu'ils mourraient et la mort était visible de loin comme un monument au fond d'un parc. Ils ne tiraient aucune conclusion de ce savoir.* »[7]

Pourquoi faut-il que le mauvais esprit de Nizan ajoute aussitôt : « *Personne n'en tire rien* », ce qui paraît en contradiction avec la fin du roman ? Et l'on ne s'en sortira pas en supposant un jeu de mot sur « conclusion » : les militants concluent bel et bien. Non, il faut postuler la contradiction. Elle explique, du coup, l'économie mortuaire de *La Conspiration*. Plus de convergence forcée. Sans retourner à l'insensé du monde antérieur au salut, Nizan va disperser la résolution du problème entre des êtres qui, chacun, s'en viennent sur le devant de la scène et disent leur mot de la fin. Total : un ou deux sauvetages, Carré et, en pointillé, Laforgue – mais le premier a, sciemment, moins de force romanesque que le second – ; deux ou trois ratages, nommés Rosenthal, Pluvinage, bien sûr, mais aussi Régnier.

On ne saura jamais si *Somosierra* allait encore modifier cet équilibre. La mort a fait de celui-là le dernier auquel Nizan se soit attaché. On est d'autant plus disposé à lui conférer une importance décisive qu'il est en exacte correspondance avec tout le discours explicite que l'auteur superpose à cette présence de la mort pour l'exorciser. D'un mot Nizan, qui a eu le temps d'entendre de son vivant les premières accusations de « pessimisme », a répondu : « *Je ne suis ni amer, ni déses-péré, ni pessimiste ; je suis tragique.* »[8]

Au défi du néant il pourra donner des réponses directement compré-hensibles, politiques, « concrètes », quoi, tout en sachant fort bien que si elles lui sont nécessaires, elles ne sont nullement suffisantes. Il proclame que lutter pour construire un barrage est déjà une victoire sur la mort, puisque victoire sur la dégradation de l'énergie. Il dit, de multiples façons, que plutôt que de louvoyer avec la mort (Régnier : « *Personne n'accepte son destin, mais on s'arrange* »[9]), en pure perte, il vaut mieux se mesurer avec elle. Être militant, cela devient chez lui prendre les dimensions de la mort, et la reconnaître pour plus petite qu'elle ne paraissait au début. Le tout est de reconnaître l'*espèce* de la mort, comme à la fin du *Cheval de Troie*, à l'instar d'un zoologue. Le reste est affaire de science prolétarienne, de Gosplan, jusqu'au jour où « *il n'y aura plus de morts dont les hommes soient coupables* » : « *quand les hommes ne se battront plus, il sera toujours temps de se battre contre ce qu'on appelle le destin* »[10]. Une phrase du film *Tchapaïev* le ravit : « *Et alors la vie sera tellement belle qu'on n'aura plus besoin de mourir.* » Mais il est assez lucide pour deviner en ses propres emballements la part de comé-die assumée. Dans *Le Cheval de Troie* même il note, en passant : « *Il y a des gens qui pensent* [à la mort] *plus souvent que les autres : ils naissent ainsi* […]. *Ensuite on guérit, on se reprend à exister comme si on était éternel, on joue le jeu qui consiste à esquiver la mort, on prend des remèdes et on suit des régimes et on a des passions.* »[11] Les amateurs de jeu de mots peuvent méditer, comme de bien entendu, sur l'avant-dernière proposition…

Quoi qu'il en soit, il peut dès lors aller plus loin, jusqu'au bout du tra-gique, qui est d'essence corporelle. Rirette, la corporelle, l'a bien vu, qui dira, une quarantaine d'années plus tard : « *La révolte de Nizan, avant d'être filtrée par l'intelligence, passait d'abord par son corps.* »[12] Certes, il est effrayé par la mort – comme il le dira dans *La Conspiration*, pour ne pas l'être, il faut vraiment manquer d'imagination –, mais il n'est pas tué par elle, il ne se suicide pas, comme Rosen. Au pire, il fera comme Régnier : « *retarder la mort par la fureur* »[13]. Au mieux, il postulera qu'« *on ne se défend contre la vie qu'en la vivant* »[14] et que « *l'homme ne vit que pour nier la mort* »[15].

Ce qui fait de cet écrivain du tragique un être d'exception, c'est qu'au lieu de terminer ministre tragique ou académicien tragique, il va s'anéantir dans un cataclysme d'absurdités. Il avait craint la mort aux « *heures injustes* »[16] : ce fut la sienne ; il avait conclu *Aden Arabie* sur un beau programme de vie : « *L'homme attend l'homme, c'est même sa seule occupation intelligente* »[17] – et l'homme l'attendait, inintelligent, pour le tuer. Ainsi que le veut l'expression populaire, il l'avait cherché.

Mais encore faut-il voir là ce qui compte : ce prétendu obsédé de la mort, cet homme des migraines ophtalmiques et des prémonitions, mais aussi cet homme gai, ce père attentif, cet amant jaloux dont parle Rirette, il fallut se mettre en quatre pour l'achever. L'alliance des deux grands méchants loups 1939, Hitler et Staline, ne suffit même pas. Elle le laissa comme étourdi, mais il n'en mourut pas. Pour tuer ce corporel intelligent, l'histoire eut besoin de s'armer d'un fusil, de s'accompagner de tanks et de Stukas, de se costumer en guerre mondiale.

Lumière d'été

Drôle d'été, pour une drôle de guerre, que celui de 1939. À feuilleter les souvenirs que nous ont laissés les artistes, les intellectuels, les hommes politiques contemporains, on découvre une France surprise en plein soleil, attablée devant une orangeade ou un pastis, par la nouvelle qui, aux yeux de tous, signifiait en langage clair : « la guerre dans les huit jours » : le Pacte. Des noms bucoliques fleurissent alors, décor fixé pour l'éternité des mémoires. Ces lieux de l'angoisse et de la mort qui marche s'appellent Beaulieu-sur-Dordogne, où l'ami Malraux se prépare à « descendre » avec Josette Clotis, Porquerolles, où l'ami Marcel Duhamel se repose entre deux tournages avec Prévert, Lorrey des Hautes-Pyrénées, où, dans sa maison natale, le camarade Jacques Duclos aime à venir refaire ses forces, non loin de la villégiature des Politzer.

Un après-midi du mois d'août, Sartre et Simone de Beauvoir, qui, eux, se disposent à partir pour Juan-les-Pins, sont assis à la terrasse du Brûleur de Loups sur le Vieux Port de Marseille. Un jeune père de famille passe devant eux, dans la lumière, portant sous le bras un énorme cygne en caoutchouc. C'est Nizan, qui s'embarque le soir même pour la Corse avec Rirette et les enfants. Là-bas l'attendent Danielle Casanova et son mari Laurent, avocat communiste, qui est surtout le secrétaire particulier de Thorez. Les quatre Nizan passeront le mois d'août à Porto, dans le petit hôtel tenu par la famille Perrini. Paul-Yves, d'ordinaire si réservé, est euphorique : le chroniqueur diplomatique de *Ce Soir* peut le révéler à ses amis : le pacte tripartite France-Royaume-Uni-URSS, négocié depuis si longtemps, est imminent. « *L'Allemagne sera à genoux !* »[18] La vie est belle. Les enfants grandissent au soleil. Le Vieux Port ressemble plus que jamais à un décor de Pagnol. Dans trois ans, il sera rasé à coups d'explosifs. Nizan s'éloigne, son cygne sous le bras. Dans un an, Rirette et ses enfants s'embarqueront dans cette même ville de Marseille pour fuir la Gestapo, le fascisme triomphant. Mais sans lui.

L'« affaire Nizan » n'a pas d'épaisseur. Elle tient tout entière dans un texte de cinq lignes, celui de la lettre qu'il adressera en septembre 1939 à Jacques Duclos, vice-président de la Chambre des députés, et qui parut dans le quotidien *L'Œuvre*, daté du 25. Avant, il y a des faits, aujourd'hui assez clairement mis en ordre, qui appartiennent au même degré à l'histoire universelle et à l'histoire de chacun des protagonistes. Après, jusqu'à sa mort, il n'y a plus que des rumeurs, des interrogations, des manœuvres. Ce que certains appellent de la littérature.

Commençons par les faits. Le pacte de non-agression Hitler-Staline est l'acte de décès de la diplomatie de sécurité collective anti-allemande. On saura plus tard qu'y était d'ailleurs adjointe une clause secrète réglant à l'avance le dépeçage de la Pologne. Il est annoncé au monde par une dépêche DNB datée du 22 août, tard dans la soirée, et signé à Moscou le lendemain. À la direction du Parti communiste français, la surprise est totale. Péri s'enferme dans son bureau de *L'Huma*, et dans le mutisme. Duclos et Thorez, absents de Paris, rentrent dans l'après-midi. Aragon, lui, est sur place depuis le début. Ses vacances, il les a prises en juillet, aux États-Unis. Dans le numéro de *Ce Soir* daté du 22, il écrivait encore : « *Gare aux capitulards !* », appelait à la signature du pacte tripartite. Le 23 (numéro daté du 24), il peut déjà titrer dans la précipitation : « *L'annonce du pacte de non-agression fait reculer la guerre.* » Les textes aragoniens de cette période se réduiront ainsi à une série de proclamations haut perchées, paroles d'un croyant martelées, dans une contradiction croissante avec la réalité environnante. Le dernier numéro du journal, qui sera saisi, lui permet d'affirmer encore : « *C'est, comme on l'a dit, un pacte de non-agression et non pas de prime à l'agression. Il ne suppose pas l'abandon de la Pologne.* »[19] Son collaborateur Nizan, rentré à Paris, ne signe aucun texte.

Le désarroi est profond dans les rangs. Vingt-deux parlementaires, sur soixante-quatre, vont solennellement rompre avec le Parti dans les premiers mois du conflit, suivis de nombreux responsables locaux[20]. Investis de mandats électifs politiques ou syndicaux, ils sont implicitement mis en demeure de choisir. Les militants de base, les intellectuels, eux, ont la solution de se taire. La censure, établie le 27 août, la mobilisation générale, décrétée le 1er septembre, le vote par la Chambre des crédits de guerre le 2, leur donnent de bonnes raisons pour ne rien dire. Pour peu qu'ils aient ainsi fait les morts, intellectuellement ou pratiquement, pendant un an ou un peu plus, le Parti n'aura aucun scrupule à reprendre contact avec eux vers la fin de 1940 ou, *a fortiori*, au lendemain de l'offensive d'Hitler contre l'URSS. Jamais l'historiographie du mouvement ne les présentera comme ayant failli à l'heure du danger.

D'autres regimbent un peu. Jacques Sadoul, qui peut se targuer à meilleur droit que tous les autres du titre de « compagnon de Lénine », va jusqu'à adresser, le 24, une lettre, toute symbolique, à Staline, lui demandant de préciser aux communistes français « *la signification et la portée* » du pacte. Quelques compagnons de route ont un sursaut à la 1914. Le 31 août, le vieux Paul Langevin, accompagné d'Irène et Frédéric Joliot-Curie, signe un manifeste « *réprouvant la duplicité dans les relations internationales* », où se trouve dénoncée en termes vifs la « *volte-face* » soviétique. Tous les trois adhéreront pourtant par la suite au Parti, qui ne leur ménagera pas l'encens.

C'est sur le chemin du retour, à Ajaccio, que les Nizan et les Casa ont appris, par la presse, la nouvelle du pacte. Le bateau et le train les contraignent à une remontée lente sur la capitale, lieu des explicitations, des dénouements. Après l'invasion de la Pologne, Paul-Yves évoquera incidemment « *les inquiétudes qu'on pouvait avoir en Corse* », désormais confirmées[21]. Mais s'il s'en est, sur le coup, entretenu avec Rirette, le voici maintenant qui garde le silence, le visage décomposé. S'il faut en croire Sartre et Simone, une évidence, écrasante, vient de tomber sur lui : ses camarades, certains d'entre eux en tout cas, *savaient*, et ne lui ont rien dit. Ainsi tout, ou presque tout, n'aurait été que duperie, à commencer par la fraternité au sein de laquelle il avait cru avoir vécu douze années durant.

Ce Nizan sartrien rappelle un peu trop le Hugo des *Mains sales*. Il paraît plus conforme à l'être angoissé qu'avait connu le cothurne de 1925 qu'à l'adulte de 1939, qu'il n'a jamais revu. Rirette, quant à elle, le nie, et aucun texte, effectivement, n'en fait entendre la voix. Supposons cependant qu'il ait existé ; ce ne sera certes pas pour en dire l'incompréhension. Assurément, sur le court terme, il se serait trompé : de Thorez à Aragon, chacun dans le Parti a été aussi surpris que lui, on le sait aujourd'hui ; mais sur le sens général de l'affaire, non : il n'aurait fait, après tout, qu'anticiper sur l'attitude qu'adopteraient prochainement à son égard plusieurs de ses plus proches camarades. Ce doute improbable est ainsi à l'image de tout ce qui va suivre : Nizan se révélera d'autant plus lucide qu'aux yeux de ses contemporains de gauche et de droite il s'enfoncera plus avant dans la solitude.

L'essentiel est encore à venir. Dans une lettre datée du 22 septembre, Nizan lâche une phrase qu'il est sans doute nécessaire de retourner en tous sens : « *Il me semble que j'avais raison de penser, il y a un mois, à des perspectives de reconstruction.* » Il ajoute donc son propre témoignage à celui (malveillant) de Thorez, quelques mois plus tard. S'il faut en croire ce dernier en effet, le chef de rubrique de *Ce Soir* aurait proposé à ses camarades, au lendemain de l'interdiction de la presse communiste, prononcée le 25 août, de poursuivre l'affirmation de la voix du Parti, toujours légal, au travers de certaines feuilles « bourgeoises ». Peut-être, si les faits sont exacts, pensait-il plus précisément à *L'Œuvre*, seul quotidien de la gauche indépendante, où Andrée Viollis avait ses entrées.

Le plus important, le plus scandaleux aux yeux des thoreziens, n'était pas là : la proposition de Nizan s'accompagnait, semble-t-il, d'une définition sur le fond du discours communiste ainsi véhiculé : ce que Thorez traduira sept mois plus tard, par « *l'idée d'un communisme national, c'est-à-dire communiste en paroles et nationaliste en fait* »[22]. Le plan de participation à la presse bourgeoise fut enterré, et se trouva de fait bientôt annihilé par la mobilisation des principaux responsables de la presse communiste. L'idée d'un communisme national, par contre, intransigeant sur le social mais indépendant de Moscou, aurait dû rallier des hommes qui venaient de proclamer : « *Tous contre l'agresseur ! Tous les Français comme nous* [...] *feront leur devoir de patriotes pour le rétablissement du droit international.* »[23] C'était, de la part de l'ancien employé de *Littérature internationale*, se méprendre singulièrement sur les intentions du Komintern. Tant que celui-ci n'eut pas fait connaître clairement ses directives, la lutte anti-hitlérienne put justifier le ralliement à la politique de défense nationale, le vote, par exemple, des premiers crédits de guerre par le groupe communiste de la Chambre. Mais dès que les nouvelles consignes, cette fois de lutte « anti-impérialiste », tournées en priorité contre « la City », commenceront à être connues des dirigeants, vers la fin septembre, tout militant en vue qui, non content de ne point s'y rallier, manifesterait publiquement sa défiance à l'égard de Moscou, se transformerait *ipso facto* en renégat, traître ou pire encore.

L'article de la mort

Dans les jours qui séparent l'interdiction de *Ce Soir* de son départ pour les armées, Paul-Yves sera sans doute le membre du Parti le mieux informé de la conjoncture internationale. Les archives de Rirette conservent encore un lot de coupures de presse de ces jours-là, qui témoigne de l'étendue de sa quête documentaire, en particulier auprès de la presse anglaise. Dès son retour à Paris, il avait eu de longs entretiens avec le grand journaliste britannique Alexander Werth, qui témoignera plus tard[24] de son état de complet abattement.

La méditation personnelle du militant atteindra son point de maturité aux environs du 19 septembre. Tout, une fois de plus, est affaire de chronologie. C'est en effet aller un peu trop vite en besogne que de dire, comme on le fait communément, que Nizan démissionna à cause du pacte germano-soviétique. Il faut dire : Nizan, ébranlé par la signature du Pacte et la déclaration de guerre, démissionne du Parti, toujours légal, quand il apprend l'invasion de la Pologne par les troupes soviétiques. On aura saisi la nuance.

Cette hypothèse est confirmée par les dates : l'invasion soviétique (et non allemande) commence le 17 septembre. Les journaux français en rendent compte le 18. C'est le 19, nous le savons par une allusion dans une lettre du même jour à Rirette, qu'il adresse deux messages, l'un à Georges Mandel[25], qui n'a pas été retrouvé, l'autre à Geneviève Tabouis, qui sans doute accompagne ou annonce le texte que va publier *L'Œuvre* du 25 (Mme Tabouis ne semble pas avoir conservé trace de cette correspondance dans ses archives). Ironie philosophique : le texte fatal est publié ce jour-là, en page deux, à côté de l'article annonçant : « Sigmund Freud est mort ». On laissera aux psychanalystes le soin de commenter ce hasard objectif, et l'on se contentera de reproduire *in extenso* cette unique pièce du « dossier », dont le texte d'accompagnement est sans doute de Geneviève Tabouis :

M. PAUL NIZAN
QUITTE LE PARTI COMMUNISTE

M. Paul Nizan, ancien élève de l'École Normale Supérieure, agrégé de l'Université, qui assurait au journal Ce Soir *la direction des services de politique étrangère, vient d'adresser à M. Jacques Duclos, vice-président de la Chambre, la lettre suivante :*

« Je t'adresse ma démission du Parti communiste français.

« Ma condition présente de soldat aux armées m'interdit d'ajouter à ces lignes le moindre commentaire. »

M. Paul Nizan a publié de très nombreux ouvrages politiques et littéraires.

Son roman La Conspiration *a obtenu le Prix Interallié en 1938. Il a publié encore d'autres romans :* Le Cheval de Troie *et* Antoine Bloyé.

Son dernier livre politique Chronique de septembre *a obtenu un grand succès.*

M. Paul Nizan est aussi l'auteur d'ouvrages d'érudition, Les Matérialistes de l'Antiquité *et* Aden Arabie.

N'épiloguons pas sur *Aden Arabie* transformé, après sept ans, en « ouvrage d'érudition », si ce n'est pour y trouver une preuve de son faible écho, et un sarcasme supplémentaire du sort. Constatons simplement que les fameux commentaires auxquels se refusait le soldat, les civils et les déserteurs ne manqueront pas d'en faire abondamment. Celui de Rirette, quarante années plus tard, est peut-être le meilleur : « *Il a agi, comme toujours, avec la dignité et la réserve qui lui étaient propres. Avec aussi cette petite nuance de hauteur qui faisait partie de son caractère.* »[26]

Contrairement à ce qu'a pu laisser croire la polémique ultérieure, nous disposons d'assez de textes de Nizan pour savoir avec précision la perspective intellectuelle et politique dans laquelle se situait cette publication. Pour l'essentiel, il s'agit de ses cinq lettres à Rirette datées des 21 et 22 septembre, 22, 24 et 30 octobre[27]. Deux d'entre elles sont demeurées à ce jour inédites *in extenso*. Résumons aujourd'hui, pour la première fois, cette argumentation :

1. Il n'est nullement question de juger la politique présente de Staline en termes moraux : « *Ce n'est pas parce que je croyais "mal" de la part de l'URSS son accord avec Berlin que j'ai pris la position que j'ai prise* » (22 octobre).

2. Les Soviétiques sont dans la situation des Prussiens après Iena : ils signent avec le Diable pour gagner du temps et renforcer leur potentiel militaire. Car la guerre sera longue, et un jour réellement mondiale, alors qu'elle n'est jusqu'à présent qu'occidentale. Et, ce jour-là, Hitler et Staline seront dans des camps opposés. Nizan développe le parallèle dans sa lettre du 30 octobre, à dessein obscure – il y mentionne pêle-mêle, en bon normalien, Charles XII, Stein, Napoléon, Stendhal, Clausewitz, Marx, Lénine… On s'étonne que ses biographes n'en aient pas fait plus

de cas. Ceux qui voudront en prendre connaissance dans son intégrité se reporteront à l'édition Brochier, page 257.

3. En attendant ce jour, les communistes français n'avaient nul besoin de se comporter comme le chien de *La Voix de son maître*. Tout en n'en pensant pas moins, ils n'avaient qu'à jouer la carte du communisme national : ils ont « *manqué du cynisme politique nécessaire et du pouvoir politique de mensonge qu'il eût fallu pour tirer les bénéfices les plus grands d'une opération diplomatique dangereuse : que n'ont-ils eu l'audace des Russes ?* » (22 octobre).

4. Reste son cas personnel. La simple signature du pacte ne l'aurait pas fait rompre avec le Parti. Mais l'invasion de la Pologne orientale est de trop. « *Les affaires de Pologne constituent une application insoutenable de la* real politik » (22 septembre). Bismark et le tsar s'y trouvent réconciliés. Et Nizan de lâcher le nom qui l'obsède plus que jamais : « *Cette histoire est un peu trop dans le style de Dostoïevski* » (21 septembre). Du coup, Staline devient « *Iossip Vissarionovitch* » (30 octobre).

5. Aux yeux de l'Histoire, un communiste aura publiquement dit non à la conséquence du pacte la plus difficile à justifier. Nizan opère ici sur la longue durée. « *Sur le fond, je crois avoir raison : il n'y a que les événements qui me confirmeront ou m'infirmeront* » (22 octobre). Les camarades français « *ont toujours cru à la simplicité des choses, à l'imagerie d'Épinal et aux malices cousues de fil blanc et de fil rouge. S'il y a une chose dont je suis absolument sûr, c'est de la complication. Tout se passe en calculs à triple et quadruple développement. Ils en sont restés à l'arithmétique…* » (24 octobre). « *Attendons l'avenir* » (22 octobre) ; « *quand la mystification aura pris fin, nous nous expliquerons* » (24 octobre).

Ainsi mise en forme, la démarche de Nizan, où se concilient subtilement les exigences de l'impératif catégorique, qui l'ont sans doute emporté en septembre, et celles de la stratégie, qui ont gagné en octobre, apparaît d'une grande rigueur, et justifiée par l'avenir. Deux éléments sont venus perturber cette admirable machinerie : la simplicité même de l'Église, ainsi défiée, qui n'y regarde pas de si près et subodore le danger de cette pensée pensante par trop prospective ; la simplicité, plus grande encore, du destin qui, en dirigeant la trajectoire d'une balle explosive, empêchera Paul-Yves de relier, et dénouer, les fils de sa trame délicate.

Dans l'immédiat, la publicité qu'il a entendu donner à son geste est en tous lieux mal interprétée. Pour les non-communistes, elle a tout d'une conversion à rebours, symétrique de celle de 1927. Chacun d'entre eux alors de rameuter ses anecdotes, de relire la loupe en main ses derniers textes pour discerner les premiers indices. Pourquoi ces interventions si courtes et si peu personnalisées sur les procès de Moscou, sur la liquidation des « trotskystes » et autres anarchistes en Espagne ? Cette façon de terminer tel article sur Dostoïevski par l'affirmation, non contredite, de Berdiaeff selon lequel en Union soviétique le Grand Inquisiteur a fini par triompher ? (Sur ce dernier point, c'est oublier que chez Nizan la figure du Grand Inquisiteur est du côté de la positivité.) Procédés de juge d'instruction, mais qui annoncent la suite, et contraindront les amis de Nizan à se placer sur le même terrain.

Dans ses Mémoires, Simone de Beauvoir évoque une longue conversation qu'elle avait eue, avec Sartre et Nizan, tout un soir de l'hiver 1936-1937, à la brasserie Mahieu, sur le boulevard Saint-Michel. On commençait à en apprendre de belles sur les procès de Moscou : « *Nizan était profondément déconcerté. Bien qu'à l'ordinaire il ne livrât ses sentiments qu'avec prudence, il ne nous cacha pas son trouble.* »[28] Ce témoignage écrit était jusqu'à 1974 unique et rétrospectif. Il se trouve aujourd'hui corroboré par les *Cahiers de la Petite Dame*, à la date du 23 octobre 1936. Gide se dispose à faire paraître la bombe du *Retour de l'URSS*. Il sonde Nizan, dont l'avis lui importe : « [Il] *a déjà parlé à Nizan, qu'il aime bien et qu'il considère comme intelligent, sans bien démêler ce que Nizan pense lui-même [...]. Gide me reparle de Nizan qu'il croit assez ouvert aux critiques de l'URSS, comme instinctivement averti déjà. Il semblerait que dans le Parti le malaise fasse des progrès.* »[29]

Il est difficile cependant de pousser plus loin l'interprétation des signes. L'article de *Vendredi*, si modéré qu'il fût, restait, sur le fond, des plus « orthodoxes », comme le reconnaîtra la Petite Dame elle-même. Si l'effet-Pamir progresse, il ne va pas jusqu'à ébranler les convictions profondes. Car c'est avoir une vision bien simplificatrice de l'homme d'Église que de croire que le doute avance en lui comme une offensive consciente et organisée. L'histoire du stalinisme français de l'après-guerre montre, au contraire, qu'il n'y a pas toujours de lien explicite entre la « révélation » de la faille du système absolutiste et la rupture avec lui. Chez beaucoup de croyants, le doute fait d'ailleurs partie intégrante de la croyance ; chez Nizan, il en a toujours été une des composantes, si ce n'est l'un des moteurs. Il gît même dans *Le Cheval de Troie*, roman de foi s'il en fut, où Bloyé évoque ces « *heures de fléchissement de la solitude, de la nuit et de lui-même* » où se dresse fugitivement devant lui la perspective d'« *un monde sans issue* »[30]. De cette énergétique du doute témoigne très bien la fameuse profession de foi de Carré, dans laquelle on n'a jamais voulu voir que le verre à moitié plein du fanatique : « *Il est vrai que tel jour, telle nuit, j'ai pu me dire : le Parti a tort, son appréciation n'est pas juste. Je l'ai dit tout haut. On m'a répondu que j'avais tort, et j'avais peut-être raison. Allais-je me dresser au nom de la liberté de la critique contre moi-même ? La fidélité m'a toujours paru d'une importance plus pressante que le triomphe, au prix même d'une rupture, d'une de mes inflexions politiques d'un jour. »*[31]

Que le démissionnaire ne fût pas transformé pour autant en renégat, les agents du gouvernement Daladier en firent l'expérience, à leurs dépens. Témoin l'anecdote suivante. Les Nizan avaient connu, avant la guerre, une certaine Madeleine Leverrier, égérie de second rang de la République. Lors de la première permission de Paul-Yves, elle l'invita avec Rirette. Elle ne leur avait pas dit qu'elle avait aussi convié un collaborateur de Giraudoux à l'Information, M. de Fels. Il ne leur fallut pas longtemps pour comprendre ce qu'on allait proposer au communiste « repenti ». Laissés un instant seuls, ils n'eurent qu'un mot : « *Ça commence...* » Ils ne pensaient pas si bien dire. Nizan, comme il se doit, refusa le marché. « *Chère amie, vous m'avez fourvoyé* », lancera à mi-voix de Fels, en prenant congé de son hôtesse. S'ils avaient deviné ce qu'on commençait à chuchoter parmi leurs propres anciens camarades, les Nizan auraient pu citer Mme Leverrier et M. de Fels comme témoins à décharge.

Car les juges d'instruction communistes étaient désormais en chasse. Selon le degré de colère ou de mauvaise foi qu'ils y mirent, l'inculpation allait connaître deux degrés. Au plus ordinaire figure le simple reproche touchant à la publicité donnée à la rupture : dissolution mesquine de la solidarité, abandon de poste, lâcheté peut-être ? Selon le témoignage de Raymond Aron[32], qui le poussait à prendre publiquement position contre le Parti, Malraux répondit : « *Je ne dirai, je ne ferai rien contre les communistes tant qu'ils seront en prison.* » L'argument ne vaut pas pour Nizan. D'abord parce que le 19 septembre les communistes ne sont pas « en prison », que le Parti est toujours légal, alors qu'en Pologne la liquidation des opposants a déjà commencé. Surtout parce que Malraux, précisément, n'est pas communiste. Le camarade Nizan, lui, a d'autres exigences, et une tout autre responsabilité : « *J'ai rendu mes comptes aux camarades d'ici, qui me semblent plus importants que les bureaucrates dans un bureau de la rue Racine*[33], écrit-il du front à Rirette, *et les camarades d'ici ont approuvé mes comptes. De sorte que je sais mieux que toi que nous ne sommes pas seuls.* »[34] [...] « *Ne faisons pas de sentiments sur le martyre. G.* [= Ginzburger, futur Pierre Villon] *et Léon* [= Moussinac] *me paraissent beaucoup moins martyrs que les hommes d'ici qui coltinent dans la boue des obus de 155 et qui ne les coltineraient peut-être pas si le pacte germano-soviétique n'avait pas été signé à Moscou et approuvé ailleurs.* »[35]

Le deuxième chef d'accusation est d'un autre style. Il tient dans le glissement typique par lequel on va transformer un protestataire en renégat – ce que ne fut jamais Nizan, puisqu'on ne lui connaît aucune prise de position publique *contre* le Parti – et de renégat en traître, passage du clair à l'obscur bien connu des inquisitions : le félon se nomme, se déclare, se targue ; le traître, au contraire, tend à l'obscurité perpétuelle. Il s'agira donc de retrouver dans les faits et écrits antérieurs de l'accusé les indices non plus cette fois, comme dans le camp d'en face, d'un doute, mais d'un double jeu. Le seul fait présentable sera le court passé valoisiste. Les textes, par contre, ont toujours eu une autre docilité. Il suffit d'isoler de leur contexte tous ceux qui glosent sur le thème de la trahison intellectuelle. La dernière phrase des *Chiens de garde* ouvre le feu : « *Les philosophes d'aujourd'hui rougissent encore d'avouer qu'ils ont trahi les hommes pour la bourgeoisie. Si nous trahissons la bourgeoisie pour les hommes, ne rougissons pas d'avouer que nous sommes des traîtres.* » Suivent, romanesquement, le passage au fascisme de Lange, Pluvinage le dénonciateur, et toute la problématique d'*Antoine Bloyé* ; ajoutons Dicéopolis en prime. Autant accuser Balzac et Alexandre Dumas d'être des agents du Grand Orient, sous le prétexte que leur œuvre est hantée par l'histoire cryptique et le mythe des sociétés secrètes.

Qui trahit, à l'automne 1939 ? Heure de vérité, ce mois de septembre ? Mais pour qui ? Pour qui l'heure du mensonge ? On se gardera bien de répondre à ces questions à la place de Nizan, qui n'a jamais pressenti l'énormité de la calomnie qui commençait à naître. La correspondance du couple nous éclaire quelque peu sur les premiers balbutiements de la rumeur. Tout commence par une carte postale militaire de Rirette, datée du 19 octobre. Comme elle n'a, bien entendu, jamais été publiée, nous nous permettrons de la citer longuement : « *J'ai reçu un drôle de coup sur le crâne parce que je me suis trouvée en face de gens qui m'ont traitée (pas Léon mais Ginzburger) à peu près comme on dut traiter jadis le capitaine Dreyfus, ce qui n'est pas très marrant. Léon m'a dicté mon devoir qui est paraît-il de me désolidariser officiellement de toi, ce qu'à la rigueur j'aurais pu faire (car il est possible que tu aies tort) si tu n'étais pas mobilisé, mais que je ne ferai certes pas, dussé-je en supporter toute la vie les conséquences, simplement parce que tu es toi et que tu es sur le front. [...] Dis-moi si l'on doit donner des gages de son honnêteté et son courage ou bien si on a le droit d'avoir de soi-même une idée assez haute pour dire merde à tout un chacun. Toi, tu as dit merde mais tu es sûr de ta position intellectuelle, moi, je n'ai pour me soutenir (tu connais ma faiblesse dialectique) que ma force morale. Dis-moi ce que je dois faire.* »[36]

La réponse de Paul-Yves est claire : « *Tu n'as aucun compte à leur rendre* [...]. *Les comptes qui seront demandés au retour le seront vraisemblablement à tout le monde. Et puis finalement j'emmerde les poseurs de cas de conscience et je te conseille de faire comme moi.* »[37] C'est avec la même fermeté qu'il répondit, en novembre, à une lettre « *sur le ton douloureux* » d'Andrée Viollis : « *Ne nous troublons pas, sa "fidélité" ne l'empêche pas d'entrer à* Paris Soir... »[38]

Instant fragile où le Nizan en vie croise, sans la reconnaître, sa vie posthume, telle du moins que, pendant vingt années, ses anciens camarades vont s'entendre à la construire. Le plus grave pour la suite est sans doute que, parmi les personnages qui se mettent à girer autour de son destin, figure un homme, Roger Ginzburger dit Villon, dont une polémique[39] a mis en lumière le rôle, discret mais déterminant, qu'il joua au sein du Parti, sans doute dès les années 1920, en relation directe avec le secrétariat de l'Internationale. Les deux derniers textes où Nizan évoque sa démission et ses conséquences, en novembre et décembre 1939, nous laissent deviner les vastes ondes qui commençaient à se former dans l'obscurité de la clandestinité communiste, sans qu'il soit possible de discerner aujourd'hui l'intelligibilité qu'elles pouvaient représenter pour la future victime.

Le premier suit une visite d'André Chamson. Un nom, redoutable, y est prononcé : « [*Chamson*] *m'a appris que des orages s'accumulaient sans doute dans la tête d'Aragon, et m'a appris diverses choses dont il est difficile de parler mais qui confirment absolument nos informations et nos impressions de Paris.* »[40] André Chamson ne se souvint pas, quand je le rencontrai, de la nature exacte desdits « orages » ; on n'en saura sans doute jamais plus. Le second texte, un mois plus tard, rend un son singulièrement amer, qui d'ailleurs disparaîtra par la suite. Il est contemporain de la guerre de Finlande, image supplémentaire de l'ambiguïté du jeu stalinien : « *Toute cette histoire est trop pleine de "destin" pour que je puisse y respirer. Mais enfin je me doutais qu'on me pardonnerait difficilement d'avoir fait connaître publiquement que Staline me dégoûtait et que je n'encaissais pas le pacte germano-soviétique et l'histoire de Finlande* [...]. *Quand tout sera fini, j'ai l'impression que je mériterai enfin, sauf pour toi, la réputation que M L* [= Madeleine Leverrier] *dit que j'ai. Tout le monde dira qu'on ne s'était pas trompé, que je fais voir ma vraie nature ; tel qu'en lui-même enfin...* »[41] Une fois de plus, une dernière fois, Nizan fait preuve d'une singulière prescience de l'avenir et cette fois, du sien. Mais cet avenir volé, il ne sera pas là pour le vivre. « Cette histoire » était, effectivement, trop pleine de destin.

Stendhal aux armées

La rupture avec le Parti appartient au passé proche ou à l'avenir lointain. En attendant, Paul-Yves Nizan est soldat. L'accord Hitler-Staline a surpris les Français en position d'estivants. Aujourd'hui la guerre, ou plutôt l'armée, rompt les couples, disloque les solidarités civiles, déguise les statuts sociaux. L'ex-directeur de l'ex-*Ce Soir* devient le chef de section Aragon Andrieux, 3e Division Légère Motorisée. Le professeur de philosophie du lycée Pasteur, à Neuilly, le deuxième classe Sartre, météorologiste de l'armée de l'air, le commandant de l'escadrille « España », l'engagé volontaire Malraux, DC 41, Ei I. Passant outre à ses infirmités oculaires, aggravées soudainement par le choc, Paul-Yves refuse de se faire mettre à l'abri. Comme il l'écrira plus tard à Sartre, dans sa dernière lettre au petit camarade : « *Nous sommes, toi et moi, parmi les six ou sept écrivains naïfs qui ne sont ni à la Censure ni chez Giraudoux.* »[42]

Après quelques jours passés dans l'Orléanais, pour la transformation en homme de guerre, le deuxième classe Nizan se retrouve le 15 septembre cantonné en Alsace, avec l'état-major du 3e bataillon du 405e régiment de pionniers. Pendant ce temps, les deux compères se partagent la Pologne. L'automne s'achève. Tout est calme sur le front. La neige tombe sur l'Alsace. À Romanswiller, près de Saverne, Nizan, secrétaire du commandant Parmentier, est chargé de tenir le journal des « marches et campagnes » du bataillon. Autant dire qu'il a du temps libre : « *dix minutes par jour* » de travail militaire, tout au plus[43]. « *Ces époques sont parfaitement adaptables à la littérature.* »[44] Les hommes de lettres français auront-ils jamais autant écrit que pendant cette inaction forcée et encasernée de huit mois ? Tout près de là, Brasillach rédige au fil de la plume *Notre avant-guerre*. À Brumath – à une trentaine de kilomètres de Nizan, seulement – Sartre noircit ses carnets d'une sorte de bilan de sa vie, qu'il ne publiera jamais. À Crouy-sur-Ourcq, Aragon compose les premiers poèmes du *Crève Cœur* : « *Je ne suis pas des leurs puisqu'il faut pour en être s'arracher à sa peau vivante...* »

À Romanswiller, *La Soirée à Somosierra* avance donc « *et s'achèvera sauf accident* »[45]. Mais, début décembre, il n'en est qu'au « *deuxième carnet* »[46]. En fait, le rythme de la rédaction passe par les hauts et les bas du moral. Nizan n'a pas la bonne santé de ses confrères. En Orléanais, il jouit encore de l'arrière-saison de cette dernière vie civile : « *Il fait beau et comme disait Claudel des reines-claudes de la Révolution, jamais les mirabelles n'ont été plus belles que cette année-ci.* »[47] En Alsace, il s'offre un peu d'aristocratisme. Il assiste en curieux aux offices protestants et juifs, fait du tourisme à cheval, visite le château des Rohan en mangeant des éclairs. Mais ces bouffées n'ont qu'un temps. Le « *calme insolent* »[48] du début se métamorphose petit à petit en désert des Tartares, en rivage des Syrtes. « *On a un peu le sentiment – trompeur – d'être oublié pour vingt ou trente ans, sans aucune raison apparente, dans ce secteur.* »[49] Il a beau ajouter qu'« *il se passera des choses d'ici-là, vers le printemps* », le printemps est encore loin. Il a beau dire : « *Nous ne sommes pas si vieux que nous ne puissions perdre trois ou six mois* », il se sent trop vite vieillir loin des amis, loin de Rirette.

A-t-il ressenti au début, même fugitivement, l'exaltation guerrière dont il parlait dans *Le Cheval de Troie*, celle qui fait qu'« *il n'y a pas un homme qui ne se réjouisse de tenir une arme dans ses mains* »[50] ? À vrai dire, son arme personnelle, c'est un porte-plume, et puis la suspension dure trop longtemps : « *Ces parenthèses étaient intolérables comme l'accumulation menaçante de silence avant la foudre et il faut que cet orage éclate pour détendre les nerfs des hommes, apaiser la panique des animaux [...]. Le cœur de Lange était dévoré d'impatience dans cette pause politique qui se confondait avec la mise en suspens inacceptable du monde.* »[51]

Nizan somatise derechef. Les migraines, les névralgies faciales qui l'avaient oublié depuis des années, le reprennent et parfois le clouent au lit. Un vertige le saisit : « *Une prison n'est rien. C'est le vide qui est affreux, la répétition. J'avais déjà en horreur Kierkegaard et la phénoménologie allemande. À présent que je vis dans un monde heideggerien, mes sentiments se sont encore renforcés.* »[52] « *C'est plutôt dans les chambres, ou les chambrées, que j'éprouve le sentiment panique de l'abîme, que sur le pont de Neuilly.* »[53] Il écrit à Armand Petitjean, jeune essayiste de ses amis : « *Je me retrouve dans un parfait désert. L'Arabie n'était rien.* »[54] Martin-Chauffier, Chamson, qui le rencontreront au tournant des deux années, le décrivent amer et sarcastique, persuadé qu'une balle allemande ou un sbire du Parti pourrait bien, un jour...[55]

Lors de sa première permission, il demande soudain à Rirette de passer la nuit avec elle dans leur nouvel appartement de Saint-Germain-en-Laye,

38, rue de la République. Les meubles sont installés, mais la déclaration de guerre ne leur a pas permis d'y seulement coucher. Rirette se récrie : Pat est alité, chez les beaux-parents, il vaut mieux aller le rejoindre – puis elle se tait : Paul-Yves, les mains crispées sur le volant de l'automobile, est en train de pâlir. De sa voix blanche des mauvais jours, il lui affirme qu'il veut dormir cette nuit-là, à Saint-Germain ; que, sinon, il a l'intime conviction qu'il n'y dormira jamais...[56]

Dans le désespoir et dans l'attente, c'est cependant en personnage moins de Dostoïevski que de Stendhal qu'il se dispose à sortir de la vie. Une fois de plus, Rirette va lui servir de point cardinal. Elle l'a suivi dans l'Orléanais, a fait l'impossible pour le rejoindre à Romanswiller ; au printemps, elle réussira enfin à s'installer à demeure auprès de lui. Toutes les portes du Parti qui ne seraient pas encore condamnées sous l'effet de la censure et de l'interdiction, prononcée le 26 septembre, se ferment devant elle. Elle va survivre en besognant ici et là, pour une agence de publicité, un poste de radio. Quand Paul-Yves aura quitté l'Alsace pour le Nord, elle posera sa candidature à un poste d'institutrice-auxiliaire à Lille, pour se rapprocher de lui.

L'amour devient le sujet principal de leur correspondance. Déjà le court séjour à Orléans, si angoissant à tant d'égards, laissait d'abord à Rirette le souvenir de « *journées merveilleuses* »[57]. Les longues plages de séparation, le ruminement forcé, la frustration d'un dialogue amoureux à distance, la brièveté des permissions, tout concourt à passionner leurs rapports. Les lettres de l'un et de l'autre finissent par ne plus illustrer que le cri échappé un jour à Bernard, au plus fort de son amour-fou pour Catherine : « *Il n'y a pas d'autre vérité qu'un corps.* »[58]

Quand une citation vient à l'esprit de Paul-Yves, elle est tout naturellement extraite d'*Henry Brulard* : « *Je ne me souviens après tant d'années et d'événements que du sourire de la femme que j'aimais.* »[59]

Et, c'est un crescendo.

28 octobre[60] : « *Dire qu'il serait si facile d'être heureux et que nous savons à présent vraiment bien les recettes.* »

19 novembre[61] : « *Depuis trois mois j'ai fait, comme Corneille après ses tragédies, un "Examen" de mes dernières années. J'ai tout de même tiré des leçons, en ne pensant guère qu'à toi.* »

20 décembre[62] : « *Tu ne m'empêcheras pas de penser que l'amour est une chose plus importante que nous ne le pensions nous-mêmes.* »

28 décembre[63] : « *Fallait-il une guerre mondiale, ou tout comme, pour que je sache que le mot amour ne me suffisait pas pour penser à toi, mais qu'il me fallait aussi le mot passion, le mot rage ?* »

---

6 février[64] : « *Aime-moi bien, mon amour. Je ne puis être gai ou sim-plement tranquille sans toi. Le sentiment de ton absence est parfaitement constant, mais il passe des maxima : c'est alors que je suis enragé et capable de grandes stupidités.* »

Rirette répond au diapason, quand elle s'adresse à son « *cher petit Polivrenizan chéri* »[65] : « *Mon chéri. Il n'existe pas de femme plus heu-reuse que moi. Tu m'écris des lettres d'amour qui me rendent toute légère et gaie. Il me semble que si j'avais ce que les gens appellent des soucis, des tracas, des difficultés, je ne m'en apercevrais même pas, tant ton amour est ma bonne chose. Je ne crois pas, quoi que tu dises, que nous ayions perdu notre temps. On ne perd pas son temps quand on apprend. Nous avons appris, et nous avons commencé à comprendre. La plupart des gens ne savent ni ne comprennent.* »[66]

Pour sortir tout à fait du tunnel, Paul-Yves aura encore besoin d'un dernier acte. Le 13 février 1940, il quitte son régiment français pour devenir interprète auprès du corps expéditionnaire britannique. Ce jour-là, sans le savoir, il scellait son destin, car les pertes que subira le 405e Pionniers seront sans commune mesure avec le massacre où périra presque tout l'état-major du XIVth Army Field Workshop. Rirette me dira qu'elle avait, intuitivement, craint ce changement : à quoi bon faire tant d'effort pour bouger les pièces du jeu, à quoi bon provoquer le sort ? Paul-Yves avait-il oublié ce qu'il écrivait à Lise Deharme au début de la guerre : « *Nous resterons peu de jours dans ce village étonné avant de partir pour une destination obscure. L'idée ne m'avait pas effleuré jus-qu'ici que destination dérive de destin.* »[67]

En fait, l'essentiel, en cette fin d'hiver, était pour lui de changer de peau, si peu que ce fût, de mettre provisoirement quelque distance entre son inquiétude et les ambiguïtés des attachements nationaux. La vieille anglophilie remonte, alimentée par les souvenirs des voyages récents du chroniqueur, par les limericks de Lear dont il a fait une de ses lectures de chevet. Le colonel Bramble donne la main à Henry Brulard : « *Si je dois refaire les campagnes stendhaliennes, j'aime mieux que ce soit en qualité d'interprète britannique décidément.* »[68] Alexander Werth du côté anglais, Geneviève Tabouis du côté français lui obtiennent de passer une série de tests linguistiques au Centre d'instruction et de liaison d'Abbe-ville. À compter du 13 février, il plonge dans un autre monde, peuplé de fantômes familiers, ressurgis des clubs d'Aden et des funérailles de George V. Bridge, culture physique, *Clementine, For he's a jolly good fellow, We're gonna hang out our washing on the Siegfried Line...*

191

« *L'endroit est de plus en plus insensé. Ce n'est plus un camp, c'est un salon.* »[69]

Le couple rêve. Sera-t-il envoyé dans le Nord-Pas-de-Calais ? ou en Palestine ? Le 6 mars, Paul-Yves rassure Rirette : on lui promet « *un poste, je crois, agréable, en un lieu que j'ignore encore, mais qui n'est point en tout cas "exposé"* »[70]. Le lendemain, il fait la connaissance du 14e régiment du génie (XIVth Army Field Workshop), encaserné à Carvin (Pas-de-Calais), auprès duquel il est détaché au titre de la « French Mission » (général Voruz). Ce même jour, à l'est, derrière la fameuse Ligne Siegfried, les permutations rendues nécessaires par la mise en place du plan Von Manstein d'attaque sur Sedan sont achevées. L'armée allemande est prête. Elle attendra deux mois encore.

La drôle de guerre de Paul-Yves et Rirette s'achève en apothéose. Le travail d'agent de liaison l'amuse. *Tin bowler* sur le crâne, guêtres courtes aux chevilles, il parcourt la région lilloise au volant d'une Morris 8, pour faciliter les contacts entre les troupes anglaises et la population. Flanqué d'un *batman*, il découvre le monde du « for officers only ». Les plaines grasses des Flandres ne sont pas les ponces volcaniques d'Aden, et les Anglais qu'il fréquente se révèlent « *tout à fait braves et cordiaux* »[71]. Le lieutenant-colonel Prestage, un doux colosse de trente-neuf ans, le prend en amitié. Comble de bonheur, Rirette peut venir le rejoindre, à Lille, le 18 avril. Ensemble, ils s'en vont applaudir de bon cœur les galas de Gracie Fields, les films de Myrna Loy et d'Irene Dunne. *La Soirée à Somosierra* progresse de nouveau à grands pas. « *Personne n'est heureux comme les gens qui n'attendent rien, qui n'ont plus d'avenir, parce que tout est remis en question, comme les gens qui s'aiment la veille d'une bataille, de la mort.* »[72]

La fin couronne l'œuvre

Le 10 mai 1940, à quatre heures trente du matin, la mort de Paul Nizan se met en branle. À l'aube, on la distingue un peu mieux. Elle a pris l'apparence de la 1re division Panzer, arme d'élite du 10e corps d'armée allemand. À la tête de celui-ci : Heinz Guderian. Sa mission : le grand Coup de faux. *Sichelschnitt*. Sous ce nom hautement mythologique, une opération audacieuse : foncer au plus vite à travers l'armée française en désarroi, jusqu'à la mer, puis remonter vers le nord-nord-est et prendre à revers les troupes franco-britanniques de Lille-Dunkerque. Le risque existe de se trouver engagé trop avant ; mais il faudrait pour cela que les Alliés se donnassent les moyens de contre-attaquer. Ils s'en révèlent parfaitement incapables.

Le 18 mai, la 1re Panzer est à Saint-Quentin. Les troupes de Guderian voient pour la première fois un soldat anglais : « *Nous envisagions avec curiosité et exaltation l'heure de notre premier affrontement.* »[73] Paul-Yves ne peut plus revoir Rirette. Fébrilement, il lui écrit ce jour-là un billet lui enjoignant de quitter Lille sans plus tarder, pour descendre vers le sud, avant que les Allemands n'aient refermé le piège. Rirette se retrouve dans les trains de la Débâcle, déroutés sur la côte. Jusqu'au dernier convoi, les cheminots de la SNCF resteront à leur poste. Ce seront bien les seuls. Dernier hommage d'Antoine Bloyé.

Le 19, le train de Rirette quitte une ville qui, soudain, s'embrase. C'est Abbeville. L'incendie durera huit jours. Ce même jour, Guderian fait du tourisme. Amateur d'art, il s'attarde à visiter la cathédrale d'Amiens (sa façade, ses vitraux du XIIIe, son trésor ; mérite un détour). Le 20, à dix-sept heures trente, heure française, Abbeville tombe. La nasse est fermée. Le 21, Guderian « *visite Abbeville* »[74], qui brûle toujours. Il ronge son frein, à vrai dire. Plus pusillanimes que lui, ses supérieurs ont ramené les rênes. Guderian maugrée : « *Nous avons perdu deux jours : ils nous manqueront, à Dunkerque.* » Le lendemain, enfin, la 2e Panzer quitte Abbeville pour Calais. Guderian s'installe dans l'après-midi au château de Recques, à sept kilomètres au nord de Montreuil. C'est de là qu'il lancera à la 1re Panzer le message-radio où se trouve inscrit le destin du soldat Paul Nizan : « *Resserrer avant le 23 mai, 7 heures, au nord de la Canche, car la 10e Panzer suit la division. La 2e Panzer a pénétré dans Boulogne. On détachera des éléments le 23 mai sur Calais par Marquise. La 1re Panzer joindra d'abord la ligne Audruicq-Ardres-Calais puis pivotera vers l'est pour marcher sur Bergues-Dunkerque par Bourbourg-Gravelines. La 10e Panzer avancera au sud. Exécution au mot : Marche vers l'est. Mise en route à 10 heures.* »[75] Le 23, à l'aube, le deuxième message-radio arrive à la 1re Panzer : « *Marche vers est 10 heures. Poussée au sud de Calais sur Saint-Pierre-Brouck et Gravelines.* »

Ce matin du 23, au fond de la poche qui va se rétrécissant, vingt-six divisions franco-britanniques commencent à se disloquer. Depuis cinq jours, il n'y a plus d'armée néerlandaise. La belge ne vaut guère mieux. L'angoisse d'un enfermement complet saisit les Anglais, qui perdent toute confiance dans le plan de contre-offensive improvisé par Weygand. Les arrières des armées alliées sont directement accrochés par les groupements blindés allemands. Chez les déjà vaincus, la nécrose s'installe.

À Montdidier, le sous-préfet cède à la panique et doit être relevé de ses fonctions. Le 19, dans l'après-midi, les médecins et les infirmières de l'hôpital de Soissons abandonnent leurs malades. Le 20, à Abbeville, un officier français, entre alcool et affolement, fait sortir de dessous le kiosque à musique où on les tenait enfermés depuis deux jours une vingtaine de suspects belges, néerlandais, italiens, allemands, canadien, danois. Pêle-mêle des fascistes, des communistes, des erreurs judiciaires. Quatre par quatre, ils montent et sont aussitôt fusillés. Outre-Quiévrain, la guerre est finie ; le parti communiste belge ressort au grand jour et fait paraître sous censure allemande sa *Voix ouvrière*.

Dans deux jours, les Anglais commenceront à rappeler leurs troupes sur Dunkerque. Derechef, craignant un piège, Hitler décidera d'arrêter l'offensive. L'égoïsme sacré des uns, l'incertitude stratégique de l'autre sauveront 330 000 hommes, dont 130 000 Français, qui embarqueront à Dunkerque huit jours durant. Parmi les 130 000 : Louis Aragon, croix de guerre 1939-1940.

Recques-sur-Hem. Petit village anonyme de la plaine flamande. *Le Guide bleu* signale une église du XVIᵉ siècle. Tout alentour, le pays de Bredenarde et ses noms familiers aux historiens des chevauchées royales et des guerres qui durent cent ans : Ardres, Audruicq, Guines, Saint Omer, Calais. C'est ici que s'est tenue la rutilante entrevue du Drap d'or. Joli, pour un Franco-Anglais. Mais le temps n'est pas aux réminiscences. Tout juste si, à deux pas de là, un cimetière militaire chinois, incongru, ne rappelait que la guerre de 14-18 avait bien été la première « mondiale ». Niché dans un peu de verdure, le château de Cocove, propriété de la famille de Coëtlogon, est une longue bâtisse de pierre grise d'un XVIIIᵉ siècle un peu fatigué, une enfilade de pièces surmontée d'un seul étage. Aux abords, un grand hangar et quelques communs en font un lieu de choix pour les réquisitions militaires. Le décor est planté, avec des noms un peu différents de ceux que citent tous les dictionnaires, toutes les thèses (« château de Coëtlogon », « Audruicq », « Saint Omer », etc.). Peu importe. La mort sera la même.

À partir d'ici, nous suivrons deux témoignages. Celui de la comtesse de Coëtlogon à l'époque, dans une lettre adressée à la mère de Nizan ; celui de son fils aîné, le comte Philippe, qui a bien voulu me confier ses souvenirs. Le 11 mai, la châtelaine reçoit la visite d'un officier de liaison français de l'armée anglaise : le colonel, les officiers et lui-même tiendront bientôt cantine chez elle et s'en viendront abriter leur colonie de camions sous les hangars. Elle prend bonne note, mais, les jours qui suivent, ne voit rien venir. Le matin du 23, à cinq heures et demie, un grand bruit la réveille. Camions, voitures, deux cent cinquante hommes. « *Je reconnus très vite M. Nizan, qui m'annonçait que tout allait très mal.* » Mme la comtesse en est toute retournée. Pour mettre un point final à son désarroi, ne voilà-t-il pas que les Allemands s'avisent d'attaquer à l'heure de la collation : « *Malheureusement, les Allemands arrivèrent vers 10 heures et avec les alertes incessantes ces messieurs n'ont jamais pu finir le lunch que je leur avais fait préparer, les sentant si fatigués.* »

Ponctués d'accalmies, les combats durent encore près de cinq heures. Vers deux heures et demie de l'après-midi, la comtesse sert une dernière rasade de vin à Nizan. Dernier entretien civil. De quoi parle-t-il ? De son plaisir d'être ici, au milieu des soldats anglais, et « *de son métier d'écrivain* ».

Et puis, nouvelle attaque. Avion, tanks, mitrailleuses. « *Lange s'imaginait que la guerre se composait de ces affûts, de ces conciliabules sous des couverts.* »[76] Il n'y a plus guère de place pour les conciliabules mais, sous les couverts de Cocove, les Allemands tirent comme à l'affût. Nizan gagne avec la comtesse, sa famille et ses « gens », l'abri de la cave. Quand le tir paraît avoir cessé, il sort seul, recommandant à ses compagnons de rester à couvert tant qu'il ne serait pas revenu leur dire que tout allait bien.

« *Au bout d'un certain temps, ne le voyant pas revenir, nous nous sommes inquiétés. Je suis donc sorti le premier et j'ai entendu du bruit sur le palier du premier étage. Ma mère était avec moi. Nous avons trouvé M. Nizan, étendu sur le palier, rendant le dernier soupir dans une mare de sang.* »

Une balle explosive, entrée par la fenêtre, l'a atteint au-dessus de l'oreille, sous le casque. Il n'est pas défiguré. Il meurt poissé de sang, comme la Catherine du *Cheval de Troie*. Les hommes appellent communément mourir comme un homme ce qui ressemble plutôt à la mort d'un chien.

La comtesse alerte le colonel Prestage. Celui-ci ne cache pas sa douleur. Il tient à transporter lui-même le cadavre jusqu'au camion. « *Le colonel quittait la propriété le soir vers sept heures et demie, mais ce fut un massacre et peu arrivèrent vivants à Audruicq, petite ville située à cinq kilomètres de chez moi, et M. Nizan fut enterré par un de mes fournisseurs, bonhomme dévoué.* »

L'unité a eu une quarantaine de tués, presque tous des officiers, et deux cents prisonniers. En décembre, le bureau des sépultures militaires d'Arras reçut dépôt des effets personnels retrouvés sur le corps : une gourde, un couteau, une pipe, une bague, un insigne franco-anglais, une montre en or, une chaîne « *et une petite somme insignifiante* ». « *Le porte-feuille avait dû être pris, on ne l'a pas trouvé.* »

À la Libération, la commission des sépultures du Commonwealth entreprendra de pérenniser le souvenir des combats. Au cimetière d'Au-druicq, le long d'un petit mur de brique, sont alignées aujourd'hui sept tombes anglaises : *private* Hutton, 19 ans ; *private* Weir, 21 ans ; *a soldat*, anonyme ; Sgt Tonkin ; Sgt Pothecary ; lieutenant Franck H. Martin ; lieutenant-colonel Prestage. « *Honni soit qui mal y pense* » ; « *Thou wilt keep him in perfect peace.* » À côté du colonel, l'espace d'une tombe, vide. Celle de Nizan, retiré en 1956 de sa dernière camaraderie pour être reversé par décision administrative dans la communauté française, puisque aussi bien les nations aiment à récupérer jusqu'à leurs morts égarés.

Depuis cette date, il repose, comme on dit, à une centaine de kilo-mètres de sa mort, au cimetière national de La Targette, commune de Neuville-Saint-Vaast (Pas-de-Calais). La tombe 8189, carré B, neuvième rang, en jouxte huit mille autres, des deux Guerres mondiales, sans compter les Britanniques, à droite, et les Allemands – quarante-deux mille – un peu plus loin, à gauche. À des kilomètres à la ronde, la terre parle la mort. Vingt mille reconnus et vingt mille inconnus enfouis à Notre-Dame-de-Lorette, des toponymes sinistres pour deux ou trois générations : Mont-Saint-Éloi, Souchez, Le cabaret rouge, Vimy… ; des monuments aux morts de toutes les couleurs : Polonais, Tchécoslovaques, Canadiens… Les traces d'obus, les cratères de mines rappellent encore que des milliers se sont fait hacher menu ici en avril 1917 pour recon-quérir les cotes 119, 124, 140… Nizan, l'antimilitariste, le réfractaire, l'angoissé, est bien entouré. Sur sa croix de ciment – car, bien sûr, il a eu droit à une croix, comme les autres – l'inscription ne signale pas, contrairement à toutes les voisines, un grade militaire, mais une fonc-tion purement civile, en tous les cas universelle : « *Paul Nizan. Inter-prète et agent de liaison.* » Une belle définition pour un écrivain militant. Elle ajoute, selon la formule consacrée : « *Mort pour la France.* » On songe à l'un de ses tout premiers textes : « *Mourir pour son pays, il est encore plus beau de vivre pour lui. Morts vainqueurs… où est leur victoire ? La tradition, l'héritage français, ce sont des œuvres, non des noms.* »[77]

Voilà ce qu'un historien, quarante ans après, peut dire de la mort de Paul Nizan. Mais il a appris, l'historien, qu'il n'y a pas de vérité toute simple, même s'il veut bien croire qu'il y a une vérité unique. Il devine obscurément qu'une certaine littérature peut en dire autant, sinon plus, sur un être humain que les archives officielles et les statistiques de bonne volonté. Surtout si elle est en quelque sorte nourrie de l'intuition douloureuse de l'amour, de l'amitié. Or le biographe de Nizan dispose d'un autre texte sur sa mort : « Drôle d'amitié ». Insupportable, dérangeant comme la vie de Nizan elle-même. Il n'a pas été réédité depuis le jour où il parut, dans *Les Temps modernes*, en décembre 1949. Il faut le citer aujourd'hui. Un peu parce que c'est la dernière page connue des *Chemins de la liberté*, le dernier texte romanesque signé de Sartre. Aussi parce qu'il est, selon moi, beau. Et puis, « *parce que c'était lui, parce que c'était moi* ». L'historien de 1980 a recomposé la mort de Paul-Yves Nizan, du XIVe AFW. Voici comment Jean-Paul Sartre a vu celle du journaliste communiste Vicarios, abattu par les Allemands sur les barbelés de son camp de prisonniers, au cours de la tentative d'évasion dans laquelle il s'est jeté en apprenant la rumeur infâme qui court sur lui dans le Parti : il était un indicateur de police.

« – *On recommencera, bon dieu ! dit Brunet. Je parlerai aux types du Parti. Je...*

Vicarios se met à japper :

– Recommencer ! Tu ne vois pas que je crève ?

Il fait un violent effort et ajoute péniblement :

– C'est le Parti qui me fait crever.

Il vomit dans la neige, il retombe, il se tait. Brunet s'assied, le tire à lui, lui relève doucement la tête et l'appuie contre sa cuisse. Où a-t-il été touché ? Il passe la main sur le veston civil, sur la chemise civile, tout est trempé, est-ce de la neige ou du sang ? La peur le glace : il va passer entre mes mains. Il plonge la main dans sa poche et sort sa lampe, là-haut, ils crient, ils appellent, Brunet s'en fout. Il appuie sur le taquet, une tête livide sort de la nuit, Brunet la regarde. Il se fout des Fritz, il se fout de Chalais, il se fout du Parti, plus rien ne compte, plus rien n'existe sauf cette tête haineuse et fulgurante aux yeux clos. Il murmure : pourvu qu'il ne meure pas. Mais il sait que Vicarios va mourir : le désespoir et la haine remontent de proche en proche le cours de cette vie gaspillée et vont la pourrir jusqu'à la naissance. Cet absolu de souffrance, aucune victoire des hommes ne pourra l'effacer : c'est le Parti qui le fait crever, même si l'URSS gagne, les hommes sont seuls. Brunet se penche, il plonge la main dans les cheveux souillés de Vicarios, il crie comme s'il pouvait encore le sauver de l'horreur, comme si deux hommes perdus pouvaient, à la dernière minute, vaincre la solitude :

– Le Parti, je m'en fous : tu es mon seul ami.

Vicarios n'entend pas, sa bouche amère gargouille et fait des bulles, pendant que Brunet crie dans le vent :

– Mon seul ami !

La bouche s'ouvre, la mâchoire pend, les cheveux claquent ; cette rafale qui les frappe et s'enfuit, c'est la mort. Il se fascine sur ce visage stupéfait, il pense : c'est à moi que cette mort arrive. Les Allemands dévalent la pente en s'accrochant aux arbres, il se relève et marche à leur rencontre : sa mort vient seulement de commencer. »

Une conspiration

> « Bien sûr, tout cela n'est pas si
> important : le monde peut fort bien se passer
> de la littérature. Mais il peut se passer de
> l'homme encore mieux. »
>
> (*Qu'est-ce que la littérature ?*, chapitre IV,
> Situation de l'écrivain en 1947)

Il y a bien des façons de tuer un homme. La plus simple, un obscur
soldat allemand s'en chargea. Le lendemain, MM. Louis Boo (conseiller
général), Léon Dubois et Marius Locoche, de la commune d'Audruicq,
certifièrent qu'il était bien mort, et enterré[1].

Restait à piétiner le cadavre. Cela, seuls des hommes spécialement for-
més au maniement des mots qui font mouche pouvaient s'en charger : des
intellectuels et des hommes politiques et, si possible, les deux à la fois.

Il n'y a pas d'histoire

Nizan avait fait plus grave, en vrai homme du verbe, que quitter son
Église : il n'avait pas voulu se taire ; il avait rendu public son désarroi,
ou, plutôt, sa démission. Il avait même choisi pour ce faire le correspondant le moins compréhensif qui fût, celui que bien peu de communistes
hétérodoxes ont bravé impunément : Jacques Duclos. Désormais, le destin de l'apostat était écrit. Il fallait qu'il ait été essentiellement et ancien-
nement, de façon consciente et organisée, un traître, que cette traîtrise
même fût des plus subalternes ; en un mot qu'il ait été vendu à la place
Beauvau. En quoi les caciques du Parti se révélaient, sans le savoir ou en
le sachant, disciples convaincus du commissaire Massart, intellectuel
organique de la Grande Maison : « *Le secret de la police, c'est qu*'il n'y
a pas d'histoire. *Tous les professeurs ont menti, tous. Il n'existe pas de*

forces qui travaillent à faire l'histoire. Les académiciens parlent des forces spirituelles et les marxistes des forces de l'économie, on n'en sort pas, c'est toujours les Bossuet et les anti-Bossuet. [...] Le nez de Cléopâtre et le calcul dans la vessie de Cromwell, c'est infiniment moins bête. Pascal est le premier auteur qui ait donné l'esquisse d'une conception policière du monde. »[2]

On ne saura jamais si la rumeur germa d'abord dans l'esprit d'un Duclos, d'un Thorez, ou si elle leur fut instillée par les suppositions de deux zélotes, Politzer et Aragon. Le philosophe aimait à raconter une rencontre troublante qu'il avait faite jadis : arrêté dans une manifestation communiste, il s'était retrouvé interrogé par un inspecteur frais émoulu des cours de psychologie de la Sorbonne, et qui avait même lu le premier ouvrage de Politzer, sa *Critique des fondements de la psychologie*[3]. L'anecdote avait fait son chemin comme le savent tous les lecteurs de *La Conspiration*. À partir de ces données, le cerveau exalté d'un croyant réputé pour son intolérance, « *un sectaire et un saint* » dira de lui Lefebvre[4], pouvait battre la campagne. Mais enfin Politzer, s'il a jamais parlé en ce sens, comme Aragon l'affirmera plus tard à Sartre, n'a laissé aucun texte. Le souvenir des combats intellectuels menés dans la même tranchée que Nizan a pu l'arrêter sur le chemin qui allait du jugement téméraire à la calomnie.

Le poète-français avait, lui, d'autres raisons de détester Nizan, et aucune de se réfréner. Curieux destin croisé que celui de ces deux hommes, ou, pour tout dire, des deux couples constitués respectivement par Elsa et Louis, Rirette et Paul-Yves. Les deux étoiles montantes de la littérature communiste française, les deux couples dynamiques de la vie intellectuelle du Parti. D'un côté un journaliste né de la poésie, en rupture de surréalisme, auteur de trois romans autoqualifiés « réalistes socialistes », prix Renaudot 1936 pour *Les Beaux Quartiers*. De l'autre, un journaliste né de la philosophie, en rupture d'anarchisme de droite, auteur de trois romans qualifiés par le premier de réalistes socialistes, prix Interallié 1938 pour *La Conspiration*. Leurs femmes respectives, fortes personnalités, l'une collaboratrice active de la presse communiste, l'autre auteur de quelques textes littéraires encore discrets mais prometteurs. Au point de départ, un Aragon plus âgé de huit ans, mais un Nizan entré plus tôt sans double appartenance dans le mouvement communiste : à l'heure même où Aragon rompait solennellement avec Breton, Paul Nizan est déjà candidat du Parti aux élections législatives ; une Elsa au fait de la vie soviétique mais non inscrite au Parti, une Rirette sans relations à la mode mais militante active, collaboratrice de Danielle Casanova. Au point d'arrivée, en 1939, un Aragon qui est en train, insensible-ment, de se placer pour plusieurs décennies au sommet de la hiérarchie culturelle de l'organisation. Son *Pour un réalisme socialiste* de 1935 lui permet de se placer porte-parole du nouveau cours littéraire, son rôle pri-vilégié au sein de la Maison de la Culture l'institue grand ordonnateur de la politique artistique communiste. En 1937, c'est lui que le Parti charge d'animer son nouveau quotidien du soir, *Ce Soir*, avec Nizan comme secrétaire général. Au témoignage de Simone de Beauvoir[5], leur ami avait parfois laissé entendre, à mots couverts, qu'il n'était pas *persona* tout à fait *grata* auprès de la direction du journal. Information rétrospec-tive, cependant : du vivant de Nizan, la cordialité sera de règle entre les deux couples, qui, au reste, se voyaient peu.

C'est à la Libération seulement qu'Aragon, promu entre-temps pre-mier poète français et promis par de Gaulle à l'Académie, prendra expli-citement position et, pour tout dire, se fera même l'âme de la campagne de dénigrement posthume. Lui qui, par exemple, « révélera » à Sartre que cet ancien camarade de Parti était une mouche. Anecdote plus triviale, c'est lui, qui un jour de juin 1945, expulsera d'un joli moulinet de canne les livres de Nizan prêts à être exposés à la Fondation Rothschild, dans le cadre d'une vente organisée par le Comité national des Écrivains en l'honneur de leurs pairs « morts pour la France... »

Aragon a sans doute beaucoup parlé. Toutefois ce n'est pas lui qui, le premier, a osé écrire. Celui-là fut Thorez, secrétaire général du Parti dis-sous, déserteur de l'armée française depuis le 4 octobre 1939, au détour d'un article oublié paru le 12 mars 1940 dans l'édition (en langue alle-mande) de la revue du Komintern[5]. Il n'a pas été repris dans le recueil des œuvres du « fils du peuple » entrepris après-guerre par les Éditions sociales. Mais son écho ne fait aucun doute. Il est de ces textes de clan-destinité qui circulent à peine sous leur forme originale mais servent de base aux « consignes », aux « mises en garde », ultra-confidentielles. Un entretien que Simone de Beauvoir eut avec un certain B..., membre du Parti, à l'automne 1940, prouve que le travail était déjà bien avancé[6].

Le titre donne le ton : « *Les traîtres au pilori* ». Le contenu a tous les traits d'un appel au meurtre à retardement – première mise sur blanc de la première liste noire, pour les jours de règlements de compte. Les élus communistes qui ont fait connaître leur rupture – on n'oubliera pas qu'y figurent, entre autres, plus d'un tiers des parlementaires du Parti – y sont globalement qualifiés d'« *opportunistes* », « *carriéristes* », « *dégénérés* », « *pourris* » et, pour dire le mot, « *moutons de la police* ». Gustave Sassot, député de la Dordogne, qui avait proposé à Thorez, le 25 août, l'envoi d'une délégation communiste à l'ambassade d'URSS pour y poser « *quelques questions* » y devient « *le traître Sassot* », « *agent du Munichois Bonnet* » (Georges, ministre des Affaires étrangères du gouvernement Daladier). C'est là, au cœur chaud de ce texte ténébreux, que Paul Nizan est, pour la première fois, qualifié d'« *agent de police* » pour avoir proposé un « *plan de collaboration* » avec la presse bourgeoise. Le commissaire Massart lui-même y aurait difficilement vu une preuve (la seule qui sera jamais avancée, en l'affaire) de la collusion de Nizan avec la police. Peu importe à l'Église. Désormais, elle possède, pour son cas comme pour le cas Gitton, le cas Doriot, le cas Trotsky, une clé d'explication, et d'exclusion. À cette réserve près que, si le texte moscovite justifiait à l'avance l'assassinat, entre 1941 et 1944, de plusieurs de ceux qui y sont mentionnés, dans le cas de Nizan il ne va servir qu'à s'acharner sur un cadavre[7].

À ce rite magique et macabre participeront aussi bien d'anonymes apparatchiki, ceux qui, en février 1941, rédigeront la brochure clandestine *Comment se défendre contre la provocation* que, le temps de l'expression libre revenu, divers notables de l'intelligentsia communiste. Une rapide confrontation des deux littératures prouve à qui en douterait encore qu'un peu de culture ne messied pas à la calomnie. Le texte de 1941[8], antérieur de quatre mois à la rupture du Pacte, est un sec travail d'agit' prop', droit sorti des manuels de l'époque héroïque. L'allusion qu'on y rencontre accessoirement au « *policier Nizan* » se contente de plagier l'épître thorézienne. Sa troisième édition, datée de 1944[9], supprime même le passage. Quand, un an plus tard, Henri Lefebvre commence à écrire le pamphlet qui, depuis quelques mois, le poind contre l'« *excrémentialisme de 1945, modalité ordurière de la philosophie de l'existence* », les arguments qu'il utilise sont d'une autre venue.

Trois ans après l'édition Gallimard des *Morceaux choisis* de Marx, Lefebvre avait encore fait appel à son vieux camarade, plus connu que lui à l'époque, pour préfacer son premier essai politique en cavalier seul, *Le Nationalisme contre les nations* (ESI, 1937). Au sortir de la tourmente, il comprend enfin. Il voit, il croit, il est désabusé. L'un des tout derniers écrits du chroniqueur de *Ce Soir* avait été le compte rendu, favorable, d'une étude de Lefebvre[10]. Le premier livre de celui-ci sorti à la Libération sera le premier texte faisant publiquement de Nizan un « traître ».

Sous un titre neutre, cet essai sur *L'Existentialisme* est en fait une série d'attaques personnelles, contre Sartre et Merleau-Ponty, bien entendu, mais aussi contre « *le détestable André Breton* », et un certain nombre d'anciens camarades, tels Pierre Morhange, « *au rôle assez néfaste* », Georges Friedmann, non cité mais reconnaissable, sous des traits méprisables, enfin Nizan : « *Il faudrait un livre – souvenirs ou roman – pour raconter les détours idéologiques, liés à leurs aventures sentimentales et politiques, de ces jeunes gens qui fondèrent en 1923 la revue* Philosophies, *puis la revue* L'Esprit *en 1926, et enfin en 1928, la* Revue marxiste. »

« *Le livre de Paul Nizan,* La Conspiration, *n'est qu'une caricature froide et sèche. Il a réduit assez bassement la révolte et le refus à la rébellion contre la famille.* […] *Paul Nizan n'a voulu retenir de ce temps que le romantisme politique, qui ne fut qu'un trait, un coin du tableau. Lorsqu'il se rapprocha de nous, Paul Nizan venait d'un groupe réaction-naire, sinon fasciste. Peut-être même en était-il encore membre, car il prétendait les espionner. Solitaire, lucide, désespéré, infiniment indiffé-rent, Paul Nizan avait peu d'amis et nous nous demandions quel était son secret, le secret de son obsession et de son tourment. Nous le savons aujourd'hui. Tous ses livres tournent autour de l'idée de trahison. Un technicien d'humble origine trahit le peuple dont il est sorti, c'est* Antoine Bloyé *; un intellectuel trahit le Parti dans lequel il a cherché la voie de son salut humain : c'est* Le Cheval de Troie. *Dans* La Conspira-tion, *un policier se glisse parmi les ingénus philosophes en mal d'action. Le journal de Pluvinage, ce traître, contient les meilleures pages de ce roman, qui déjà en lui-même était une trahison : Nizan trahissait ses amis, leur jeunesse et sa propre jeunesse.* »[11]

Un peu plus loin, *La Conspiration* était rapprochée du *Gilles* de Drieu La Rochelle – on sait ce que signifiait parler de Drieu en 1945, sous la rubrique du « faux témoignage ».

La manière, on le voit, est à quelques coudées au-dessus de celle de l'agitateur clandestin ; la perfidie, combien plus grande ; l'art souverain du commentaire de textes, inculqué par l'enseignement secondaire, mis au service de la dénonciation. Il ne saurait être question de minimiser la contribution de M. Lefebvre. Grâce à elle la rumeur pourra acquérir au sein du Parti assez de consistance pour disqualifier à l'avance toute demande d'éclaircissement. Les témoignages communistes sont là pour le confirmer : la question Nizan ne sera jamais reprise par l'Église elle-même, pour la bonne et simple raison que la cause était entendue et le sujet, ignoble. L'évoquer derechef eût été, selon une logique bien connue, se compromettre soi-même.

Un grand écrivain

Restait à donner au tableau d'ensemble la touche artistique qui lui manquait fâcheusement. Louis Aragon s'en chargea. Et la littérature française enregistra ce fait, à coup sûr rarissime dans ses annales : un romancier inventant deux personnages pour mieux couvrir de boue l'honneur d'un mort et de sa veuve. Le roman s'appelle *Les Communistes* ; il entend être la suite et l'aboutissement (il restera finalement inachevé) de la longue geste du *Monde réel*, commencée en 1934 avec *Les Cloches de Bâle*. Les deux personnages, Patrice Orfilat et sa femme Édith.

Le couple apparaît surtout dans les deux premiers tomes, parus respectivement en juillet et octobre 1949. Récapitulons les signes distinctifs d'Orfilat. Un jeune homme nerveux, qui se ronge les ongles. Ancien normalien, il a adhéré au Parti à la fin des années 1920. Il a séjourné en URSS. Il a commis, deux années plus tôt, un « *petit bouquin sur Héraclite* ». Il est journaliste à *L'Humanité*. Aux dernières nouvelles, il vient, en 1940, de quitter le quartier Montparnasse pour Saint-Germain-des-Prés. Paul Nizan, lui, à la même date, est en train de déménager du quartier Montparnasse pour Saint-Germain-en-Laye. Traduction : Nizan est journaliste à *Ce Soir*. Il a fait paraître dix-huit mois plus tôt une « petite » étude sur Démocrite, Épicure et Lucrèce. Il a séjourné en URSS près d'un an en 1934. Il a adhéré au Parti à la fin de 1927. Il est anxieux, il se ronge les ongles.

Et que fait-il, ce rongeur d'ongles ? Coureur, avide de « coucheries », il trompe sa femme avec de petites grues. C'est un couard : « *Patrice gémissait, n'arrivait pas à se décider, enfin une loque* […]. *Le poltron.* »[12] « *La guerre, c'était sa mort. Tout d'un coup la guerre était pour demain, et il tremblait, il était fou de peur, il en avait des sueurs froides. La guerre, sa mort...* »[13] Dans la rue, scène admirable : des fascistes se mettent à tabasser un vieux communiste, un vrai de 14, cloué sur une petite voiture. Orfilat, qui le connaît, se défile, malgré ses cris. Le lecteur ne s'étonne plus, dès lors, de le voir s'en aller pleurnicher au Quai d'Orsay, dans le bureau de Benjamin Crémieux [14], y solliciter un emploi. Le moment est venu pour lui de se revancher sur le Parti de ses désillusions politiques – il avait eu l'ambition d'être candidat aux élections de 1936, mais Thorez, qui devinait déjà tout, n'avait pas voulu. Et puis, il lui faut de l'argent, beaucoup d'argent. Avec tous ses vices... Crémieux s'étonne, mais ne dit pas non. Orfilat ira-t-il plus loin ? Comme Pluvinage ? Aragon se garde bien de l'écrire. Il laisse simplement à un personnage imaginaire le soin de le sous-entendre :

« *Vous savez, dit Isabelle, ce que Benjamin Crémieux a raconté à mon père ? Pas seulement qu'il ne serait pas d'accord, Patrice...* »[15]

On pleurniche beaucoup, chez les Orfilat, d'ailleurs. Au cours d'une scène pénible, Édith, arrivée dans une réunion de communistes orthodoxes où chacun s'accorde à la trouver indésirable, doit subir l'inquisition d'un fidèle : « *– Puisque vous n'êtes pas d'accord, vous, avec Patrice... dites-moi, camarade, alors pourquoi restez-vous avec lui ? – Mais parce que je l'aime, dit-elle. Et puis, il est le père de la môme... – On pourrait aller loin avec ce système-là... Elle s'était mise à pleurer. Pas trop, à cause du rimmel.* »[16] Quand la jeune femme, « *assez lourde, assez peinte* »[17], sera sortie, Aurore, autre personnage secondaire, fera « *tout simplement ouf ! et cela résumait le sentiment général* »[18].

Il ne suffit donc pas que les deux êtres soient vils. Il faut encore que le couple qu'ils constituent n'en soit pas un. Lui, la trompe avec une certaine Josette, que le lecteur retrouvera plus tard collée avec un doriotiste. Elle, ne le garde qu'« *à cause de la môme* », et, surtout, parce qu'« *elle n'aurait pas pu vivre avec un homme qu'elle n'aurait pas méprisé* »[19].

Est-ce tout, dira le lecteur d'aujourd'hui ? Non. Face à Orfilat doit se dresser une image symétrique, celle d'un couple communiste exemplaire, que pas un instant n'effleure l'aile du doute. Ce seront Michel et Annette Felzer, en qui les contemporains n'auront pas de mal à reconnaître Georges et Maï Politzer. Felzer a été le maître intellectuel d'Orfilat. Le peu d'audace philosophique dont ce dernier puisse se prévaloir, il le doit à Felzer : « *Felzer le premier lui avait parlé contre Bergson, et Brunschvicg* [...]. *Par Felzer aussi, Patrice avait d'abord connu Marx et Lénine* »[20], etc. Ils déjeunent ensemble. En face du Judas, quelle belle figure que ce Felzer ! Les trotskystes ? « *Les trotskystes sont des flics, c'est tout. Ils ne constituent pas un problème philosophique.* » Les communistes déchirés ? « *Déchirés ? Ah ! oui, les amateurs de conscience déchirée... Tu sais, moi, je ne suis pas très fort dans ce domaine-là.* »[21] Orfilat paraît soudain frappé quand il apprend qu'un grand écrivain comme Barbey d'Aurevilly avait *aussi* été un espion, un traître. Felzer, soudain, comprend tout. Il a un autre Barbey d'Aurevilly en face de lui. Il le chasse. *Exit* Patrice Orfilat, dans l'ombre des réprouvés.

Moralité : « *Est-ce qu'aujourd'hui on est assez sévère avec des types de ce genre-là ? On n'exige plus la rupture totale avec les milieux dont ils sont issus, comme autrefois, dans les temps difficiles du Parti : alors voilà ce qui arrive.* »[22] Oraison funèbre : « *À propos... tu ne me dis rien de Patrice Orfilat ? Moi, d'abord, je n'ai jamais pu supporter Édith... C'est une pimbêche, une ambitieuse, une mauvaise camarade et elle a un vocabulaire impossible, elle croit faire peuple avec des mots de corps de garde... Si elle passe de l'autre côté avec Patrice, eh bien, ce n'est pas moi qui pleurerai ! »*[23] – Annette Felzer, m'a-t-il semblé, avait ce jour-là quelque chose de la voix d'Elsa Triolet...

On voit l'intérêt de l'opération, puisque aussi bien opération il y a. Destiné d'abord à l'usage interne de la contre-société, en un temps où l'esprit de citadelle assiégée règne sans partage en son sein – *Les Communistes* sont significativement édités non pas chez Gallimard, comme les titres précédents du *Monde réel*, mais aux éditions du Parti –, le conte est chargé de présenter de manière romanesque la première version autorisée de l'histoire du Parti dans sa période la plus trouble[24]. La trahison prototypique d'Orfilat fonctionne comme repoussoir en face des héros futurs de la Résistance communiste, posés comme identiques à ceux qui, au commencement de Tout, ont approuvé sans broncher l'alignement sur Moscou.

On discerne aussi l'habileté du procédé, quand il s'agit de régler son compte à un mort : ne pas le citer en tant que tel, et donc s'autoriser à l'avance toutes les licences poétiques, tout en serrant une certaine réalité au plus près : surtout, ne le faire entrer en relation qu'avec d'autres morts : Gabriel Péri, son ancien « patron » de *L'Humanité*, a été arrêté sur dénonciation, dans des conditions appelées à demeurer sans doute éternellement mystérieuses, en mai 1941, à une époque où le PCF n'a pas encore choisi la résistance systématique. Pour certains oppositionnels, pas de doute : il a été livré par le Parti, mécontent et inquiet de ses réserves au moment du Pacte. Peu importe pour notre propos : il a été fusillé le 15 décembre 1941 dans un groupe d'otages. Georges et Maï Politzer ont connu le même sort un an plus tard. Benjamin Crémieux est mort à Buchenwald, à l'orée de 1945. Enfin Jean-Richard Bloch vient de mourir, en mars 1947. Comme le dira Aragon lui-même, dix ans plus tard : « *L'art du roman, c'est de savoir mentir.* »[25]

L'incident clos

Après ce trop long remuement de vieilles poubelles, considérons maintenant l'état du procès Nizan trente ans plus tard, au dernier apogée du Parti communiste français.

Ce sera pour constater que la voix de l'accusation s'est tue. Que même les calomniateurs survivants battent leur coulpe. Henri Lefebvre, exclu du

Parti en décembre 1957, a connu à son tour l'amertume du réprouvé. Après quelques mois de réflexion, il a fait paraître deux volumes de mémoires entrelardés, dans lesquels, tout aussi incidemment que la première fois, il glisse : « *En attendant mieux et plus clair, je désavoue la version abrégée donnée dans un livre antérieur.* »[26]

Plus de confrère accusateur. Au tour du romancier. En 1966, à l'occasion d'une réédition des *Communistes* pour les *Œuvres romanesques croisées*, Aragon fait disparaître toutes les scènes où il était question d'Orfilat et de son épouse. Seraient-elles littérairement inférieures aux autres ? Non, l'ancien directeur de *Ce Soir* a simplement voulu placer cette nouvelle version sous le signe de l'« *esprit de responsabilité* ». Deux ans plus tard, il tiendra d'ailleurs à préciser, dans ses entretiens avec Dominique Arban : « *Qu'en 1966 j'aie entrepris de remanier ce long roman ne signifie aucunement de ma part une condamnation de la première version.* »

La réhabilitation pure et simple prendra encore une dizaine d'années. Rapidement mentionné, en termes déjà modérés, par Alain Guérin, en 1972, dans son orthodoxe chronique de *La Résistance*, le « cas Nizan » ne sera d'abord évoqué dans la presse communiste de *L'Humanité* que par la bande. Un grand pas fut franchi le jour où la rubrique culturelle de *L'Humanité* elle-même se mit en branle. Son titulaire de 1978, Claude Prévost, profitera de la republication de *Chronique de septembre* pour laver Nizan d'« *injures qui sont à inscrire à notre passif et qui figurent parmi les pages les plus sombres de notre histoire* ». Ironie de ladite histoire : l'article paraissait au surlendemain de la projection d'*Aurélien* à la télévision. Encore un effort, et la récupération sera complète. Le 20 novembre 1979, le mot est lâché : « *Par son action et son œuvre, Paul Nizan reste bien un des nôtres.* »[28]

Désormais, quand un esprit léger s'avise de reprendre, en franc-tireur et sans biscuits, un petit verset de la vieille antienne, c'est lui qui se fait vertement rappeler à l'ordre et doit battre en retraite, tout penaud. Telle est la mésaventure qui est arrivée récemment à Roger Garaudy, quand il affirma que Nizan était allé voir sa femme, alors que lui, Garaudy, était mobilisé, pour lui demander de lui faire signer un « *désaveu* »[29].

« *Or, c'était maladroit.* » Roger Garaudy l'ignorait peut-être, mais Mme veuve Nizan vivait toujours. « *Qu'est-ce encore que cette histoire, monsieur Garaudy ? [...] Je serais heureuse de connaître la date de cette visite, car Nizan a été, lui aussi, mobilisé, et cela dès les premiers jours. [...] Je sais qu'il n'est allé trouver* personne *pour faire signer le moindre désaveu. Je sais qu'à ses yeux la publication de sa démission était et* devait être *la seule et unique action destinée à faire connaître sa position en ce qui concernait l'attitude du parti communiste français face au pacte germano-soviétique. Ses lettres, à moi adressées, en font foi. Elles ont été publiées depuis. [...] Vous n'étiez pas de nos "intimes", cher monsieur Garaudy. Ni votre femme. S'il était allé la trouver (et pourquoi l'aurait-il fait), je l'aurais su. [...] Si Nizan avait eu envie de contacter quelqu'un, en l'occurrence, c'eût été Gabriel Péri et non pas vous, sachez-le [...]. J'en ai assez, moi, Henriette Nizan, de toutes ces fausse-tés, de toutes ces petites diffamations si joliment orchestrées. J'ignore (ignorant tout de votre vie et m'en souciant fort peu) si Mme Garaudy est, comme moi, encore vivante. Si oui, veuillez la prier de me préciser les circonstances exactes de cette prétendue visite de Nizan.*

« *Sinon, ayez l'amabilité de vous taire.*

Henriette Nizan. »[30]

La foudre tombant aux pieds de M. Garaudy ne l'eût sans doute pas plus étonné. Il s'excusa.

La fermeté de ton a changé de camp. Rirette peut même se donner le chic de la magnanimité : « *J'avoue que j'ai eu beau me battre les flancs, je ne suis jamais parvenue à m'indigner sincèrement d'aucune des accusations dont Paul-Yves a été la victime. C'est que je ne les ai jamais prises pour autre chose qu'une bouffonnerie. À mes yeux, ce n'était sim-plement pas de Nizan qu'il pouvait être question. Un romancier a, m'a-t-on dit, voulu le peindre sous les traits d'un assez répugnant personnage. J'ai lu son livre. Je n'ai pas reconnu le prétendu modèle. Par la suite, peut-être sous certaines pressions, ledit romancier a, paraît-il, retiré des éditions suivantes le gênant passage. Prenons cela pour l'aveu de ses mauvaises intentions. En ce qui me concerne, il aurait aussi bien pu lui laisser vivre sa vie larvaire. Pour l'importance que cela avait ! Les romanciers, d'ailleurs, n'ont-ils pas tous les droits ?* »[31]

Un procès de Paris

C'est que l'abandon de Nizan n'avait pas été si complet que cela. Une femme n'avait cessé de se battre, avec le sang-froid que l'on vient de voir, pour faire reconnaître l'ignominie de l'accusation. Un homme, long-temps tiraillé entre des fidélités contradictoires, n'avait du moins jamais douté de son petit camarade, et il allait le prouver à plusieurs reprises.

Rirette aurait été bien incapable de répondre aux premières rumeurs : elle en ignorait tout. Henriette Alphen avait en effet quelques bonnes raisons de ne pas rester en France occupée. Les hasards des émigrations ayant enraciné outre-Atlantique un surgeon de la famille maternelle de Nizan, un bienheureux affidavit lui avait permis de gagner les États-Unis en compagnie de ses deux enfants à l'automne 1940. Là elle avait mené, pour survivre, une existence digne des romans américains. Simple bachelière, elle s'improvise professeur de littérature française au Rutgers College de New Brunswick (New Jersey), ce qui lui permet, accessoirement, d'être la première « universitaire » à parler en Amérique de l'œuvre d'un certain Jean-Paul Sartre. En 1942, elle travaille à l'Office américain d'information de guerre (OWI), aux côtés d'André Breton, Max Ophüls et de son cousin, Claude Lévi-Strauss. Un an plus tard, on la retrouve employée de la MGM, chargée d'écrire le doublage français des comédies jouées par Fred Astaire, Judy Garland, Spencer Tracy…

Elle a reçu confirmation de la mort de Nizan de la bouche de Fernand Léger, un jour de janvier 1941[32]. Au printemps 1945, Sartre est de passage à Washington à l'occasion du voyage qui fut à l'origine des textes américains réunis dans *Situations III*. C'est de lui qu'elle apprit l'existence de la rumeur. Cette révélation ne fut pas pour peu dans sa décision de rentrer en France. Elle y trouva quelques amis fidèles, par-delà les attachements partisans, Bruhat, Martin-Chauffier, André Ulmann. Elle découvrit aussi le silence glacial des intellectuels organiques et des puissants du jour. Une lettre à Aragon, en 1946, resta sans réponse. Une autre, début 1947, signée des deux enfants de Paul et Rirette, fut adressée à Thorez lui-même, pour l'heure ministre du premier gouvernement de la Quatrième République. Il y était dit qu'à l'âge de dix-huit et seize ans il leur était insupportable d'apprendre que leur père pouvait avoir été un traître, sans qu'aucune preuve en fût apportée. Ils les demandaient, ces preuves, puisque tout était préférable à cette équivoque rampante. Pas de réponse.

Le tout se termina sur une scène digne d'un thriller, MGM ou Warner. Rirette avait obtenu une entrevue avec Laurent Casanova, ministre communiste aux Anciens Combattants et, surtout, témoin direct du comportement de Nizan lors de l'été 1939. Elle trouva en face d'elle un sphinx ambigu, aux allures de *monsignore*, qui lui affirma n'être au courant d'aucune rumeur, tout en mettant fin à l'entretien par une petite phrase dénuée, elle, d'ambiguïté : « *Je ne vous conseille pas de faire quoi que ce soit contre le Parti…* »

On comprend mieux l'incapacité dans laquelle se trouvait Rirette de se faire rendre justice, quand on considère l'échec de la tentative de

Sartre, quelque temps après. Un élément nouveau venait d'intervenir : l'autre « petite phrase », celle de Lefebvre. Il était désormais possible de provoquer un débat public. Informé par Rirette, Sartre aiguisa sa plume polémique et entreprit de rassembler une brochette de signatures incontestables autour d'un long communiqué aux termes vifs, qui, après exposé du contenu de la rumeur, concluait : « *À notre connaissance, les communistes ne peuvent reprocher à Nizan que d'avoir quitté le parti communiste en 39, au moment du pacte germano-soviétique. De cela, chacun peut penser ce qu'il veut : c'est une affaire strictement politique et il n'entre pas dans nos intentions de l'apprécier. Mais lorsqu'on l'accuse de moucharder, sans donner de preuve, nous ne pouvons oublier que c'est un écrivain, qu'il est mort au combat et que c'est notre devoir d'écrivains de défendre sa mémoire. Nous nous adressons donc à M. Lefebvre (et à tous ceux qui colportent, avec lui, ces accusations infamantes) et nous leur posons la question suivante : "Lorsque vous dites que Nizan est un traître, voulez-vous dire simplement qu'il a quitté le parti communiste en 1939 ? En ce cas, dites-le clairement, chacun jugera selon ses principes. Ou voulez-vous insinuer qu'il a, bien avant la guerre, accepté pour de l'argent de renseigner le gouvernement anticommuniste sur votre Parti ? En ce cas, prouvez-le. Si nous restons sans réponse ou si nous ne recevons pas les preuves demandées, nous prendrons acte de votre silence et nous publierons un deuxième communiqué confirmant l'innocence de Nizan.* »

Suivaient vingt-six signatures[33]. L'équipe originelle des *Temps modernes* s'y trouvait reconstituée pour un instant, autour du trio Aron-Camus-Sartre. À Simone de Beauvoir, Jacques-Laurent Bost, Pierre Bost et Maurice Merleau-Ponty, au groupe Gallimard de Jean Lescure, Brice Parain, Jean Paulhan et Jean Schlumberger s'ajoutaient des noms plus éclectiques, ceux de Georges Adam, Julien Benda, André Billy, André Breton, Pierre Brisson, Roger Caillois, Maurice Fombeure, Jean Guéhenno, Henri Jeanson, Michel Leiris, Jacques Lemarchand, René Maheu, François Mauriac, Philippe Soupault, Jean Texcier.

Le *Littéraire* publia le texte le 29 mars 1947, bientôt suivi de *Combat* (4 avril), *Carrefour*, *Gavroche*... Dans un texte parallèle[34], Martin-Chauffier expliquait pourquoi il refusait de signer la protestation, dont il approuvait le fond mais pas le ton, trop crûment agressif, à son avis, à l'égard du Parti des quarante mille fusillés. Membre en vue du Comité national des écrivains dont il allait être élu, quelques jours plus tard, président, il lui était évidemment malaisé de paraître s'associer à une mise en demeure de l'organisation tutélaire.

C'était poser tout le problème de l'efficacité du texte, sorti, par hasard, à l'orée d'une crise politique cruciale. Les générations futures auront toujours quelque mal à imaginer la force du rayonnement intellectuel du parti communiste dans les premières années de l'après-guerre, image inversée du discrédit profond dans lequel il paraissait tombé cinq ans plus tôt. Il ne faisait pas bon alors heurter de front cette hégémonie, et il était facile à un discours intimidant de discréditer ses adversaires, à tout le moins auprès de l'intelligentsia progressiste, la seule qui comptât, par un simple haussement de ton, si faible ait été sur le fond le dossier à défendre. C'est ce que firent, chacun de son côté, la presse communiste et les organisations du compagnonnage.

L'Humanité, sous la plume d'un de ses chroniqueurs des pages culturelles, Guy Leclerc[35], n'eut pas de peine à épingler dans la liste des signataires trois ou quatre noms indésirables. Les initiateurs du texte ainsi disqualifiés comme « chiens de garde » de l'anticommunisme, il devenait facile d'esquiver la réponse sur le fond, au profit d'un raisonnement purement syllogistique. Citons quelques extraits de ce morceau d'anthologie du stalinisme français.

Attaque *ad hominem* : « *Il va sans dire que le but de l'opération n'est pas de "réhabiliter la mémoire" de Nizan, dont ces messieurs se moquent bien, mais d'attaquer le parti communiste français. Aussi bien, suffit-il de lire les noms des protestataires pour comprendre le sens profond de leur démarche : Brice Parain, chassé de* L'Humanité *parce que gérant du journal policier* Détective *; André Breton, qui fut l'hôte de Trotsky, le plus grand serviteur de la politique internationale contre le mouvement ouvrier, André Breton, qui dénonçait précisément dans sa revue son cosignataire d'aujourd'hui comme policier ; Jean Paulhan, l'homme pour qui Romain Rolland a été un traître au même titre qu'un Alphonse de Chateaubriant ; Henri Jeanson, fondateur et directeur du journal nazi* Aujourd'hui. » Réponse mensongère : « *Nizan a quitté le parti communiste en septembre 1939. Il l'a quitté avec éclat, en donnant à son geste un caractère ostentatoire, en participant aussitôt à l'abominable campagne de calomnies déclenchée contre les plus clairvoyants et les plus courageux des Français.* » Amalgame et syllogisme vichynskiens : « *Il l'a quitté comme Gitton et Capron, hommes de la police politique...* Traître à son Parti, il a été du même coup traître à la France[36], *en aidant par ses déclarations publiques les Daladier, les Bonnet, contre lesquels il écrivait la veille, et tous les agents de la Cinquième Colonne, à mener leur politique criminelle*[37]. *Peut-on croire que cette attitude ne prolongeait pas une activité antérieure ?* »[38] Péroraison musclée au nom de la Résistance :

« En voilà assez ! Cinq années de souffrance ont suffisamment révélé quelle marchandise recouvre l'anticommunisme pour que cette manœuvre juge à la fois ceux qui la font et celui qu'elle vise à défendre. »

La réponse du comité directeur du CNE fut aussi aragonienne que la protestation avait été sartrienne. Les vingt-six avaient en effet commis une erreur tactique, en signalant dans leur premier paragraphe : *« À l'un d'entre nous, Aragon a affirmé que Nizan fournissait des renseignements sur l'activité du parti communiste au ministère de l'Intérieur. »* Or, à l'époque, Aragon, qui ne se faisait pas faute d'alimenter la rumeur, n'avait encore rien écrit. Il était donc facile de retourner l'accusation comme un gant et de feindre de voir en elle une opération subalterne destinée non à réhabiliter un mort mais à déshonorer un vivant. C'est sur ce seul point que l'organisation prétendit répondre, laissant au directeur des *Lettres françaises*, Claude Morgan, le soin d'arpéger sur les arguments de Leclerc[39].

L'affaire prit une tournure plus contemporaine et plus personnelle encore quand Sartre, qui venait d'autre part d'être qualifié par la *Pravda* d'« *agent des trusts américains* », s'avisa de répondre en son nom à la mise au point du CNE : *« Puisque le CNE se montre si soucieux de défendre l'honneur de ses membres, je tiens à déclarer d'abord que je suis encore membre de ce Comité et que je ne me rappelle pas qu'il m'ait défendu contre les attaques communistes dont j'ai été l'objet. En second lieu, c'est à moi que M. Aragon a fait les déclarations citées plus haut. Estime-t-il donc qu'elles étaient de telle nature que leur pure et simple reproduction puisse jeter le discrédit sur leur auteur ? Ou bien nie-t-il les avoir faites ? En ce cas, c'est sa parole contre la mienne. Qu'il le dise et chacun jugera. »*[40] Comme d'habitude, Aragon ne répondit pas. Les amis de Nizan tirèrent pour leur part les conclusions du silence communiste sur le fond de l'affaire, et en particulier de celui « *de M. Lefebvre. Nizan a quitté le parti communiste en 1939. Nous le savions ; chacun jugera comme il l'entend. Quant aux insinuations concernant sa conduite antérieure, aucune preuve de leur véracité n'a été produite.* »[41]

Ils s'en tinrent là. Autre erreur, et stratégique, cette fois, car un écrivain ne se réhabilite pas à coup de « dont acte ». Ses vrais « dont acte » sont ses écrits, ce sont eux qu'il faut tenter à toute force d'exhumer. Nizan n'avait pas à être défendu, mais lu. C'était sa meilleure réponse, par-delà la mort. Les vingt-six se contentèrent de la satisfaction morale d'avoir contraint au silence les calomniateurs. En quoi ils se trompaient doublement : Aragon n'allait pas tarder à parler, à sa manière inimitable ;

et, surtout, le silence en question allait autant recouvrir Nizan lui-même que les écrits datés d'un Lefebvre ou d'un Leclerc. Sartre, à la même époque, montrait au passage Nizan dans *Qu'est-ce que la littérature ?*[42], mais c'était simplement pour le donner en exemple de la contradiction mortelle dans laquelle se trouve enfermé l'écrivain d'Église : que son œuvre devienne accessoire d'une cérémonie qui, elle, vise essentiellement à la communion. À partir du moment où « *le sens de la lecture* » est ainsi annihilé, à quoi bon lire encore *La Conspiration* ?

La conjoncture décourageait, il est vrai, toute tentative en sens contraire. Le dernier acte de la polémique, celui par lequel Martin-Chauffier expliquait sa position centriste, parut le 15 mai 1947. À cette date, les préoccupations des politiques et des intellectuels étaient déjà bien loin de cette querelle rétrospective. La nouvelle république massacrait comme une grande en Indochine, à Madagascar ; dix jours auparavant les ministres communistes avaient été exclus du gouvernement par Ramadier ; la France entrait officiellement, à son tour, dans la guerre froide. Le parti communiste redevenait un ghetto, presque une victime. On allait réentendre à son sujet les arguments utilisés précisément en 1939 contre Nizan : il n'était plus possible de donner, même avec raison, des armes aux diviseurs de la classe ouvrière, aux désespéreurs de Billancourt. L'équipe des *Temps modernes* engageait une délicate traversée de la mer des tempêtes, entre autonomie et soutien critique. La guerre de Corée, le maccarthysme achevèrent de recomposer le tableau. Au plus chaud de l'offensive anticommuniste, Sartre reprendra place à ce fameux comité directeur du CNE dont il se tenait éloigné depuis 1947.

Cellule Aden Arabie

Les années 1950 furent sans doute les plus sombres de toutes pour le souvenir de Nizan. Encore, entre 1940 et 1949, pouvait-on parler de lui, même pour le traîner dans la boue. Après *Les Communistes*, c'est l'oubli qui parut s'emparer de l'homme et de ses livres[43]. Il n'était plus nécessaire d'expliquer sa trahison : personne, dans les nouvelles générations, n'avait entendu parler de lui. Ignorée des dictionnaires, rayée des histoires de la littérature, l'œuvre achevait de se décomposer dans l'indifférence. Le 15 avril 1955, la maison Gallimard décide de mettre au pilon quatre cent cinq exemplaires du *Cheval de Troie* qui, décidément, ne se vend plus. La lettre de son service commercial est encore adressée à

« *M. Paul Nizan, 25 rue de Lorraine, Saint-Germain-en-Laye* ». Rien n'a bougé depuis 1939. En cette traversée du désert, un seul pays étranger se rappelle encore l'existence du réprouvé. On devine qu'il s'agit de la Yougoslavie : en 1954 paraît la traduction serbo-croate de *La Conspiration* qui, à cette même date, prend à son tour en France le chemin du pilon[44].

L'Histoire cependant continue d'avancer bon train. Des empires s'effondrent, des régimes meurent et naissent. À l'Est, du nouveau. Le successeur de Staline dénonce les crimes de son ancien maître. À l'Est, rien de nouveau. Les chars du successeur écrasent des prolétaires qui avaient mal compris. Symétriquement, une certaine idée de la France pourrit sur pied dans l'équivoque d'une nouvelle « sale guerre ». Les intellectuels de gauche, les militants anticolonialistes, les compagnons de route s'interrogent. L'espace de quelques années, comme cela arrive toutes les décennies environ, ces douteurs professionnels se remettent à douter d'eux-mêmes. Dans cette situation de révolte rageuse, existentielle, les regards des disciples troublés se tournent vers celui qui, à l'heure du Manifeste des « 121 » et du voyage à Cuba, est sans doute à l'apogée de son prestige intellectuel. Sartre et sa compagne commencent à publier leurs bilans, des *Mémoires d'une jeune fille rangée* en 1958 aux *Mots* de 1963, ces derniers conservés dans les tiroirs depuis près de dix ans.

Dans l'entre-deux, *Les Séquestrés d'Altona* ont mis en scène un homme abîmé dans la mauvaise conscience de tout son siècle mais qui, dans un dernier sursaut, décide enfin de revendiquer son destin, individuel et collectif, à la face d'une Histoire absurde. Sartre, lui aussi, a peut-être, à son échelle et dans l'ordre de ses responsabilités, sa petite mauvaise conscience. Celle de ne pas avoir poursuivi jusqu'au bout son travail de réhabilitation. On a vu comment se terminaient, depuis la parution du chapitre « Drôle d'amitié » dans les *Temps modernes* de novembre et décembre 1949, *Les Chemins de la liberté*[45]. On a vu comment les derniers efforts romanesques de Sartre, comme les premiers, en 1923, furent consacrés à décrypter l'énigme de son ami, ses dernières pages remplies tout entières de la figure de Nizan dédoublée en Brunet et Vicarios – l'avatar conquérant, l'avatar angoissé, et toujours la même révolte radicale. D'après Simone de Beauvoir[46], le dernier état du projet montrait Brunet réussir une deuxième tentative d'évasion, rejoindre la Résistance et, au sein d'un Parti réintégré au combat antifasciste, obtenir la réhabilitation posthume de Vicarios, avant de tomber à son tour. Mais cette fin « positive » ne vit jamais le jour. McCarthy et Dos Passos en décidèrent autrement. Ceux qui lisent aujourd'hui *Les Chemins de la liberté* sous forme de livre ignorent même « Drôle d'amitié ». L'inachèvement régnait en tous lieux ; celui des

Communistes renvoyait à celui des *Chemins de la liberté*, et ces derniers resteraient éternellement suspendus sur la mort abominable d'Orfilat-Vicarios-Nizan, non réhabilité, non justifié, volé.

Quand donc, au lendemain des *Séquestrés d'Altona*, un jeune éditeur d'extrême gauche nourri de Sartre entreprit d'aller voir de plus près dans les bibliothèques ce Nizan maudit qui avait parlé, trente ans plus tôt, de jeunesse, de révolte et d'Arabie[47], le petit camarade saisit l'occasion qui lui était donnée de payer sa dette : ce seront les fameuses quarante-cinq pages de l'« Avant-propos » à la réédition Maspero d'*Aden Arabie*, long texte – à peu près la moitié de celui de Nizan – désormais inséparable de l'œuvre préfacée, comme si les deux cothurnes de la rue d'Ulm avaient enfin réussi à écrire un livre ensemble, où leurs voix se répondraient par-delà la mort, vrai dialogue aux Enfers renouvelé de l'antique.

Comment être écrivain ? se demandait le Sartre de 1947. Comment le devenir ? se demandait-il en 1954, en rédigeant pour soi seul *Les Mots*. Comment le rester après tant de faillites ? martèle-t-il en 1960. Et là-bas, à Cuba, entre deux entretiens avec Fidel, le leader alors charismatique, il répond en ressuscitant deux hommes à peu près inconnus du public, de son public comme de l'autre : un Sartre Jean-Paul de bien avant *La Nausée*, l'existentialisme et la gloire des magazines ; et son ami le plus cher, Paul-Yves. Loin d'en faire des fantômes émouvants, un peu datés, voilà qu'il les oppose sans ménagement aux misérables tentatives intellectuelles qui, d'après lui, ont suivi, au milieu desquelles un Jean-Paul « new look », costumé en Juste « *souriant, léger, funèbre* », a accepté trop longtemps de jouer la comédie du pouvoir intellectuel. Plus rien à attendre de deux générations différemment mais également flouées, la sienne et celle de la Libération. Un seul espoir : les jeunes de 1960, qui ont tout à reconstruire sur les ruines du communisme stalinien, de la gauche dégénérée et de l'Occident en miettes. Un seul écrivain à parler leur langue : Nizan, éternellement jeune, éternellement révolté, sauvé par la mort des compromissions et des bedonnances. « *D'année en année, son hibernation l'a rajeuni. Il était notre contemporain, hier ; aujourd'hui, c'est le leur.* »[48] Chasser le naturel, il revient au galop. Nizan avait voulu s'intégrer à un « oui » en 1930. En 1960, il ressuscite dans le rôle de l'insoumis.

Devant ce qui peut être considéré comme l'un des plus beaux textes de son auteur, la critique se mit en branle, le public intellectuel s'émut. Avez-vous lu *Aden Arabie* ? Aimez-vous Nizan ? Rumeur pour rumeur, celle-ci disait du bien. La courbe se mit à remonter. Dans la foulée d'*Aden Arabie*, Maspero ressortit *Les Chiens de garde* (1960). On va exhumer des textes apparemment plus confidentiels, comme *Les Matérialistes de l'Antiquité*

(1965) ou *Chronique de septembre* (1978). Dès 1960, un journaliste avait noté : « *On vient de remettre en circulation* La Conspiration. »[49] Il faudra cependant attendre 1968 pour qu'une réimpression soit décidée[50]. Grasset est plus rapide, qui réimprime *Antoine Bloyé* dès la sortie d'*Aden*. Le Nizan se vend de mieux en mieux. À la veille de mai 68, qui lui donnera un nouveau coup de fouet, les deux essais réédités par Maspero ont déjà eu cinq cents fois plus de lecteurs que du vivant de leur auteur. Les éditeurs se précipitent. L'œuvre en livre est courte. Ne pourrait-on tabler sur des textes inédits ? Des manuscrits, une correspondance, des articles ? C'est chose faite, en 1967[51], en 1971[52]. Désormais, il n'y a plus guère qu'une centaine de notules littéraires, qu'un gros paquet d'articulets de stricte actualité politique, écrits sur le marbre dans la fièvre des dépêches d'agence, qui aient échappé, et plus pour très longtemps, à la boulimie éditoriale. Aucun texte important n'est plus aujourd'hui inaccessible au lecteur systématique. Peu de contemporains peuvent en dire autant.

Tout le reste arrive alors par surcroît. Encore ignoré du Grand Larousse dans son édition de 1963, Nizan (Paul) entre dans ce panthéon par la petite porte du *Supplément* de 1968. Absent du Lagarde et Michard, qui n'a garde d'oublier Jacques de Lacretelle et Félix de Chazournes, il est admis dès 1966 dans le *Dictionnaire de la littérature française*, peu après dans l'*Encyclopaedia Universalis*, qui lui consacre un long article. Son statut mondain est assuré.

Vingt-sept ans d'attente pour *Antoine Bloyé*, vingt-neuf pour *Aden Arabie*, trente pour *La Conspiration*, la trentaine pour les petits parnasses ordinaires : Nizan n'aura effectivement végété que l'espace d'une génération. C'est finalement peu, s'il doit avoir la bonne fortune de ne plus jamais disparaître des catalogues. Il n'est d'ailleurs pas nécessaire de forcer la note pour distinguer des correspondances entre la reparution des œuvres et le contexte historique. *Aden Arabie* interpelle rudement la génération de la guerre d'Algérie, *La Conspiration* semble sortir tout droit de l'expérience ambiguë de mai 1968, *Le Cheval de Troie*, reparu un an plus tard, devient l'un des rares romans militants réussis, etc. Dans *La Chinoise*, de Godard, film hautement mythologique, le petit groupe des conspirateurs s'appelle « *cellule Aden Arabie* ». Dix ans après Mai, Philippe Madral, lui aussi ancien journaliste à *L'Humanité* et ancien universitaire passé à la création artistique, donne à l'Odéon une pièce directement inspirée du *Cheval de Troie*[53]. L'une des vedettes de la nouvelle dramaturgie française, Patrice Chéreau, manifeste l'intention de mettre en scène *Antoine Bloyé*. Suit la télévision, avec Marcel Bluwal,

Pierre Beuchot. La voix acide et faussement nonchalante de Nizan semble au diapason de la fin de siècle.

Il est même un point sur lequel il paraît soudain distancer la plupart de ses contemporains : mort jeune, mi-partie d'agrégé de philosophie et de militant communiste, il s'est mis à représenter le sujet de thèse par excellence. Une première étude sort dès 1966[54]. Elle ressemble malheureusement plus à un brouillon griffonné dans la fièvre de la découverte qu'à une introduction modeste et pédagogique à une œuvre encore méconnue. Il faut donc attendre les premières années 1970 pour voir soudain floculer les exégèses sans lesquelles la réputation d'un littérateur demeure suspecte, toutes visiblement écrites à la lumière de l'« Avant-propos ».

Les ouvrages parus depuis lors sont fort honorables[55]. Les nizanistes à venir les consulteront avec profit. La place qu'y occupent les chercheurs anglo-saxons, récompense involontaire de l'anglophilie de l'agent de liaison Nizan, est en soi un signe flatteur et une belle option sur la postérité. Les approches proposées contribuent cependant à renvoyer Nizan dans le ghetto doré où toute une éducation, familiale et nationale, avait essayé de l'enfermer et dont toute sa vie était en fait une tentative d'évasion, le ghetto doré des forts en thème. Le textuel a tendance à y prendre le pas sur le corporel, l'affectif, le social, voire même le politique – en un mot l'historique.

Or, s'il fut des « hommes de lettres » impliqués dans le siècle, des clercs défroqués et heureux de l'être, ce furent bien, en cet entre-deux-guerres où les peuples et les esprits distingués jouaient à cache-cache avec la fin du monde, ces reporters du destin nommés Aragon, Malraux, Nizan, ou, sur d'autres registres et, peut-être, à un moindre degré, Berl, Brasillach, Drieu, Prévert, Saint-Exupéry… Si certains d'entre eux doivent « rester », ce sera assurément pour leur verbe, mais si ce verbe reste, c'est sans doute parce qu'il aura été, plus que les autres, composé des mille bruits de l'Histoire. Cantates pour le Prix de Rome, sacres du printemps ; les professeurs auraient une tendance irrépressible à préférer les premières, tout en cherchant à académiser les secondes. Le public est là pour les rappeler à l'ordre du désordre, et les faire s'attarder un peu sur les brillants sujets mauvais esprits.

La cause n'est donc pas tout à fait entendue. On ne peut sans doute plus écrire comme un historien de 1965 que Nizan est « *un peu oublié* »[56]. Mais la figure de son destin reste mal perçue. Quarante ou cinquante ans après, il gêne encore, surtout ses proches, sa famille spirituelle, comme on l'a vu avec les circonlocutions communistes ; sa famille naturelle aussi : en 1978, son gendre, Olivier Todd, écrit encore qu'entre sa démission et sa mort « *il n'a pas eu le temps de guérir* »[57], et l'image du discours totalitaire, principalement marxiste, comme ressortissant de la pure et simple pathologie hante l'œuvre de son petit-fils, Emmanuel Todd. La véhémence et le brio des deux premiers essais de celui-ci[58] ne sont d'ailleurs pas sans rappeler les deux premiers livres que son jeune grand-père écrivit au même âge. Seulement, l'éloquence de la révolte, la pronostication de la « *chute finale* » de l'oppression honnie sont ici retournées contre le communisme, et derrière lui le marxisme tout entier.

Un seul être est demeuré ferme tout au long de cette longue et courte histoire posthume – la seule histoire qui compte, pour un créateur –, Rirette. Femme « libérée » bien avant le mot, et y compris libérée de la double fatalité qui tomba sur elle, celle de la veuve de guerre, tout de suite, et celle, beaucoup plus tard, de la veuve de grand homme : « *Depuis tant d'années que l'on vient m'interroger sur Nizan, on a fini par me voler mes souvenirs. Il se venge en m'apparaissant parfois en rêve. Dans ces rêves, il n'est pas mort. Il m'a simplement abandonnée. Il m'a répudiée. Quittée pour une autre vie, avec Dieu sait quelle autre femme* »[59]...

On a surtout écrit sur l'auteur d'*Aden Arabie* ou sur celui de *La Conspiration*, ou sur le militant communiste. J'aimerais que ce livre ait parlé aussi de l'homme de Rirette, celui qui apparaît dans ses rêves.

Prométhée, enchaîné ?

> « Il faudrait que ce soit un livre : je ne
> sais rien faire d'autre. Mais pas un livre
> d'histoire, ça parle de ce qui a existé – jamais
> un existant ne peut justifier l'existence d'un
> autre existant. Mon erreur, c'était de vouloir
> ressusciter M. de Rollebon. »
>
> (*La Nausée*)

Le sergent Hutchings eut beau tracer pour Rirette le plan du pré où il avait enterré le manuscrit recueilli dans la cantine de Paul-Yves, il était trop tard. Seule, sans moyens, elle ne put que constater sur place le bouleversement des lieux, faire creuser aux alentours des rochers indiqués sur le papier, et puis un peu plus loin, un peu plus loin encore ; en vain. Tant de pluies, tant de piétinements militaires sur Jemelle (aujourd'hui annexée à la commune de Rochefort), ce morceau de terre belge, près de la frontière, où les Allemands avaient regroupé les prisonniers du coup de filet de Dunkerque, avant de les envoyer dans leurs stalags. Cinq ans plus tard, le même terrain avait accueilli des prisonniers allemands. L'Histoire fluait et refluait à la superficie de la terre qui, elle, se remuait en silence, digérait lentement le paquet taché d'encre à quoi s'était accroché dix mois durant le salut de Paul Nizan. Ci-gît *La Soirée à Somosierra*.

« *Dieu le fracas que fait un poète qu'on tue* », a dit l'autre. Une fois de plus, il se trompait. La mort de Nizan ne fit aucun bruit. On peut même difficilement imaginer plus grand enfouissement. Tombé obscurément dans un combat obscur, il fit partie de ces hommes de la Débâcle dont on ne pourra certifier le décès qu'après des mois, des années. Sa mort n'a été « publiée » nulle part, même dans la haine. Il y eut même des compilateurs qui ne surent pas où il avait été tué et, trompés par la consonance de Coëtlogon, firent mourir le Breton Nizan dans les Côtes du Nord[1].

À une époque où les maîtres potentiels de l'avenir français s'appelaient Pierre Laval, Maurice Thorez ou Charles de Gaulle, on voit mal où pouvait bien s'accrocher la mémoire d'un communiste accusé de double jeu, fût-il un « grand écrivain ». Un grand artiste, ça n'existe pas en soi. Il y faut de l'Histoire autour pour le dire. Quand Nizan déplorait qu'aucun homme ne disparût « *d'une manière vraiment raisonnable, dans un véritable néant, où il n'eût été prétexte à aucun rite* »[2], il n'imaginait sans doute pas qu'on serait pour lui raisonnable à ce point, qu'un jour ses camarades entreprendraient contre lui ce que le vieux monde bourgeois n'avait pas réussi : « *On s'apprêtait à jeter sur moi tant de couvertures : j'aurais pu être un traître, j'aurais pu étouffer.* »[3]

Avant d'être éventuellement un mythe, tout destin est d'abord une ironie de l'Histoire. Quarante ans après la résurrection du susdit grand écrivain, il n'y a toujours nulle part de rue, de place, de square Nizan. Aucune municipalité ouvrière ne lui a dédié le CES, la MJC, la crèche modèle, dont elle a gratifié Éluard, Elsa, Politzer, dont elle gratifiera demain Aragon [écrit en 1980]. Les amis de Nizan s'en moquent, bien sûr. Ils préfèrent que son nom continue à figurer sur les couvertures des livres de poche.

Pour certains autres, ce gêneur ne perd cependant rien pour attendre. Nouvel Antoine Bloyé, n'a-t-il pas été, durant toute son adhésion au communisme, cet homme « *des actes solitaires que lui avait imposés une puissance extérieure et inhumaine […], des actes qui n'avaient pas fait partie d'une authentique existence humaine, qui n'avaient pas eu de suites véritables* »[4] ? En mourant hors l'Église mais sans avoir eu le temps d'en tirer aucune conséquence littéraire, l'écrivain Nizan ne mourait-il pas, comme Rosen, volé ? Après tout, la *guerre civile* n'a pas eu lieu et Stalinabad est redevenue Douchanbe. Tout ce qui dans son œuvre dépendait de l'actualité d'un combat désormais terni ou de consignes partisanes bornées n'est-il pas irrémédiablement caduc ? Le sectarisme ne rend-il pas aujourd'hui *Les Chiens de garde* nul et non avenu ? Avec un peu plus de mauvaise foi, on peut affirmer de la même façon que *Le Cheval de Troie*, roman de parti, est à enfouir dans les poubelles du réalisme socialiste – ce qui est un bon prétexte à ne pas le lire. À ce compte, *Antoine Bloyé* n'est plus qu'une ébauche prometteuse, *Les Matérialistes* et *Chronique de septembre*, deux bibelots d'art mineur. Resterait un pamphlet injuste mais brillant et un roman inattaquable mais, fort heureusement, « ambigu ». Ce n'est pas rien, assurément, en face de ce que la postérité a conservé d'un Barrès, d'un Romain Rolland. Mais enfin… Quels chefs-d'œuvre ne nous aurait-il pas donné si…

Non. Au procès de l'homme, Paul Nizan est témoin numéro un par ce qui fait depuis toujours les témoins numéro un : un peu ce qu'ils ont vécu, beaucoup ce qu'ils en disent. Question : qu'est-ce qu'un homme ? – Un homme, répond Nizan, et quelques autres avec lui, c'est ce drôle d'animal qui trouve en lui-même la force de se dépasser. Comme certains dieux ce dépassement a un double nom : sens et œuvre. C'est là que se tient la positivité de Nizan. Il n'est pas jusqu'à son obsession de la mort qui ne soit à réinscrire dans une perspective dynamique, créatrice : « *On ne change rien qu'au risque de la mort, on ne transforme rien qu'en pensant à la mort.* »[5] Nizan est de ceux qui ont compris dès l'abord que la seule date importante d'une vie humaine n'est pas celle de la naissance, mais celle de la mort, non pas parce qu'elle termine, qu'elle achève, comme un boucher achève un cheval, au contraire : parce qu'elle partage en deux parts équivalentes une vie d'homme complet. Deux parts essentiellement différentes, essentiellement complémentaires : une vie antérieure, une vie postérieure, si l'on veut. Simplement, il y a des êtres humains qui n'ont pas la seconde.

C'est cet optimisme tragique, cet optimisme tout de même, qui fait que *Les Chemins de la liberté* devaient se clore pour Vicarios non sur la mort mais sur la réhabilitation. C'est lui qui fait qu'après avoir décrit cette fin atroce, cette dénonciation radicale du totalitarisme, Sartre ait accepté – l'Histoire, selon lui, l'imposant – de faire un bout de ces chemins-là avec les communistes, au plus fort de la guerre froide.

Bien sûr, ce n'est pas sans raison que la Seconde Guerre mondiale a tué pour le coup quatre grands romanciers français : Nizan, Saint-Exupéry, Malraux et Sartre, qui échouera à assumer cette expérience en termes romanesques. Il a même fallu attendre treize ans et *La Semaine sainte* pour se convaincre qu'Aragon ne s'y était pas perdu pour toujours. Mais enfin, on a continué à écrire, même après Auschwitz et Hiroshima. C'est le contraire qui aurait été étonnant, comme ne pas reconstruire telle qu'en elle-même la vieille ville de Varsovie après les destructions systématiques des nazis, aurait été leur donner la victoire finale.

Dans cette perspective d'un Nizan débarrassé de toute une aura romantique un peu suspecte – quelque chose comme un intellectuel phtisique assassiné lâchement par ses petits camarades –, un homme dru, réservé mais sans mystère, apparaît désormais. Celui qui a tout simplement osé faire l'éloge de la haine de jeunesse (il y a bien des amours de jeunesse), de la haine tout court, pas celle qui anime le SA frappant un sous-homme, mais celle du sous-homme frappé par le SA. Avec quelques bonnes longueurs d'avance sur Sartre, qui à cet égard paraît avoir pris comme son relais, au sortir de la guerre, Nizan a osé mettre en cause aussi bien son propre statut de clerc bien dressé que les formes les plus évidentes de l'égoïsme social, dénonçant l'aliénation au même degré – mais avec plus d'expérience – que l'exploitation.

Un mot le hante, et peut-être le sauve : élevé par l'école, l'École et l'Agrégation de philosophie réunies dans le culte de l'abstraction, il crie à la mystification, appelle au concret de l'économique, du biologique. Il peut même se permettre d'ironiser sur tous ces confrères, ces contemporains qui, tenant avec moins de vigueur le même discours, se révèlent en fait jusqu'à la guerre fort peu enclins à descendre de la chaire pour se coltiner le sale boulot. Un Jean Wahl, un Raymond Aron, un Jean-Paul Sartre. C'est cette préoccupation du concret qui évite à Nizan le dessèchement, la stérilité et, pour tout dire, le destin morose de ces brillants esprits nommés Benda, Berl ou Petitjean ; c'est elle qui lui permet de passer avec aisance de l'essai au roman, en sens inverse de Malraux qui paraît, du coup, n'avoir écrit ses romans, superbes, que par erreur.

Avec qui être ? demandait Nizan à l'époque d'*Aden Arabie*. C'était pour répondre : tout à la fois avec « *Lénine le jour où il voyait que la révolution était victorieuse* » et avec « *Beethoven le jour où il avait achevé la Symphonie avec chœurs* ». Le militant a beaucoup parlé de Lénine, mais il n'a jamais oublié Beethoven. En 1960, il fallait bien un livre pour justifier un avant-propos, si brillant celui-ci fût-il. Les meilleurs arguments de Nizan ne pouvaient être que ses œuvres. À chaque reparution, il devenait plus clair que la mort de 1940 ne signifiait pas : « Que n'aurait-il pas écrit, à la lumière de la guerre, de la calomnie et de l'exclusion ! Que nous auraient laissé Barrès, Stendhal, Sartre morts à trente-cinq ans ? », mais bien : « Qu'avait-il déjà écrit ! » Au XXIe siècle, s'il doit lui rester encore place dans la mémoire humaine, ce ne sera pas pour une sale mort et une « affaire » triviale, mais pour trois romans, deux essais, deux ou trois reportages, quelques critiques, pour une certaine hygiène des lettres, pour un ton de voix reconnaissable.

Les qualités littéraires de Nizan apparaissent peut-être mieux si on le compare un instant à cette autre victime de la Seconde Guerre mondiale, elle aussi disparue à trente-cinq ans, elle aussi chroniqueur littéraire d'un grand quotidien extrémiste, elle aussi nourrie dans sa jeunesse de Morand et de Giraudoux : Robert Brasillach. Il est facile de voir que le style de l'aîné atteint dès les premiers livres son point d'équilibre, quand celui du cadet est encore tout encombré de coquetteries, partagé entre la joliesse et des accès de grosse voix, où se force visiblement son organe. N'est pas méchant qui veut, en littérature ; qui y saccage son talent risque fort de terminer dans le désastre.

Écrire, ce n'est jamais que répondre par une certaine musique à quelques questions simples, entêtantes, constantes. La musique de Nizan, ce sera « *J'avais vingt ans. Je ne laisserai personne dire que c'est le plus bel âge de la vie* », ou « *Sa mère crut que ces larmes étaient des signes de remords. Il ne pleurait que sur lui-même : tout le monde s'y trompa* », sa première phrase, sa dernière, et tout l'entre-deux. Les questions simples, ce sont celles qu'on devine entre les lignes du « *remède quadruple* » d'Épicure, quelque chose comme : À quoi bon les dieux ? À quoi bon la mort ? À quand le bonheur ? Jusqu'où la souffrance ? Pas une musique lyrique, ou acrobatique, une musique acidulée, claire et dissonante mais sans système, traversée de fausses nonchalances, quelque chose comme le premier Stravinski, le dernier Bartok. Pas celle d'un découvreur d'univers sonore, un Proust, un Joyce, mais la pointe avancée d'un certain classicisme, famille Voltaire plutôt que Boileau, fait de mauvais esprit, de bonne syntaxe, et de volonté de ne pas être dupe. « *Le plus grand art étant jusqu'à nouvel ordre une mise en accusation du monde* »[6], oui, en ce sens il fut bien un « dénonciateur », simplement pas celui que pensaient quelques dévôts.

Affaire non classée, Nizan continue à déranger les uns et les autres. La solitude de sa mort, sarcasme absurde, conforte son image. « *Irrécupérable* », pour parler comme le dramaturge Sartre, il ne sera jamais un « *Artiste-du-Peuple* », jamais, malgré toutes les réhabilitations posthumes, le Péguy communiste dont le Parti aurait eu tant besoin. Le fin mot de son destin, il le donna à Rirette *in extremis*, dans une lettre de guerre, au lendemain de sa rupture : « *Le seul honneur qui nous reste est celui de l'entendement.* »[7] En quoi le dernier Nizan rejoignait le premier, celui qui écrivait sur la feuille d'un carnet, vers 1925 : « *Ce nouvel univers à connaître, je le remets à plus tard lorsque je serai sauvé, lorsque l'illusion du définitif aura triomphé.* »[8] Cette illusion-là, il avait été bien près de s'y laisser prendre corps et âme – et, au dernier moment, ce fameux honneur de l'entendement l'avait emporté.

« *C'était un temps déraisonnable.* » Bien peu firent un tel choix. Critérium : considérons seulement le comportement des grands intellectuels français pendant la Drôle de Guerre, comportement aujourd'hui bien effacé par le grand chambardement idéologique qui s'ensuivit. Giraudoux responsable de la propagande et de la censure. Valéry plus conférencier mondain que jamais. Romain Rolland rallié cette fois à la politique de défense nationale. Maurras et Drieu qui embouchent le clairon de Déroulède. Alain et Giono emmurés dans un pacifisme intégral qui fait le jeu d'Hitler. Aragon, Malraux, Sartre qui n'en pensent pas moins mais n'en disent pas plus. Partout, chez ceux qui parlent, la répétition, en farce, de l'An 14.

Une seule voix désaccordée, le 25 septembre ; non pour dire qu'il ne faut pas se battre contre l'hitlérisme, c'est le désaccord de Ferdonnet, ou que l'ennemi principal est Staline, c'est le désaccord de Philippe Henriot, mais pour rappeler sèchement les deux principes de l'« intellectuel » : 1. que la morale passe avant la tactique, et même la stratégie ; 2. qu'il est des temps où l'urgence est de risquer son existence pour cette morale-là. À ceux qui, au jeu des sept familles, chercheraient un parangon de l'intellectuel contemporain, offrons Nizan.

1920. Un jeune homme doué découvre deux visages de la mort, dans l'absurdité d'une guerre et l'échec d'un père. Il se jure de ne plus jamais être dupe, ni hypocrite.

1940. La grosse bête rouge et visqueuse commence le massacre de quarante-cinq millions d'êtres humains par celui du jeune homme doué. La vie postérieure de Paul-Yves Nizan commence mal.

1960. D'autres hommes viennent enfin à son secours. Il n'était pas seul. Il lui arrive même des milliers de frères.

1980. Il est toujours vivant. Sartre aussi, dont la rumeur publique annonce la mort corporelle. Mais alentour les jeux sont faits, rien ne va plus. L'Occident se trouble, bafouille des mots oubliés, « Crise », « Guerre », « Apocalypse »… Pygmalion fait sourire, Faust n'a plus rien à apprendre, Prométhée a mauvaise presse. À son esprit conquérant, à son progressisme, à son volontarisme on fait porter la responsabilité d'un environnement délabré, d'une technologie grippée, d'un système économique incohérent, d'une humanité coupée en deux non par l'idéologie mais par le niveau de vie, où un Tiers Monde grand comme deux prend de plus en plus figure de prolétariat planétaire. Le pessimisme se porte chic, en cette arrière-saison. À choisir dans la galerie des ancêtres, l'intelligentsia française semble préférer ces temps-ci quelques ludions au charme décadent, type Drieu, ou quelques frénétiques à la noirceur choisie, type Céline.

Les deux vies de Nizan témoignent pour un autre choix. « *Je n'aime pas les pays qui ne portent pas nos traces* », dit-il aux hommes, « *je n'aime pas les arbres sauvages, les fauves, les fourmis, mais seulement les arbres des vergers, les bêtes domestiquées, les passions domptées* »[9]. Anti-Massart, il croit à l'Histoire. En quoi il ne se trompe jamais, car ne font l'histoire que ceux qui croient qu'il y en a une. L'histoire est comme l'oiseau simourgh, que tous les autres oiseaux recherchent et qui n'est que l'ensemble d'eux tous.

En fait, il y a un Nizan en chacun de nous. Appelons-le, faute de mieux, le révolté. Non pas le révolutionnaire, si l'on admet que le révolté remet toujours en question le sens de sa révolte, quand le révolutionnaire se métamorphose en homme d'ordre sitôt que les lendemains se mettent à chanter. Ce révolté, vital et fragile, nous l'étouffons plus ou moins. Il fut l'un de ceux qui l'étouffèrent le moins possible.

Dans son dernier roman il donne la liste des rares « actes véritables ». C'étaient « *les accouplements, les meurtres, la construction des monuments, l'ouverture des routes, l'enlèvement d'une grande troupe, la vie qu'on aventure* »[10]. On ne saurait mieux dire, et l'on peut reprendre une à une ces catégories. Nizan y figure à chaque fois en bonne place.

« *Quelques hommes laissent de profondes traces dans la terre, on peut longtemps demander des secrets, des avis à leurs livres, à leurs actions, à une certaine sérénité ou à une certaine puissance qu'ils avaient.* »[11] Sérénité, celui-ci, sans doute pas. Mais puissance, oui, sans doute. L'histoire parle communément de Prométhée-Enchaîné, comme elle dit Ubu-Roi ou la Guerre-civile. Sagesse des nations. Mais il ne faut pas oublier que le second terme n'a de sens qu'en fonction du premier. Les vautours l'avaient repéré du premier jour, maintenant, ils lui dévorent le foie, et pour longtemps ; qu'importe ? Nizan a eu la force, le courage, la folie de voler sa part d'incendie aux dieux sourds, aveugles et indifférents qui régissent les molécules d'ADN et les taches solaires. Qui vivra verra combien de temps tout cela flambera encore. L'important, c'est le feu de joie.

Prague – Paris, été 1980,
relu et approuvé à l'été 2004.

NOTES

Abréviations

AA : *Aden Arabie*
AP/AA : « Avant-propos » de Sartre à l'édition Maspero
CDG : *Les Chiens de garde*
AB : *Antoine Bloyé*
CT : *Le Cheval de Troie*
Co : *La Conspiration*
Ma : *Les Matérialistes de l'Antiquité*
AHN : Archives privées d'Henriette Nizan (aujourd'hui déposées à la BnF)

Nos références chiffrées concernent :
 – les éditions Maspero – Petite collection pour *AA* et *CDG*
 – les éditions Grasset 1933 (impression photo 1978) d'*AB* et Gallimard 1968 du *CT*
 – l'édition de poche « Folio » de *Co*
 – l'édition originale (reprint) de *Ma*

Paul-Yves

[1] *Co*, 18.
[2] *AA*, 130.
[3] *AA*, 138.
[4] Reconstitué d'après *AHN*.
[5] *AB*, 35.
[6] *Co*, 193.
[7] *Co*, 270.
[8] Exemple : « Sindobod Toçikiston » ou « Les vainqueurs de Timour ».
[9] *AB*, 213.
[10] *AB*, 157.
[11] *Ce Soir*, 9 juillet 1938.
[12] Voir cette irruption dans *Les Mots*, à partir de la p. 192 (Éd. Folio, Gallimard).
[13] « Le goût du définitif » (*AHN*).
[14] Lettre à Henriette Alphen, 4 janvier 1927 (*AHN*).
[15] *AB*, 46.
[16] *Ibid.*
[17] *AB*, 167.
[18] *AB*, 140.
[19] *AB*, 169.
[20] *AB*, 261.
[21] *AB*, 144.
[22] *AB*, 146.
[23] *Co*, 136.

[24] *Co*, 250.

[25] *Co*, 193.

[26] *Ibid.*

[27] *AB*, 299.

[28] *AB*, 34.

[30] *Les Nouvelles littéraires*, 7 décembre 1928.

[31] *AA*, 61.

[32] *L'Humanité*, 31 mai 1936.

[33] *AP/AA*, 25.

[34] Toutes ces notations, et celles qui suivent, sont extraites des archives des lycées Henri-IV et Louis-le-Grand.

[35] *Cf.* note 12.

[36] *AP/AA*, 14.

[37] *Co*, 200.

[38] Témoignage de Raymond Aron au cours de l'émission de télévision « Apostrophes » consacrée à Sartre le 18 avril 1980. Confirmé par les passages du *Spectateur engagé* et de ses *Mémoires* où il évoque Nizan.

[39] *Les Temps modernes*, novembre 1949, p. 777.

[40] *AP/AA*, 16.

[41] *Lycée Henri-IV. Distribution solennelle des prix* […] *1919*, Paris, Chaix, 1919.

[42] *AA*, 62.

[43] *Co*, 61, 62.

[44] *Co*, 94.

[45] *Co*, 69.

[46] Parmi les exceptions, Romain Rolland, à qui Nizan dédicace *CDG* : « *au seul peut-être de nos aînés qui ne nous ait pas trompés* » (Archives Romain Rolland).

[47] *AA*, 149.

[48] Lettre du grand-père Métour à Clémentine Nizan, du 2 octobre 1923 (*AHN*).

[49] Lettre à Hélène Fauvel, décembre 1923. Citée par Jacqueline Leiner, *Le Destin littéraire de Paul Nizan*, p. 35.

[50] *Ibid.*

[51] Lettre d'Eugène Métour, du 27 février (1924).

[52] Commentaire d'Eugène : « *Voilà une bonne voie, pourvu que tu n'ailles pas ensuite t'enterrer dans un lycée de province pour y faire des cours à des mioches paresseux, sinistres et farceurs. Lis les vies de Taine et de Renan, tu y verras pourquoi Renan eut raison de ne pas s'embarrasser du professorat et que Taine eut tort et en souffrit. Ton papa sera à même de te faciliter la voie. Tes études finies, essaye de te faire envoyer en mission. Travaille et tu enseigneras au Collège de France un peu plus tard* » (*AHN*).

[53] Lettre à Henriette Alphen, avril 1926 (*AHN*).

[54] *Mémoires d'une jeune fille rangée*, p. 433.

[55] *L'Humanité*, 30 décembre 1932.

[56] Exemples : quand l'un ponctue ses phrases d'un « *si fait* », l'autre se doit de répondre par un « *oui da* » ; Nizan se met à dégoiser d'une voix nasillarde : Sartre plonge sous une table et « *joue au phonographe* ».

[57] Pluvinage, dans *Co*, 276.

[58] *Monde*, 14 mars 1931.

[59] *AB*, 47 : « *Antoine ne saura jamais réciter par cœur les trois premiers vers de la première églogue de Virgile, les deux premiers vers du premier chant de l'*Odyssée*, il ne sera pas un homme bien.* »

[60] *Co*, 198 ; *cf.* aussi la scène de Laforgue et son père, *Co*, 68.

[61] *Co*, 134.

[62] *Co*, 22.

[63] *Revue marxiste*, mai 1929.

[64] *Fruits verts*, n° 2, juin-juillet 1924.

[65] Parue en 1923.

[66] *Faisceaux*, avril 1924.

[67] *Les Nouvelles littéraires*, art. cité.

[68] *La Cathédrale*, poème daté de « Paris, 16 novembre 1923 ».

[69] Exemple : *Monde*, 12 avril 1935. *Cf.* aussi le début du chapitre XIX d'*AB*.

[70] *Les Nouvelles littéraires*, art. cité.

[71] « Paris, novembre 1923. »

[72] Seul poème de Nizan publié de son vivant (*Fruits verts*, n° 2).

[73] *La Revue sans titre*, octobre 1923.

[74] Lettre à Henriette Alphen, Aden, 7 janvier 1927 (*AHN*).

[75] « *Il est heureux de constater les tendances vers la gauche de la jeunesse actuelle* » (n° 4).

[76] *AHN* et archives Jean-Richard Bloch. Daté de 1922.

[77] Périodique consultable désormais à la BnF.

[78] *La Revue sans titre*, n° 2.

[79] *Fruits verts*, n° 1, mai 1924.

[80] *Hélène*, texte inédit (*AHN*).

[81] *AHN*.

[82] Lettre à Henriette Alphen, Granville, avril 1926.

J'avais vingt ans...

[1] *AB*, 299.

[2] Pierre Ducroq, *Le Rempart*, 16 novembre 1933.

[3] *La Force de l'âge*, p. 39 de l'édition Folio, Gallimard.

[4] *AA*, 55.

[5] *Co*, 32.

[6] *Co*, 96.

[7] *Cf.* Raymond Aron, émission « Apostrophes », citée.

[8] *CT*, 95.

[9] Lettre à Henriette Alphen, Aden, « Saturday evening » (*AHN*).

[10] *AA*, 63.

[11] *Co*, 25-26.

[12] *AP/AA*, 16.

[13] *Mémoires d'une jeune fille rangée*, p. 310 de l'édition Folio, Gallimard.

[14] *Ibid.*, p. 335-336.

[15] *AA*, 57.

[16] *AA*, 55.

[17] *Monde*, 22 février 1935.

[18] *AA*, 55.

[19] Lettre de M. Claude Lévi-Strauss à l'auteur, août 1980.

[20] Son étoile voulut qu'il fût recalé l'année précédente, à la surprise générale. De ce fait, il retrouva Nizan – qui, lui, avait obtenu une année de suspension, on verra pourquoi – et rencontra une certaine Simone de Beauvoir.

[21] Livret universitaire (*AHN*).

[22] « Le goût du définitif » (*AHN*).

[23] *Co*, 56.

[24] *La Force de l'âge*, p. 37 de l'édition Folio.

[25] *Co*, 46.

[26] *AA*, 57.

[27] *Co*, 57.

[28] D'après Gérard de Catalogne, *Les Nouvelles littéraires*, art. cité.

[29] Carnet noir (*AHN*).

[30] Lettre à Henriette Alphen, « Firenze », 8 octobre 1925 (*AHN*).

[31] *Ibid.*

[32] *Ibid.*

[33] *Ibid.*

[34] *Le Nouveau Siècle*, 14 juillet 1926. Dans la même perspective, Georges Valois révise dès lors ses préjugés antisémites et se livre au contraire à un éloge explicite du génie juif.

[35] Appel de Georges Valois, *Le Nouveau Siècle*, 16 avril 1925.

[36] *Ibid.*, 3 septembre 1925.

[37] *Ibid.*, 19 décembre 1926.

[38] Carnet noir (*AHN*).

[39] *CT*, 139.

[40] Lettre à Jean-Richard Bloch, août 1925 (Archives Jean-Richard Bloch).

[41] Carnet (*AHN*).

[42] Lettre à Henriette Alphen, juillet 1925 (*AHN*).

[43] *Ibid.*

[44] *AA*, 127.

[45] *Co*, 36.

[46] Lettre à Henriette Alphen, octobre 1925 (*AHN*).

[47] *Les Mots*, p. 165 de l'édition Folio, Gallimard.

[48] *AP/AA*, 25.

[49] *Co*, 14.

[50] *CT*, 46.

[51] Lettre à Henriette Alphen, 18 août 1926 (*AHN*).

[52] *Les Nouvelles littéraires*, 2 février 1929.

[53] *CT*, 117.

[54] *AA*, 70.

[55] *AA*, 101.

[56] Lettre à Paul Nizan, 18 avril 1928 (*AHN*).

[57] Pluvinage, *Co*, 292.

[58] Lettre à Henriette Alphen, 4 décembre 1926 (*AHN*).

[59] Lettre à Jean-Richard Bloch, 16 septembre 1926 (Archives J.-R. Bloch).

[60] Lettre à Henriette Alphen, septembre 1926 (*AHN*).

[61] *Ibid.*, octobre 1926.

[62] *Ibid.*

[63] Autre lettre d'octobre 1926.

[64] *Ibid.*

[65] *Cf. AA*, 91.

[66] Lettre à Henriette Alphen, « Cairo », 2 novembre 1926.

[67] *Ibid.*, « Cairo », 4 novembre 1926.

[68] Éd. 1973, t. 3, p. 242.

[69] Lettre dactylographiée à Henriette Alphen, Aden, sans date.

[70] *AHN.*

[71] Allusions dans une réponse d'Henriette, datée du 19 décembre 1926.

[72] *AHN.*

[73] *AHN.*

[74] *AA*, 99.

[75] *AA*, 133.

[76] *AHN.*

[77] *Cf.* en particulier *AA*, 100-101.

[78] *Co*, 138.

[79] *CT*, 21.

[80] *AHN.*

[81] *AA*, 143.

[82] *Cahiers de l'Odéon*, n° 3, 1978.

[83] Allusion dans une lettre de Paul-Yves, Djibouti, janvier 1927 (*AHN*).

[84] Lettre dactylographiée d'Aden, sans date (*AHN*).

[85] Lettre d'Henriette Alphen à Paul Nizan, Paris, 11 janvier 1927.

[86] *Ibid.*, 15 février 1927.

[87] Lettre de Paul Nizan à Henriette Alphen, Swansea, octobre 1926 (*AHN*).

[88] *Ibid.*, Strasbourg, avril 1927 (*AHN*).

[89] Lettre d'Henriette Alphen, sans date (*AHN*).

[90] Billet de la même, 17 avril 1927 (*AHN*).

[91] Lettre de la même, sans date (*AHN*).

[92] Guide bleu, *Paris*, éd. 1980, p. 445.

[93] Lettre à Henriette Alphen, Strasbourg, 21 septembre 1927.

[94] *AB*, 145.

[95] *AB*, 143.

[96] *Co*, 184.

[97] Fille de Gustave Téry, le fondateur du journal *L'Œuvre*, et d'Andrée Viollis, journaliste réputée de l'époque. Elle-même agrégée convertie au grand reportage.

[98] Lettre de Paul-Yves à Rirette, 20 août 1935 (*AHN*).

[99] *AB*, 146-147.

[100] *Co*, 237.

[101] *Co*, 141.

[102] *Co*, 185.

[103] *Co*, 150.

[104] *Cahiers de l'Odéon*, art. cité.

[105] *Co*, 303.

[106] *Co*, 306.

[107] Après cet échec, Sartre se mettra à un « factum sur la contingence » d'où sortira *La Nausée*.

[108] *La Force de l'âge*, p. 92 et 122-123 de l'édition Folio, Gallimard.

[109] Lettre à Jean-Richard Bloch, 12 octobre 1930.

[110] *Les Nouvelles littéraires*, art. cité.

Misère de la philosophie

[1] *Les Nouvelles littéraires*, art. cité.

[2] *CDG*, 88.

[3] *Co*, 59.

[4] *Co*, 3.

[5] *L'Humanité*, 30 décembre 1932.

[6] *Revue marxiste*, mars 1929.

[7] *Ibid.*

[8] *Ce Soir*, 6 janvier 1938.

[9] *AHN.*

[10] *AHN.*

[11] « Notes. Programme sur la philosophie », in *Bifur*, n° 7, décembre 1930.

[12] *AA*, 56.

[13] *CDG*, 11.

[14] *Ma*, 21.

[15] *Europe*, 15 juillet 1930.

[16] *CDG*, 68.

[17] *CDG*, 10.

[18] *AA*, 151.

[19] *AA*, 133.

[20] *CDG*, 87.

[21] Texte paru dans *Europe*, 15 juillet 1935.

[22] Publicité dans *Europe*, 15 janvier 1925.

[23] *AHN.*

[24] *AHN.*

[25] *La Vie est unique*, 1933, *Autocritique*, 1961.

[26] *Ville qui n'a pas de fin !...*

[27] *Votre tour viendra* et *L'Adieu*, Gallimard.

[28] *Co*, 82.

[29] Le contrat lui est notifié par Jacques Robertfrance à la date du 26 février 1930. Nizan le signe, après avoir posé des questions de détail, quelques semaines plus tard. Notons qu'il se proposait de faire lui-même la traduction anglaise du livre.

[30] Lettre de Jean Guéhenno à Paul Nizan du 3 juillet 1930.

[31] Lettre à Henriette Alphen, Aden, 4 janvier 1926. On peut y ajouter une mention, dans une lettre dactylographiée sans date conservée dans les mêmes *AHN* : « *J'ai un sujet plaisant de factum et un sujet d'un genre plus relevé du type essai et de tendance révolutionnaire.* »

[32] C'est à peu près le sens du compte rendu que Nizan en donne dans *Europe*, le 15 juillet 1930. À cette date cependant il a déjà terminé la rédaction de son propre livre.

[33] *AA*, 54-55.

[34] *AA*, 64.

[35] *AA*, 109.

[36] *AA*, 120.

[37] *AA*, 155.

[38] *AA*, 114.

[39] *AA*, 128. *Cf.* aussi la tirade sur les « paysages », p. 133, que nous avons citée dans le chapitre précédent.

[40] *Co*, 64.

[41] *AA*, 108.

[42] *AHN*.

[43] *CDG*, 74.

[44] *CDG*, 99.

[45] *Monde*, 10 décembre 1932.

[46] *CDG*, 15.

[47] *Revue marxiste*, mars 1929.

[48] Édition de la Pléiade (1939), p. 1138-1140.

[49] Jean Vignaud, 10 mars 1931.

[50] Gabriel Marcel : *La Liberté*, 16 février 1931 ; Emmanuel Berl : *Europe*, 15 juin 1931.

[51] *L'Action française*, 5 février 1931.

[52] *Les Nouvelles littéraires*, 18 juin 1933.

[53] *AHN*.

[54] *AHN*. Après trois mois d'exploitation d'*AA* : 887 ex. vendus.

[55] Archives Anne-Marie Todd, 18 juin 1931. Conclusion de Roy : « Merci ».

[56] Exemples : le compte rendu de l'ouvrage de Decroly et Buyse sur *La Pratique des tests mentaux*, dans la *Revue de psychologie concrète*, en 1929 ; *L'Humanité*, 30 décembre 1932.

[57] *L'Humanité*, 22 mai 1936.

[58] Le Bulletin de l'Union ne rend pas compte de cette séance.

[59] *CDG*, 38.

[60] *Ma*, 20-21.

[61] *CDG*, 24.

[62] *Ma*, 46. Brunschvicg répondit par une lettre spirituelle (en date du 14 juillet 1936) à l'hommage d'un exemplaire des *Ma*... (Archives Anne-Marie Todd).

L'Église

[1] On peut leur adjoindre deux adhérents de la Fédération unitaire de l'Enseignement, rattachée à la CGTU communiste, Pierre Vilar et Jean Dresch.

[2] Phrase rapportée par Jean Bruhat.

[3] *L'Humanité*, 2 décembre 1932.

[4] *CT*, 119.

[5] *CT*, 88.

[6] *CT*, 90.

[7] *Co*, 211.

[8] *AB*, 207.

[9] Pluvinage, dans *Co*, 284.

[10] *AA*, 153.

[11] *Co*, 163.

[12] *AA*, 153.

[13] *CT*, 17.

[14] *Ce Soir*, 9 mars 1939.

[15] *CO*, 224.

[16] *CDG*, 94.

[17] *CT*, 189.

[18] *CT*, 49.

[19] *CT*, 47.

[20] *La Littérature internationale*, n° 4, 1934.

[21] *AHN*.

[22] *CT*, 117.

[23] *Co*, 212.

[24] *Présentation d'une ville*, p. 35.

[25] *CT*, 161.

[26] *Cf.* lettre de Paul Nizan à sa mère, 21 mars 1935 (*AHN*).

[27] *CDG*, 78.

[28] *Co*, 253.

[29] *Cf.* lettre de Henri Barbusse à Paul Nizan, 17 mars 1931 (Archives Anne-Marie Todd) et les trois lettres de 1931 dans les *AHN*.

[30] *Europe*, 15 mars 1933.

[31] *L'Humanité*, 13 janvier 1933.

[32] *L'Humanité*, 10 février 1933.

[33] *L'Économiste européen*, 21 avril 1933.

[34] *AHN*.

[35] Qui, semble-t-il, n'a jamais paru.

[36] Qui ne cotisera d'ailleurs jamais à l'association. *Cf.* note 28 : en 1931, Nizan rejette Gide.

[37] Le fait est confirmé à plusieurs reprises, en particulier par le *Journal* et les *Cahiers de la Petite Dame* (dans ces derniers : tome II, p. 1289).

[38] *NRF*, décembre 1932.

[39] *Commune*, n° 3. Sur Heidegger : *Europe*, 15 janvier 1933.

[40] Voir aussi, sur cette époque, le n° septembre-octobre 1932 de la *Revue des vivants*.

[41] *La Russie d'aujourd'hui*, mai 1933.

[42] Le responsable en titre de l'édition française est Paul Vaillant-Couturier. Dans les *AHN*, on trouve un contrat Rieder, en date du 30 janvier 1935, concernant la traduction en langue française du rapport officiel sur le 2ᵉ Plan quinquennal soviétique. Nizan y figure comme représentant les Éditions Vegaar de Moscou.

[43] Lettre d'André Gide à Paul Nizan, 28 septembre 1934 (Archives Anne-Marie Todd).

[44] Le contrat de traduction est signé le 16 juillet 1934 avec les Éditions Vrémia. Au total, trois ouvrages de Nizan seront édités en Union soviétique en l'espace de quelques mois : *AA*, *AB* et *CT*.

[45] *La Force de l'âge*, p. 236-237 de l'édition Folio.

[46] *AHN.*

[47] *Monde*, 13 juin 1935. La veine russophile s'épanouit dans les articles de *La Russie d'aujourd'hui* (août, septembre et novembre 1935 ; juin et juillet 1936 ; mars et novembre 1937) signés de Paul-Yves ou de Rirette.

[48] Sur ce livre (*Le Crocodile*), *cf. AHN* et *Russie d'aujourd'hui.*

[49] « Le tombeau de Timour », *Vendredi*, 29 janvier 1937 ; « Sindobod Toçikiston », *Europe*, 15 mai 1935.

[50] Discours au congrès de juin 1935, *Europe*, 15 juillet 1935.

[51] *AA*, 60.

[52] *Co*, 127.

[53] *CT*, 17.

[54] *CT*, 203.

[55] *Co*, 191.

[56] *Europe*, 15 janvier 1930.

Écrire

[1] Discours au congrès de juin 1935, *Europe*, 15 juillet 1935. Sur l'ensemble de ces questions, on consultera principalement, outre les articles cités ci-après, les textes suivants : *Vendredi*, 8 novembre 1935 et 8 décembre 1938 ; *Monde*, 15 février 1935 et 6 juin 1935 ; *L'Humanité*, 12 août 1935 ; *Les Cahiers de la jeunesse*, 15 décembre 1938.

[2] *Monde*, 6 juin 1935.

[3] *NRF*, janvier 1937.

[4] *Monde*, 1er août 1935. *Cf.* aussi sa confidence dans *L'Humanité* du 12 août sur les « moments de fatigue » qui assaillent l'écrivain révolutionnaire.

[5] *Monde*, 29 mars 1935.

[6] *Monde*, 6 juin 1935.

[7] *Ce Soir*, 12 janvier 1939.

[8] *L'Humanité*, 18 octobre 1936.

[9] *L'Humanité*, 1er mars 1936.

[10] Lettres du 11 mars 1933 et de février 1935 (*AHN*).

[11] *AHN* pour les deux lettres.

[12] *AB*, 16.

[13] *AB*, 310.

[14] *AB*, 141.

[15] *Bulletin des Halles*, 17 janvier 1934.

[16] *AB*, 110.

[17] *AHN.*

[18] *Le Temps*, 11 janvier 1934.

[19] *L'Humanité*, 18 décembre 1933.

[20] *Gringoire*, 27 octobre 1933.

[21] *Commune*, mars-avril 1934.

[22] *CT*, 159.

[23] *CT*, 207 et 203.

[24] Le manuscrit de *CT* partait sur la perspective de Pierre Bloyé, l'un des communistes, qu'on peut supposer fils d'Antoine. C'était rattacher explicitement *CT* à *AB*.

Nizan y renonça en cours de route. Les *AHN* conservent les premières pages d'un roman centré sur Bloyé et situé en Asie centrale ; *cf.* à ce propos la note 40.

[25] *CT*, 20.

[26] *CT*, 211.

[27] *CT*, 105.

[28] *CT*, 53.

[29] *CT*, 176.

[30] *L'Humanité*, 3 juillet 1937.

[31] *Co*, 262.

[32] *Co*, 130.

[33] *Ibid.*

[34] Jacqueline Sudaka, « Figures juives ou les crimes de la littérature », in *H-Histoire*, novembre 1979, p. 263-279. Voir E. Berl, *L'Express*, 9 juin 1960.

[35] Lettre des Éditions Simon and Schuster, New York, 3 novembre 1938 : « *The whole book seems to us rather too topical to succeed in this country. The fragmentary form, also, makes it difficult for American readers, who are accustomed to a smoother, more coherent technique in their novels* » (*AHN*).

[36] *Co*, 27.

[37] *Co*, 30.

[38] *Co*, 229.

[39] *Co*, 13.

[40] *Monde*, 1er août 1935.

[41] *NRF*, novembre 1938, repris dans *Situations 1*, 1947.

[42] *Europe*, 15 décembre 1938.

[43] *Le Temps*, 20 octobre 1938.

[44] *Commune*, novembre 1937.

[45] *Cf.* ses lettres de Moscou, en particulier celle où il raconte une représentation de *La Dame aux camélias* : « *La pièce est naturellement idiote, mais Meyerhold qui est un metteur en scène génial en a fait un spectacle extraordinaire* » (*AHN*).

[46] « Les comiques grecs : Aristophane » (17 mars 1938).

[47] *Vendredi*, 22 novembre 1935. *Cf.* aussi *Ce Soir*, 9 mars 1939.

[48] La pièce a été jouée en français par le groupe théâtral Art et Travail, en février 1937, sur les ondes de la radio d'État, ouverte depuis la victoire du Front populaire aux jeunes troupes d'inspiration progressiste. Elle sera montée sur scène en 1951 à Paris, dans une mise en scène de Jacques Vigouroux, mais revue et corrigée par Guillaume Hanoteau (Studio des Champs-Élysées ; musique de Georges Auric ; parmi les interprètes : Paul Préboist, Claude Santelli, Michel Serrault).

[49] *Reflets de la semaine (Vendredi)*, 8 décembre 1938.

[50] Lettre à Henriette Nizan, 30 septembre 1939. D'après cette lettre, le « chapitre III » du roman représentait environ 70 pages manuscrites. On trouvera d'autres détails sur *Somosierra* dans les lettres des 16 et 21 septembre et du 7 octobre.

[51] *AHN*.

[52] *AHN*.

[53] *AHN*.

[54] *Co*, 113.

Dire

[1] *Co*, 26.

[2] *Les Chemins de la liberté*, t. I : *L'Âge de raison*, p. 152 de l'édition Folio.

[3] Une lettre à sa mère datée du 21 mars 1935 nous renseigne sur le rythme d'une de ses tournées de conférences : après Bourg, Gex et Bellegarde, « *ce soir à Genève, lundi à Ambérieu, mardi à Lyon, mercredi à Grenoble, puis à Marseille, Toulon, Saint-Tropez, Menton, Cannes et Nice* » (*AHN*).

[4] *Cf.* Pascal Ory, *La Belle Illusion*, Plon, 1994.

[5] Parmi les autres signatures, citons celles de Georges Auric, Pierre George, Pierre Jean Jouve, Louis Jouvet, Henri Lefebvre, Jean Lurçat, Romain Rolland, Jules Supervielle, Boris Taslitsky.

[6] Lettre à André Chamson, 4 mars 1935 (Archives André Chamson).

[7] Simone de Beauvoir fait allusion au récit que leur fit Nizan du congrès de 1937, tenu au cœur de la guerre civile, dans *La Force de l'âge*, p. 343 de l'édition Folio.

[8] On lira plus loin de larges extraits des articles de *Regards*, 13 et 20 août 1936. *Cf.* aussi *Vendredi*, 28 août 1936 et *Commune*, septembre 1936.

[9] Emmanuel Mounier, *Œuvre complète*, Paris, Éditions du Seuil, 1963, t. IV, p. 572.

[10] *Ibid.*, p. 597.

[11] *L'Humanité*, 3 avril 1937.

[12] *Cf.* Fred Kupferman, *Au pays des Soviets*, Paris, Gallimard, collection « Archives », 1979, p. 182.

[13] Successivement ou simultanément : *La Revue sans titre* (1923), *Les Faisceaux* (1924), *Fruits verts* (1924), *Strasbourg universitaire* (1924), *Les Cahiers du mois* (1925), *La Revue de psychologie concrète* (1929), *Revue marxiste* (1929), *Europe* (1929-1935), *L'Humanité* (1932-1937), *La Littérature internationale* (1933-1934), *Commune* (1933-1938), *Monde* (1935), *Vendredi* (1935-1937), *Clarté* (1936), *La Nouvelle Revue française* (1937), *Ce Soir* (1937-1939), *Cahiers du bolchevisme* (1938), *Cahiers de la jeunesse* (1938-1939).

[14] *L'Humanité*, 26 novembre 1936.

[15] *La Littérature internationale*, n° 1, 1935.

[16] *Commune*, juillet 1933.

[17] Exemple : *L'Humanité*, 24 mars 1932.

[18] Exemple : *L'Humanité*, 23 décembre 1932.

[19] *L'Humanité*, 4 mai 1937.

[20] *Ibid.* Le film de Jacques Becker ne sera tourné que six ans plus tard.

[21] Sur Proust : *Fruits verts*, juin-juillet 1924 ; sur Gobineau : *Les Cahiers du mois*, janvier 1925.

[22] *Ce Soir*, 11 mai 1939.

[23] *L'Humanité*, 10 mars 1933.

[24] *Monde*, 1er mars 1935.

[25] *Ce Soir*, 7 juillet 1939.

[26] *L'Humanité*, 10 mars 1933.

[27] *Ibid.*

[28] *Monde*, 1er février 1935. Article consacré à *La Fin de la nuit*.

[29] *L'Humanité*, 22 mars 1936. Article consacré aux *Anges noirs*.

[30] *Ibid.*

[31] *L'Humanité*, 9 décembre 1932.

[32] *L'Humanité*, 15 juillet 1936.

[33] En quoi Nizan préparait le terrain à certaines analyses de la langue de Céline par Philippe Sollers…

[34] *L'Humanité*, 16 décembre 1932. Article consacré aux *Vases communicants*.

[35] *Ce Soir*, 26 mai 1938. Article consacré aux *Olympiques*.

[36] *Ce Soir*, 17 novembre 1938.

[37] *L'Humanité*, 14 août 1937 : « *Julien Benda me paraît être un homme de gauche fort passionné qui prend le vêtement de clerc.* »

[38] *Ce Soir*, 30 mars 1939 : « *Une rigueur, une mesure et une dignité qui emportent l'admiration et l'amitié.* »

[39] *NRF*, janvier 1936. Martin du Gard lui écrira une lettre de remerciement émue.

[40] Aux yeux du militant, le roman essentiel de Malraux est *Le Temps du mépris*, jusqu'à la parution de *L'Espoir*.

[41] *L'Humanité*, 10 février 1933. *Cf.* aussi *Commune*, juillet 1933.

[42] *Ce Soir*, 1938.

[43] *L'Humanité*, 18 octobre 1936.

[44] *Ce Soir*, 22 juin 1939.

[45] *Monde*, 25 janvier 1935.

[46] *Ibid.*

[47] *Vendredi*, 13 décembre 1935.

[48] *Ibid.*

[49] *L'Humanité*, 7 août 1937. Article consacré à *Avec Doriot*.

[50] Archives Anne-Marie Todd.

[51] On retrouve quelques-unes de ces notes dans les *AHN*.

[52] *Monde*, 29 mars 1935.

[53] *Les Cahiers de la jeunesse*, 15 décembre 1938.

[54] Simone de Beauvoir, *La Force de l'âge*, p. 437 de l'édition Folio, Gallimard.

[55] *Cahiers de la Petite Dame*, Paris, Gallimard, 1974, t. 2, p. 564.

[56] *L'Humanité* en 1937 tire à 349 000 exemplaires ; *Ce Soir* commence à 100 000 et culmine à 260 000 en 1939.

[57] Introduction à *Chronique de septembre*, p. 13 de la réédition Gallimard de 1978.

[58] *Cf.* l'utilisation qu'il comptait en faire dans *La Soirée à Somosierra*.

[59] *Regards*, 13 août 1936.

[60] *Regards*, 20 août 1936.

[61] *Ce Soir*, 15 avril 1937.

[62] *Ce Soir*, 11 mai 1939.

[63] *Ce Soir*, 10 juillet 1938.

[64] *Ce Soir*, 8 juillet 1938.

[65] *Ce Soir*, 9 juillet 1938.

[66] *AHN*. Il envoie pendant le même voyage une carte postale à sa petite Anne-Marie représentant des paysannes roumaines pour touristes avec ce commentaire : « *On les rencontre généralement à Bucarest à l'état de poupées et sous vitrine.* »

[67] Lettre de la délégation royale de Yougoslavie, 23 juin 1938 (*AHN*).

[68] « La brillante soirée du Quai d'Orsay », in *Ce Soir*, 23 juillet 1938.

[69] *NRF*, mars 1936. Signalons à ce propos que les articles de Nizan consacrés dans *Ce Soir* des 9, 10 et 12 mai 1937 au couronnement de George VI étaient illustrés de pho-

tographies de Henri Cartier-Bresson et accompagnés de textes signés « Yvy McCrea », qui n'était autre que Rirette.

[70] *AB*, 222.

[71] *Co*, 294.

L'Ankou

[1] *AHN*.

[2] *Co*, 305.

[3] *Co*, 237.

[4] *CT*, 150.

[5] *Co*, 26.

[6] *Co*, 269.

[7] *CT*, 150.

[8] *Cf.* par exemple *Les Nouvelles littéraires*, 3 décembre 1938.

[9] *Co*, 125.

[10] *CT*, 206-207.

[11] *CT*, 205.

[12] *Cahiers de l'Odéon*, art. cité.

[13] *Co*, 129.

[14] *CT*, 50.

[15] *CT*, 196.

[16] *Cf. CDT*, 207.

[17] *AA*, 133.

[18] Simone de Beauvoir, *La Force de l'âge*, p. 427 de l'édition Folio, Gallimard.

[19] *Ce Soir*, 25 août 1939.

[20] Nizan saluera avec satisfaction la démission de Vassart. Il accueillera avec plus de méfiance celle de Marcel Gitton ; en quoi il avait raison (*cf.* lettre du 20 décembre 1939 à sa femme).

[21] Lettre à sa femme du 22 septembre 1939 (*AHN*).

[22] *The Communist international*, n° 3, mars 1940. Pour plus de détails, voir le chapitre suivant.

[23] Louis Aragon, *Ce Soir*, 25 août 1939.

[24] Film de Pierre Beuchot, 1968. Voir Sources.

[25] À cette date ministre des Colonies ; antinazi intransigeant.

[26] Film de Jacques Nahum, 1979. Voir Sources.

[27] Seules les lettres du 22 septembre, des 22 et 30 octobre ont été publiées dans l'édition 1967.

[28] Simone de Beauvoir, *La Force de l'âge*, p. 330 de l'édition Folio, Gallimard.

[29] *Cahiers de la Petite Dame*, Paris, Gallimard, 1974, t. II, p. 563-564.

[30] *CT*, 208. Il s'agit de la scène finale, entre Marie-Louise et Bloyé : l'hypothèse de l'absurde est incarnée par le chant lancinant d'un Oriental. On pense au Tadjikistan.

[31] *Co*, 213.

[32] Jean Lacouture, *Malraux*, Paris, Éditions du Seuil, p. 268.

[33] Siège des Éditions sociales internationales. Nous y reviendrons.

[34] Lettre à sa femme du 22 octobre 1939 (*AHN*).

[35] *CDG*, 123. Mais la thématique de la trahison est déjà présente en filigrane dans *AA*.

[36] *AHN*.

[37] *AHN*.

[38] Lettre à sa femme du 16 novembre 1939 (*AHN*).

[39] *Le Monde* des 28 juin et 12 juillet 1980.

[40] Lettre à sa femme du 10 décembre 1939 (*AHN*).

[41] Lettre à sa femme du 4-5 février 1940.

[42] Lettre à Sartre, 8 décembre 1939, reproduite dans Simone de Beauvoir, *La Force de l'âge*, p. 489 de l'édition Folio.

[43] Lettre à sa femme du 22 septembre 1939 (*AHN*).

[44] Lettre à Lise Deharme, 3 septembre 1939 ; reproduite dans l'ouvrage de Lise Deharme cité dans les Sources.

[45] *Ibid.*

[46] Lettre à Sartre, 8 décembre 1939, *op. cit.*

[47] Lettre à Lise Deharme citée ci-dessus.

[48] Lettre à sa femme, 21 septembre 1939 (*AHN*).

[49] Lettre à sa femme, 10 décembre 1939 (*AHN*).

[50] *CT*, 171.

[51] *CT*, 172.

[52] Lettre à sa femme, 9 janvier 1940 (*AHN*).

[53] Lettre à sa femme, 6 février 1940. La veille, il lui a écrit : « *Je me moque des "Amours de septembre". Je ne peux écrire que dans la liberté, j'entends celle de l'esprit.* »

[54] Témoignage d'Armand Petitjean à l'auteur.

[55] Témoignage d'André Chamson à l'auteur et de Louis Martin-Chauffier dans *Caliban*, 15 mai 1947, reproduit dans *Atoll*, n° 1.

[56] Témoignage d'Henriette Nizan à l'auteur.

[57] Lettre d'Henriette Nizan à Mme Nizan mère, septembre 1939 (*AHN*).

[58] *Co*, 230.

[59] Lettre à sa femme, 20 décembre 1939 (*AHN*).

[60] Lettre non reproduite dans l'édition 1967 (*AHN*).

[61] *AHN*.

[62] *AHN*.

[63] *AHN*.

[64] Lettre non reproduite dans l'édition 1967 (*AHN*).

[65] Lettre d'Henriette à Paul-Yves, 10 octobre 1939 (*AHN*).

[66] *Ibid.*

[67] Lettre à Lise Deharme, 7 septembre 1939, *op. cit.*

[68] Lettre à sa femme, 10 décembre 1939 (*AHN*).

[69] Lettre à sa femme, 15 (?) février 1940 (*AHN*).

[70] Lettre à sa femme, 6 mars 1940 (*AHN*).

[71] Lettre à sa femme, 10 mars 1940 (*AHN*).

[72] *Co*, 212. Dans sa dernière lettre conservée, datée du 15 avril 1940 (*AHN*), il note à propos de *La Soirée à Somosierra* : « *Hirsch me demande de lui envoyer la première partie qu'il a envie de lire : sans doute vais-je le faire.* » Il ne semble pas qu'il l'ait fait. Les archives de la maison Gallimard n'en conservent du moins aucune trace.

[73] Général Mehring, cité par Henri de Wailly, *Le Coup de faux*, Paris, Copernic, 1980, p. 168.

[74] Cf. Henri de Wailly, *op. cit.*, p. 171.

[75] *Op. cit.*, p. 101.

[76] *CT*, 172.

[77] Carnets manuscrits (*AHN*).

Une conspiration

[1] Compte rendu de l'inhumation (*AHN*).

[2] *Co*, 258-259.

[3] Henri Lefebvre, *L'Existentialisme*, p. 52 *passim*.

[4] *Id.*, *La Somme et le reste*, Paris, La Nef, 1959, p. 41.

[5] *Die Welt (Le Monde)*, organe de la IIIe Internationale publié à Stockholm, à cette date l'un des rares périodiques communistes édités publiquement en Europe, hors de l'URSS. Le texte est repris dans le n° 3 (daté mars 1940) de *The Communist internatio-nal*, p. 170-178. Ces deux périodiques sont introuvables à la Bibliothèque nationale. La Bibliothèque de Documentation internationale contemporaine (BDIC) possède une collection du second.

[6] *La Force de l'âge*, p. 536.

[7] Auquel on peut joindre le maire communiste de Clichy, Maurice Naile, démission-naire de 1939 et qui se suicidera avec sa femme à l'arrivée des Allemands. Un « mouton de la police » de moins. Le député de Provins, Benenson, interné en septembre 1941, mort en déportation après être devenu aveugle à force de mauvais traitements, sera pour les mêmes raisons accusé d'avoir été un « agent de la Gestapo ».

[8] Cité par A. Rossi. Voir Sources.

[9] *Ibid.*

[10] *Ce Soir*, 1er juin 1939.

[11] *L'Existentialisme*, p. 17-18.

[12] *Les Communistes*, t. I, p. 153.

[13] *Ibid.*, p. 159.

[14] 1878-1945. Le grand traducteur de la littérature italienne contemporaine ; direc-teur au Quai du service de l'information italienne.

[15] *Les Communistes*, t. 2, p. 78.

[16] *Ibid.*, p. 76.

[17] *Ibid.*, p. 73.

[18] *Ibid.*, p. 78.

[19] *Ibid.*, t. 1, p. 153.

[20] *Ibid.*, p. 166.

[21] *Ibid.*, p. 170.

[22] *Ibid.*, t. 2, p. 24.

[23] *Ibid.*, p. 144.

[24] On y apprend par exemple, incidemment, de la bouche d'un héros communiste, qui n'a pas besoin, en tant que personnage de fiction, de justifier son point de vue, que l'occupation de la Pologne orientale par Staline en octobre 1939 est en réalité « *une libé-ration de ces parties de l'Ukraine et de la Russie Blanche* » naguère confisquées par les Polonais : *ibid.*, t. 2, p. 135.

[25] *J'abats mon jeu*, Paris, EFR, 1959, p. 48.

[26] *La Somme et le reste*, *op. cit.*, p. 430.

[27] *L'Humanité*, 19 octobre 1978.

[28] Autre article réconciliateur, de Martine Monod, dans *L'Humanité*, dimanche 14 novembre 1979.

[29] *Le Nouvel Observateur*, 29 octobre 1979.

[30] *Ibid.*, 5 novembre 1979.

[31] *Cahiers de l'Odéon*, n° 3, printemps 1978, p. 40.

[32] Rirette fit paraître un article sur son mari dans *La France libre*, dirigé à Londres par le vieil ami Raymond Aron. Dans une lettre datée du 28 mai 1940, elle écrivait à la mère de Nizan : « *La radio vient de nous donner les atroces nouvelles de Belgique. Il se peut que Paul-Yves soit parmi les groupes anglais qui ont été trahis et encerclés. Tout est possible. Même le pire* » (*AHN*).

[33] La liste connut quelques fluctuations. *Le Littéraire* ne mentionne ni Texcier ni Jeanson. *Combat* ajoute Jeanson, et *Les Temps modernes* omettent Mauriac.

[34] Qui sera explicité par lui le 15 mai 1947, dans *Caliban*.

[35] 4 avril 1947.

[36] Nous soulignons.

[37] Rappelons seulement, sur ce point précis, qu'il n'y eut justement « aucune déclaration publique » de Nizan.

[38] Nous soulignons.

[39] *Les Lettres françaises*, 11 avril 1947. Contentons-nous de citer ces trois extraits significatifs : « *J'ai connu personnellement Nizan. Je ne l'aimais pas, car il était un personnage glacé et soucieux avant tout de sa propre ambition* » ; « *C'est au* Temps *du comité des forges et à* L'Œuvre *de Marcel Déat qu'il en réserve l'annonce* » (double erreur, ou mensonge : *Le Temps* et Déat) ; « *imputations injurieuses à l'égard de ceux que Nizan avait trahis* » (glissement de sens : quelle trahison ?).

[40] *Les Temps modernes*, juillet 1947, p. 183.

[41] *Ibid.*

[42] P. 295 et note 23 de l'édition en volume.

[43] Etiemble, toujours anticonformiste, avait osé publier en 1945 dans sa revue *Valeurs*, paraissant en Égypte, deux poèmes inédits de Nizan. Quelques années plus tard, il prit allusivement la défense de sa mémoire, à l'occasion du compte rendu d'un livre communiste consacré à André Chénier.

[44] *Cf.* lettre Gallimard avertissant derechef « M. Paul Nizan » d'une mise au pilon de 3 288 exemplaires de *La Conspiration*.

[45] À l'annonce du pacte, et, semble-t-il, avant même d'apprendre la démission de Nizan, Sartre, au témoignage de Simone de Beauvoir (*La Force de l'âge*), avait envisagé de modifier sensiblement le destin de ses personnages. On aurait vu Brunet quitter le Parti et venir demander conseil au solitaire Mathieu, se plaçant ainsi, par un retournement dialectique qui séduisait l'auteur, dans la situation inverse de celle où le montrait le premier tome. La guerre, la mort de Nizan, l'occupation, l'« affaire » conduisirent apparemment Sartre à une combinaison plus subtile.

[46] *La Force des choses*, p. 212-213.

[47] Le contrat est signé par Rirette le 30 décembre 1959.

[48] AP/AA, 12.

[49] Gilbert Signaux, *Preuves*, juillet 1960.

[50] Louis Aragon, lui aussi, est un auteur Gallimard.

[51] *Paul Nizan intellectuel communiste. Articles et correspondance inédite*, présentation de Jean-Jacques Brochier, Paris, Maspero.

[52] *Pour une nouvelle culture*, textes réunis par Susan Suleiman, Paris, Grasset.

[53] *La Manifestation*, créée en 1975 à France Culture ; mise en scène en avril 1978 par le Jeune Théâtre national, direction Jacques Rosner.

[54] Ariel Ginsbourg, *Paul Nizan*, Paris, Éditions universitaires.

[55] Voir les Sources de cet ouvrage.

[56] Jean-Pierre Bernard, *Le Parti communiste français et la question littéraire, 1921-1939*, Paris, Presses universitaires de Grenoble, 1972, p. 135.

[57] Préface à la réédition de *Chronique de septembre*, p. V.

[58] *La Chute finale*, Paris, Laffont, 1976 ; *Le Fou et le prolétaire*, Paris, Laffont, 1979.

[59] *Cahiers de l'Odéon*, n° 3, printemps 1978, p. 37. *Cf.* Clara Malraux (*Atoll*, n° 1, p. 64) à André : « *Si je n'avais pas joué sur vous, j'aurais joué sur le garçon qui a écrit ça* » (*Aden Arabie*).

Prométhée, enchaîné ?

[1] Henry Coston, *Dictionnaire de la vie politique française*, t. 2, 1972.

[2] *AA*, 96.

[3] *AA*, 129.

[4] *AB*, 307-308.

[5] *CT*, 72.

[6] *L'Humanité*, 20 mars 1937.

[7] Lettre à sa femme, 24 octobre 1939 (*AHN*).

[8] Carnets manuscrits (*AHN*).

[9] « Sindobod Toçikiston ».

[10] *Co*, 174.

[11] *AB*, 303.

Reconnaissance de 1980

Ce livre aurait été non pas impossible mais inutile sans l'amitié de Rirette (Mme Henriette Nizan) et d'Emmanuel Todd, et sans la complaisance de Colette Audry, Pierre Beuchot, Jean Bruhat, André Chamson, Philippe de Coëtlogon, Maurice de Gandillac, Claude Lévi-Strauss, Patrick Nizan, Armand Petitjean, Jacqueline Sadoul, Geneviève Tabouis, Anne-Marie Todd, M. Villiamier.

Sont restées sans réponse nos demandes d'entretien avec Louis Aragon, Raymond Aron, Henri Lefebvre, Georges Lefranc.

ANNEXES

I. GÉNÉALOGIE SIMPLIFIÉE DE PAUL-YVES NIZAN

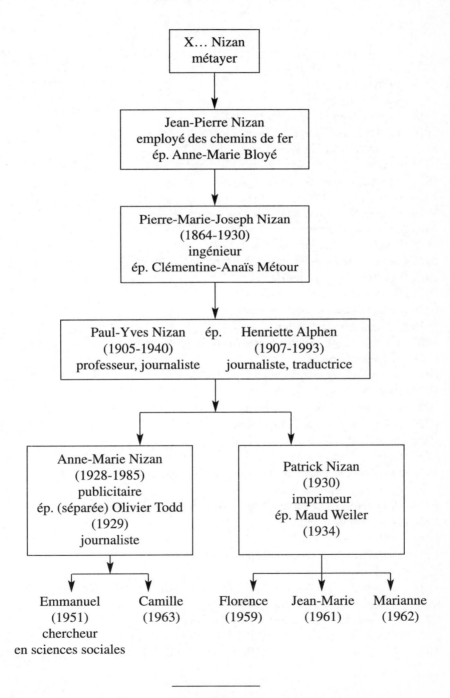

II. REPÈRES CHRONOLOGIQUES
Vies anthume et posthume

1905 (7 février) : naît à Tours
1907 : Périgueux
1914 (2 août) : la guerre
1914 (7 décembre) : le télégramme
1916 : la plaine de Choisy ; le lycée Henri-IV ; Sartre
1918 (11 novembre) : la victoire
1922 (octobre) : hypokhâgne à Louis-le-Grand
1923 : premiers poèmes connus ; premier texte paru
1924 (août) : reçu à l'École normale supérieure de la rue d'Ulm
1924 (novembre) : panthéonisation de Jaurès
1924 (décembre) : Rirette
1925 (printemps) : exposition des Arts décoratifs
1925 (juillet) : précepteur mondain à Grandcourt (Seine inférieure)
1925 (octobre) : voyage en Italie
1925 (fin) : traversée du valoisisme
1926 (début) : traversée du communisme
1926 (septembre) : vers Aden
1927 (mai) : retour d'Aden ; conversions diverses
1927 (fin) : entrée au PCF
1927 (24 décembre) : mariage
1928 (19 juillet) : Anne-Marie
1929 : équipée de la *Revue marxiste*
1929 (juillet) : agrégé de philosophie
1929 (23 octobre) : 2e classe au 21e RIC
1930 (février) : mort du père
1930 (11 octobre) : libéré de ses obligations militaires
1930 (automne) : entre à *Bifur*
1930 (10 décembre) : « Notes. Programme sur la philosophie »
1930 (14 décembre) : Patrick
1931 (janvier) : *Aden Arabie*
1931 (14 mars) « Secrets de famille » (*Monde*)
1931 (août) : Naxos
1931 (septembre) : professeur au lycée Lalande de Bourg-en-Bresse
1932 (20 avril) : *Les Chiens de garde*
1932 : candidat PCF aux élections législatives
1932 (automne) : mise en congé de l'Éducation nationale
1933 : gérant de la librairie de *L'Humanité*, rue Lafayette ; travaux de traduction

1933 (juillet) : premier numéro de *Commune*, dont il est secrétaire de rédaction

1933 (25 octobre) : *Antoine Bloyé*, roman ; une voix au Goncourt

1934 (janvier) : arrivée à Moscou

1934 (6 février) : émeute à Paris, là-bas

1934 (17 août-1er septembre) : premier congrès de l'Union des écrivains soviétiques, à Moscou ; Malraux

1934 (fin) : retour en France

1935 (15 mai) : « Sindobod Toçikiston » (*Europe*)

1935 (juillet) : entre à *L'Humanité*

1935 (21-25 juin) : premier Congrès international des écrivains pour la défense de la culture, à Paris

1935 (automne) : *Le Cheval de Troie*, roman

1936 (mars) : « Les funérailles anglaises » (*NRF*)

1936 (printemps) : victoire du Front populaire français ; grèves ; joie

1936 (juillet) : *Les Matérialistes de l'Antiquité*

1936 (13 août) : « Nuits de Valence » (*Regards*)

1937 (mars) : entre à *Ce Soir* (politique étrangère)

1937 (juillet) : fonde les *Cahiers de la jeunesse*

1937 (août) : *Les Acharniens*, pièce de théâtre

1937 (novembre) : *Visages de la France*, film

1937 (décembre) : voyage diplomatique d'Yvon Delbos, ministre

1937 (novembre) : « Histoire de Thésée » (*Commune*)

1938 (juillet) : 32e Tour de France cycliste ; vainqueur : Bartali

1938 (30 septembre) : Munich

1938 : *La Conspiration*, roman. Prix Interallié

1939 (15 mars) : les troupes allemandes entrent dans Prague

1939 (20 mars) : *Chronique de septembre*, histoire

1939 (23 août) : pacte germano-soviétique

1939 (3 septembre) : la guerre (la sienne)

1939 (17 septembre) : entrée de l'Armée rouge en Pologne

1939 (25 septembre) : publication de la lettre de démission dans *L'Œuvre*

1940 (13 février) : quitte l'Alsace

1940 (7 mars) : affecté auprès de l'armée anglaise

1940 (10 mai) : offensive générale allemande

1940 (23 mai) : mort au château de Cocove, Recques-sur-Hem

1940 (fin mai) : Rirette et les enfants réfugiés dans la Loire

1940 (automne) : embarquent pour les États-Unis

1941 (janvier) : Rirette apprend, à New York, la mort de Paul-Yves

1942 (juin) : employée à l'Office of World

1943 (mai) : travaille pour la MGM

1945 (automne) : retour en France

1946 (fin) : *L'Existentialisme*, d'Henri Lefebvre

1947 (avril-juillet) : « Le cas Nizan » dans la presse

1949 (juillet-octobre) : premiers tomes des *Communistes* d'Aragon

1949 (novembre-décembre) : « Drôle d'amitié », de Jean-Paul Sartre

Années 1950 : le silence

1960 : première réédition posthume de *Aden Arabie*, avec l'avant-propos de Sartre

1966 : premier livre sur Nizan

1967 : premier recueil de textes inédits

1968 : premier film de télévision sur Nizan

1972 : premier film de cinéma inspiré de son œuvre

1974 : premier film de télévision inspiré de son œuvre

1975 : première pièce de théâtre inspirée de son œuvre

1980 : mort du petit-camarade Sartre

1982 : mort de l'ancien camarade Aragon

1983 : mort du petit-camarade Aron

1993 : mort de Rirette

2000 : fondation du GIEN (Groupe interdisciplinaire d'études nizaniennes)

2005 : centenaires de Nizan, d'Aron, de Sartre

III. Documents inédits
Pour servir à la connaissance de Paul-Yves Nizan, plus une prime

1. Billet de Djibouti, adressé à Rirette

(Non reproduit dans l'édition [Maspero, 1967] de la correspondance arabique. Les dernières lignes ne manquent pourtant pas d'intérêt pour la suite. La carte postale afférente montre une rue de la ville.)

Voici le chemin qui mène au seul divertissement naturel à Djibouti : les autres le sont moins. On y voit une palmeraie assez poussiéreuse, diverses sortes d'arbres. Il est vrai qu'on y va de nuit. Je n'aime point ce pays. Il est ridicule, moitié sous-préfecture, moitié villégiature pour petits fonctionnaires. À Aden, je roule des pensées qui sont parfois pensives, parfois plaisantes mais des pensées impures : je n'en rougis pas. À Djibouti, je ne pense à rien que de bas. Nous ne sommes pas gais : par dérision ou (deux mots illisibles) nous avons joué au gramophone avant hier soir le Clair de lune *de Werther. Il règne une grande débauche. Mais tout ceci est bien : je me détache d'un certain nombre de choses qui m'ont entre 17 ans et 20 semblé faussement importantes. Je sens que je vais jouer le rôle qu'Ovide aurait joué à son retour d'exil chez les Sarmates, s'il n'avait pas été un homme du monde. Je ne suis pas un homme du monde. Je serai insolent et je traiterai les gens importants comme je fais mon boy. Mais vous n'êtes pas une femme du monde : nous nous entendrons.*

P. Y. Nizan

2. Note sur l'invention

(Texte dactylographié non daté [1927 ?]. Utilisé lointainement dans *Aden Arabie*. Fait regretter que Nizan n'ait pas continué dans cette voie.)

La vie que nous menons n'est guère qu'une étendue déserte parsemée d'objets naturels et de fabrications humaines. Tous ces objets sont les esclaves de l'homme. Comme des esclaves, vidés par l'abus des vieilles habitudes, incapables désormais d'émouvoir une existence, ce sont des arbres, des automobiles, des meubles, des porte-plumes, des dents, des lunettes, des habits, des mains, des portes, des jambes, des fenêtres, des bouches. Les hommes connaissent trop bien ces domestiques pour ne pas les regarder comme des sources d'ennui et quelquefois de désespoir. Ils sont trop secs pour fournir la nourriture nécessaire aux besoins authentiques d'animaux qui n'ont plus rien à se mettre sous la dent. Comme ils comprennent à titre d'espèce les corps humains, il est temps de faire quelque chose pour eux et de les orienter en même temps que leurs maîtres vers une destination heureuse.

Pourtant de singulières apparitions courent les rues : à Bourg la Reine, route de Paris, dans la vitrine d'un café, un melon a grandi dans une bouteille, plus merveilleux que les navires à mature d'os que les retraités de la marine et des douanes fabriquent sur les remparts de Belle Île en Mer et dans un grand nombre de villages maritimes. Des opticiens ornent encore leurs devantures de modèles phrénologiques aussi parfaits que des sphères, atlas démodés de l'esprit, signaux plus vains que les globes chargés de répandre sur les trottoirs une lumière propice à toutes les métamorphoses. Des photographes chargent les cuisses de leurs modèles mal nourris de dentelles noires, de jarretières décorées de sentences et d'attributs, ils leur mettent entre les bras des accessoires capables d'aiguiller les hommes vers les dernières régions habitables de l'amour, de remplacer pour les incroyants les cœurs percés de glaives de la vierge des Douleurs, les roses et la croix du Carmel posés sur les seins de Sainte Thérèse de Lisieux. Les enfants qui n'ont pas encore été préparés au service militaire, au mariage, au maniement du Code de Procédure criminelle construisent sans même y penser des mécanismes surprenants qui appartiennent à la famille indéfinie de tous les objets possibles. Des vieillards sauvages, leurs véritables complices, sont les derniers défenseurs d'une liste d'instruments qui s'oppose violemment à celle des objets de consommation et des petites inventions faussement pratiques du concours Lépine : la corde à virer le vent, les entrelacs du jeu de cat's cradle, le son des bull roarers et des tambours destinés à la convocation des esprits, les pierres à voler sont les derniers témoins d'une activité humaine qui ne se contente pas de fabriquer des canons, des chapeaux melons, des prostituées, des capotes anglaises et des croix de la Légion d'honneur. Les coins où des enfants inventent leurs jeux, les salles des musées d'ethnographie sont quelques-uns des refuges où il est permis d'espérer dans les ressources humaines. Sous la terre habitent des squelettes délicats comme des nervures, avec un rire toujours plus subtil que celui de nos joues charnues et le mouvement de nos poumons. Ils sont solitaires, qui sait à quoi ils servent, mais il suffit à quelques hommes de faire jouer un rôle aux squelettes de leur famille, dans des anecdotes inventées, pour qu'ils cessent de se poser bien des questions au sujet de la mort.

Un certain nombre d'objets se comportent avec une indépendance absolue, à laquelle il est impossible de trouver une signification pratique, industrielle ou éthique : chacun de ces îlots de matière privés de toute connexion amène à se poser des questions sans fin sur leurs causes, leurs fonctions, leur sens et leur maniement. Ils font une apparition de forçats évadés. Purs de toute communication avec les quantités incalculables de matière façonnée à toutes fins utiles, échappés des limites où s'agite l'existence des appareils, des outils, des membres, des récipients, ils ne sauraient être affectés aux usages que consacre la sagesse des Nations. Leur laideur, leur bassesse, leur imbécillité ne doivent pas empêcher de les reconnaître pour les accessoires d'un monde où vivent en liberté les hommes et leurs propriétés, sous des lois moins impitoyables que celles du hasard. Le fait qu'ils soient généralement conçus par des fonctionnaires retraités, des medicine men, des enfants évidemment incapables de s'intéresser à la nomographie, des industriels coupables d'une pornographie méthodique, n'interdit pas de les rapprocher des dessins de Vinci et de Dürer, des poèmes de Rimbaud, détournés de leur destin jusqu'à tomber entre les mains de nos maîtres au rang immonde d'un canon, d'un ostensoir ou d'un drapeau. Il ne faut pas fermer les yeux devant la signification aveuglante des toiles de Paolo Ucello où des enfants sournois regardent se battre sur la terre des guerriers, et dans le ciel des diables rouges de soleil, devant les dessins, les emblèmes infernaux qui dorment dans les coins des peintures de William Blake. Mais les objets les plus naïfs de cette famille permettent de s'introduire avec des efforts moins pénibles à notre maladresse dans le lieu où les créations et les créatures ne sont pas vendues avec des instructions sur leur mode d'emploi, où les gestes, les actions, les sentiments auxquels il faut finalement arriver ne suggèrent aucun apprentissage, aucune mesure prophylactique, et n'entraînent ni dégoût ni sanction. Ces portes sont faciles. « J'aimais, dit Rimbaud, les peintures idiotes, dessus de portes, décors, toiles de saltimbanques, enseignes, enluminures populaires ; la littérature démodée, latin d'église, livres érotiques sans orthographe, romans de nos aïeules, contes de fée, petits livres de l'enfance, opéras, vieux refrains niais, rythmes naïfs. »

Il ne faut pas perdre de vue que l'un des rôles des objets et des organismes vivants consiste à attirer des actions comme les paratonnerres font la foudre, à diriger les jugements, les mouvements de l'imagination et des passions vers des possibilités plus ou moins autorisées de développement. Nous n'en sommes pas encore là, mais il est temps que nous nous rendions compte que nos instruments et nos coutumes ne conduisent à aucun genre de satisfaction et ne nous rendent riches d'aucune manière. Nous souffrons d'une pauvreté que dissimule de plus en plus mal le nombre écrasant des produits utiles au développement du marché mondial : tout le monde attend l'arrivée d'un Guizot inconnu qui conseillera aux hommes de s'enrichir autrement que par les travaux stupides exaltés par des moralistes et des emmerdeurs moyennant les maigres sommes d'argent qui constituent leur salaire.

Personne n'est content, chacun sait que les corps humains eux-mêmes pourraient les premiers être détournés vers des occupations convenables à leur dignité et à leurs propriétés, pourraient être traités par leurs pareils comme des occasions de bonheur : il suffit de relever les lourdes jupes de n'importe quelle Vierge à l'Enfant pour renoncer à toutes les idées révoltantes que les prêtres ont pu enseigner sur le maniement du corps des femmes et revenir à des initiatives conformes à notre destin. Les hommes, lorsque les mouvements du soldat sans armes, les défilés des premières communiantes, les gestes des tourneurs qui sentent dans leurs reins le regard des chronométreurs, l'ostentation ridicule des *curés présentant aux fidèles le soleil de vermeil du saint Sacrement, lorsque toutes les attitudes inhumaines auront été oubliées, commenceront à retrouver ou à inventer des dispositions corporelles adaptées à la renaissance de leurs sentiments et de leurs objets. Les attitudes de l'amour ouvrent une voie que ne peuvent pas laisser prévoir les opérations élémentaires simplement destinées à assurer la permanence de la race.*

Malheureusement nous connaissons par cœur à douze ans tout ce qui nous attend : nous en sommes réduits à demander des objets qui se passeront de dressage et ne seront pas étalonnés dans un Bureau des poids et mesures, nous en sommes réduits à imaginer dans sa généralité la plus vague une vie où l'invention libre de réalités matérielles capables de provoquer les passions et les actions qui ont rarement ou n'ont jamais servi, où la mise en œuvre des richesses possibles composeront un mélange plus beau que les mixtes abstraits du Philèbe. Lorsque les ressources de l'homme, plus simples et plus étendues que ne le croient les présidents du conseil, les cardinaux, les colonels, les geôliers, seront complètement exploitées, n'importe quel observateur s'apercevra de l'existence de l'humanité.

Nous pouvons provisoirement lutter contre nos manies plus honteuses que des guerres nationales, en détournant les objets dégradants de nos coutumes de leurs emplois légitimes. Les enfants, les poètes, les fétichistes réduits par une morale étouffante à fréquenter de sinistres maisons de tolérance nous proposent quelques issues : grâce à eux, les limites de l'activité humaine nous échappent comme des danseuses de ballet.

P. Nizan

3. La morale laïque, projet de livre

(Retrouvé dans les archives d'Henriette Nizan ; seul document conservé, semble-t-il, de l'essai, parfois intitulé *Avertissement aux professeurs*, qui devait prendre la suite d'*Aden Arabie* et des *Chiens de garde*.)

La morale laïque
1871-1919
Recherches sur l'efficacité des Idées

1. *L'établissement de l'école laïque, 1871-1883.* [Ailleurs : la doctrine de la sécularisation scolaire dernier terme de la sécularisation générale ; causes ; adversaires.]

2. *Le problème de la morale laïque*
    1° Nécessité d'un enseignement moral laïc
    2° Possibilité d'un enseignement moral laïc :
        a) les politiques ;
        b) les universitaires ;
        c) l'opinion publique.

3. *L'organisation de la morale laïque (1883-1919) :*
    1° Les programmes
    2° La formation des maîtres, la hiérarchie des enseignements
    3° La pédagogie laïque
    4° Les manuels de morale ; les textes, les enseignants
    5° Le contenu de la morale laïque, la théorie de la morale laïque

4. *La vie de la morale laïque*
    1° L'école
    2° L'opinion publique :
        a) les sociétés ;
        b) la presse ;
        c) les écrivains ;
        d) le Parlement.

5. *Conclusion*
    1° Définition d'une morale de classe :
        a) les contenus et les bases réelles ;
        b) le problème des justifications.
    2° Technique de la Propagande : de l'opinion à l'instruction
    3° Remarques sur l'efficacité des idées :
        a) le « public » moral et l'adaptation aux idées ;
        b) les conditions du conformisme moral ;
        c) remarques sur l'enseignement secondaire ;
        d) classes montantes et classes déclinantes.

4. *La question du monument en URSS*

(Texte dactylographié moscovite. Un faux texte stalinien, comme on verra : éloge apparent du monumentalisme, mais pour défendre un projet, encore avant-gardiste, d'André Lurçat : toute l'ambiguïté de l'orthodoxie à la Nizan.)

Un pays qui édifie une économie, une société, une civilisation nouvelles – le socialisme – voit se présenter à peu près simultanément tous les problèmes : en même temps qu'il assure les bases de son établissement matériel, il cherche à créer son expression spirituelle. Le Congrès des écrivains a traduit ces ambitions avec une ampleur admirable sur le plan des arts de la parole. Le prochain Congrès des architectes les abordera sur le plan des arts de la pierre et du métal. Dans l'un et l'autre cas, il s'agit d'arriver à fonder un art qui soit un art d'un grand style, capable d'exprimer l'avènement du socialisme. À chaque pas qu'un homme d'occident fait dans l'étendue de l'Union, il est saisi par une volonté évidente qu'on peut nommer la volonté de la grandeur. Il la perçoit dans les hommes qu'il rencontre et dans les entreprises qu'il voit. Elle éclate dans la politique du parti. Il n'y a pas eu une société dans l'histoire qui ait été dominée comme la société soviétique par une pareille volonté. Dans un monde livré aux catastrophes, qui donne chaque jour les preuves de son déclin et de son épuisement, c'est là une des raisons qui permettent à tous ceux qui ne consentent pas à cette mort d'aimer l'URSS comme leur plus authentique patrie.

L'architecture soviétique se pose donc le problème de la grandeur. Il est ici question de fonder un art qui exprime avec une plénitude au moins égale à celle que la Grèce a connue des valeurs collectives. L'art bourgeois a perdu le sens du monumental. Une civilisation profondément déchirée par ses contradictions n'est pas capable d'une affirmation collective. Elle n'unit pas ses membres. Les seuls monuments que le capitalisme puisse fonder sont des monuments qui traduisent sa domination temporelle ou spirituelle : des banques, des prisons, des églises. Ce sont des édifices auxquels la masse des hommes reste profondément étrangère : elle ne les aime pas. Chaque homme ressemble à Lénine disant à Londres devant les monuments de la puissance bourgeoise « LEUR » Westminster. Voici en URSS une civilisation où chaque passant pourra dire : notre académie, notre université, comme il dit : notre usine, notre kolkhoze. Le monument capitaliste exprime le déchirement de la société, le monument socialiste exprimera l'unité profonde des masses. Le premier est un signe de domination, le second exprime une communauté. Le monument capitaliste est un centre de répulsion, le monument socialiste sera un centre de rassemblement. On sentait cette volonté dans le projet marqué du Palais du Soviet. Une pareille exigence charge l'architecte d'une responsabilité à laquelle il devra répondre.

Il n'y a pas de monument « gratuit ». Tout monument a une fonction propre. La fonction d'un institut de physique consiste à fournir les conditions les plus favorables au travail de la recherche. La fonction d'un Narkomat consiste à fournir les conditions les plus favorables au travail administratif et en même temps à donner une expression de l'État. On ne pensera pas le monument indépendamment de sa fonction. Et nulle grande architecture n'a échappé à cette loi. Mais il serait complètement faux d'instituer le monument sur sa seule fonction. Il faut revenir ici à l'idée capitale de rassemblement : le monument a sa fonction propre d'une part, et d'autre part il doit être un centre de rassemblement. Il a donc à la fois une fonction et une mission. Il faut qu'il soit le grand objet où chaque homme puisse se reconnaître et en qui il puisse aimer l'image qu'il y trouve de la civilisation où il vit. La signification la plus profonde peut-être du monument est dans cet accord qui unit l'homme à son monument. Tout grand style a trouvé cet accord. Il n'y a sans doute pas de plus grand exemple de ce secret que l'art de la Grèce et on peut ici renvoyer le lecteur à ce que Marx dit de lui dans le célèbre texte de la Critique de l'économie politique. L'union de la fonction propre et du rassemblement social, on en trouvera l'exemple jusqu'ici le plus achevé de l'histoire dans le temple grec et le cirque, dans le Parthénon et dans le cirque de Delphes.

L'intelligence de la fonction propre du monument est une question rationnelle. La perception de l'accord entre l'homme et son monument est une question dont la solution met en jeu les ressources affectives. On peut dire immédiatement que l'adhésion de tous au monument est donnée par le succès des recherches esthétiques. Mais ce succès n'est possible que dans une société dont l'unité est profonde. Voilà le point où toute la recherche se noue pour l'architecture soviétique.

Il y a eu une époque où cette architecture, à la recherche d'un style qui ne dût rien au faux art de la Russie tsariste et marchande, s'est inspirée de l'architecture la plus avancée d'occident. Cette architecture qui se développait dans les conditions économiques et sociales du capitalisme reflétait à la fois les exigences techniques et économiques de cette société et elle exprimait son « style ». Ce style visait à la raison. Ce n'est pas par hasard qu'une architecture « rationnelle » correspondait à l'époque de la « rationalisation ». C'est pourquoi l'architecture d'occident mettait l'accent sur la partie la plus intellectuelle du problème, sur la fonction propre de l'édifice. Il s'agissait de créer des édifices où la forme fût l'expression du contenu, où l'apparence traduisît la fonction. Et sans doute cette tendance était-elle une tendance saine, exprimait-elle une orientation juste vers la solution des problèmes techniques. Mais cette tendance n'était que partiellement juste, elle ne satisfaisait pas à tout ce que nous sommes désormais en droit d'exiger du monument, précisément parce que la société capitaliste était capable seulement de succès techniques mais non de succès artistiques, parce qu'elle était incapable d'une idée totale du monument. Les architectes de l'URSS furent naturellement attirés par l'élément technique avancé de cette architecture, bien que dans un très grand nombre de cas ils ne prissent à cette architecture que les formes extérieures auxquelles elle avait abouti. Dans bien des travaux, le fonctionnalisme d'occident aboutissait à un formalisme soviétique. Une des raisons de cette transposition serait peut-être à chercher dans un retard technique dans l'emploi de certains matériaux et de certains procédés de construction dont l'occident disposait.

Il y a eu une réaction et cette réaction exprimait justement la deuxième exigence profonde qui caractérise tout grand style, l'exigence d'un art monumental autour duquel toute une société puisse se rassembler. On reconnut les limites d'une architecture fonctionnelle, ou même formaliste, pour mettre en avant les ambitions d'une architecture totale. Le problème se pose ici de la manière suivante : un monument entièrement fondé sur la fonction qu'il assume est analogue au squelette d'un être vivant. Le squelette satisfait aux fonctions les plus mécaniques de ce corps : il en est l'armature. Mais un squelette n'est pas un corps. Il appartient au règne de la mort. Il s'agissait de trouver un corps pour le monument soviétique. On voit immédiatement les dangers où une pareille recherche engage. L'architecte peut être tenté de se tourner dans sa volonté d'arriver à un grand style vers les styles historiques qui ont approché de plus ou moins près la solution du problème de l'union de la fonction propre du monument et de sa mission. Cette orientation peut être féconde. Elle peut être périlleuse. Elle est périlleuse si l'architecte emprunte à ces styles des éléments particuliers de décoration et d'ornement, si, de la même manière que les formalistes empruntaient les apparences de l'architecture fonctionnaliste d'occident, il emprunte des apparences ornementales et les ajoute à ses plans. Elle est périlleuse, si, abandonnant le point de départ technique – la question de la fonction propre qu'il faut premièrement résoudre –, il construit le monument à partir des apparences, si l'ornement prend le pas sur la fonction. À partir de la fonction, on peut aboutir à toute l'ampleur ornementale qu'on voudra : à partir de l'ornement, il est presque impossible de retrouver la fonction. On ne donne pas un corps à un squelette, on donne une chair irréelle à un fantôme. Ou on donne le corps d'un cheval à un squelette de chien. Mais les leçons des styles historiques peuvent être de premier ordre, pourvu seulement que l'architecte n'emprunte pas à ces styles des éléments – c'est l'éclectisme – mais étudie profondément les liens entre les fonctions propres des monuments et leur forme, qu'il pénètre les secrets des grands styles mais ne les copie pas. Il y a de grandes leçons dans le Parthénon, mais il serait dangereux de transporter les éléments de ce temple : les frises, les architraves, les métopes célèbres et les chapiteaux doriens à n'importe quel monument. La colonne comme élément architectural est l'une des grandes inventions des beaux arts : il faut trouver des types de colonnes – c'est-à-dire des solutions particulières de cette forme – sans s'astreindre à reproduire sans changement ses types historiques.

Parmi les diverses solutions récentes proposées à ces questions en URSS, il en est une qui semble approcher déjà d'assez près le succès. C'est le vaste projet pour l'Académie des Sciences qu'a conçu André Lurçat, invité à travailler en URSS par un des architectes éminents de l'Union, le camarade Friedmann. Il s'agissait là de dresser le plan monumental d'une ville de la science qui unît à la fois toutes les exigences de fonction aux éléments de rassemblement et de grandeur dont il a été question. André Lurçat est l'un des grands architectes européens qui ont contribué à poser les bases d'un style nouveau. En Occident, un architecte de cette importance était précisément arrêté par les limites mêmes du système économique et social où son action s'exerçait. Il devait constamment se contenter d'un minimum qui mettait l'accent sur les fonctions et laissait nécessairement au second plan les questions d'ornement, les valeurs monumentales. C'étaient là des problèmes qui ne se posaient pour lui que théoriquement. L'URSS lui donne à la fois les conditions idéologiques où ces problèmes se posent à l'échelle de toute une civilisation et les conditions sociales où leur solution devient pratiquement possible. Il a donc tenté dans son projet la synthèse des fonctions propres et de la mission monumentale. Chaque bâtiment – présidium, bibliothèque, institut physicomathématique – exprime dans des conditions rigoureuses les exigences auxquelles il doit satisfaire. Cette rigueur se retrouve dans la répartition et l'ordre des bâtiments. On peut dire qu'en un sens la forme est commandée par le contenu : l'apparence par le dedans. Mais *il serait tout à fait faux de juger l'œuvre au nom de cette seule rigueur. Car les formes monumentales ne sont pas seulement commandées par les contenus. Chaque façade, chaque volume architectural est également commandé de l'extérieur. Chaque bâtiment traduit à la fois la fonction dont il est scientifiquement chargé, et la mission que la société lui demande de remplir du point de vue de l'homme qui passe et non plus du point de vue de l'homme qui travaille dans les salles de ce bâtiment. On est devant des monuments qui permettent au savant de dire :* mon *laboratoire et au passant de dire* notre *académie des sciences, comme il dit* notre *usine,* notre *parti. Il est tout à fait clair que Lurçat a cherché des leçons dans les grands styles historiques : mais pas un détail n'est une imitation. C'est ainsi que le présidium est précédé d'un rang de colonnes, mais ces colonnes ne reproduisent aucun type classique. Sans doute la leçon essentielle que l'architecte a tiré du passé est-elle celle de la grandeur. Il s'agissait d'édifier un monument, une ville de monuments scientifiques qui exprimassent à la fois les besoins de la science et la grandeur que revêt la science aux yeux des membres d'une société socialiste. Le projet de Lurçat arrive à cette grandeur par une série de moyens dont aucun n'est un ornement emprunté à un style historique. Parmi ces moyens, il faut compter les principes de composition des façades où tel élément simple est repris, déplacé, amplifié, sans jamais obéir simplement à des jeux de distribution mécanique. Il y a une façade où le carré intervient à plusieurs échelles exactement comme un thème musical s'introduit, se transforme, s'amplifie. Lurçat obtient avec des espaces les effets qu'un musicien obtient avec des motifs sonores : il y a peu d'œuvres qui donnent plus que celle-là l'idée des relations de la musique et de l'architecture. On trouvera un deuxième principe de grandeur dans les rapports entre les bâtiments et les espaces (terrasses, jardins) qui donnent une nouvelle solution des problèmes posés et résolus – autrement – par les grandes architectures monumentales du XVIIᵉ siècle – Versailles par exemple. Il faudrait parler longuement de l'union du bâtiment avec le site qui fut l'une des victoires de l'art classique.*

Il n'est plus possible de regarder Lurçat comme un fonctionnaliste. C'est un homme qui a conservé les acquisitions saines de la théorie de la fonction, mais qui les a surmontées pour aborder le monument. Chaque homme pourra trouver dans ces grandes architectures horizontales – mais étagées – l'image de la grandeur qu'il est en droit d'exiger des monuments de la civilisation que l'Union soviétique construit.

Paul Nizan, Moscou, 19 décembre 1934

5. *Le seul document retrouvé de* La Soirée à Somosierra

(Sur un feuillet rose, perdu dans les archives d'Henriette Nizan ; concerne peut-être la fin des « Amours de septembre », première partie du roman, achevée, semble-t-il, en 1940, ou le début de la deuxième partie.)

« *14 juillet 1936, partit en vacances.*
20 juin 1937. Sénat avec (un blanc)
Oxford, Londres à l'ambassade
qu'il se passerait quelque chose à sa prochaine rencontre avec Catherine
Quentin. Etc. Écrivains. L'ambition en 1936. Automne de 1936, novembre,
Madrid.
Retrouve Paris le 2e arrondissement. Écrivain.
New Statesman*. Articles, Brassage Mil[ieu.] M. Le Verrier. 1937 année d'at-
tente.
Tribune de la presse : Pluvinage. Déjeune chez madame Quentin au début de
juillet.
Une période d'attente : réacclimatation à la France. En juin – l'action diploma-
tique – l'action sentimentale.
La nuit du 20 juin. Il se promenait, il prenait des quantités de notes, il dînait en
ville. Un an de congé. »

6. En prime : « *Les funérailles anglaises* »

(*La Nouvelle Revue française*, 24e an., n° 270, 1er mars 1936, p. 466-468.)

Derrière le Comte Maréchal, le Surintendant de la Garde-Robe, le Maître des
Chevaux, le Valet de Sa Majesté, le Sergent Valet de pied, le cercueil arriva,
traîné et retenu par des marins : c'était le centre autour duquel tournait cette
grande mise en scène répétée la veille comme un drame. La foule était déçue : ce
n'était qu'un objet de bois après tous ces danseurs et tous ces musiciens, un
objet insolite sous l'étendard royal décoré de léopards, avec le Sceptre, le Globe,
la Couronne, les Insignes de la Jarretière et les fleurs de la Reine. Le cadavre
d'un parent, d'un voisin qu'on a touchés vivants, on l'imagine à travers le bois et
le plomb, et on pense au commencement de la pourriture. Un corps de roi, ça ne
s'imagine pas facilement, à cause de tous ces uniformes et de ces gardes et de
ces barrières derrière lesquelles il marchait, on ne pense pas plus clairement à
son cadavre qu'à son corps vivant, on ne s'émeut guère du cadavre d'un fan-
tôme. Les gens parlaient du roi. Et justement, comme d'un fantôme, comme d'un
reflet. Comme de l'image qu'il donnait des bourgeois anglais, d'eux-mêmes. Per-
sonne ne parlait de lui comme d'un vivant irremplaçable. On répétait simple-
ment sur lui la phrase de l'archevêque de Cantorbéry, que le roi n'avait été
« *remarquable ni par le corps ni par l'esprit* ». *Comme une louange.*

Vinrent des rois, des princes, des fantômes casqués, les grands carrosses
rouge et or de la Cour. Il n'y avait pas un drap noir, mais de grands flots de
crêpe rouge. On pensait à des loges de théâtre en Italie, à des cabinets de musée.

---

* Note en marge : « *Il a travaillé pour.* »

Les cochers portaient des tricornes rouge et or sur des perruques d'argent, les valets de pied des bicornes comme des maréchaux de l'Empire. Impossible de ne pas penser au Valet-poisson d'Alice in Wonderland dans toute cette féerie funèbre ; un coup de vent et ces souverains de cartes s'envolaient avec le Loir et le Lézard. Dans son carrosse de glaces, la reine Mary, immobile sous des étoffes noires, un parapluie à bec courbe dans la main : les femmes la regardaient avidement pour voir la douleur d'une reine : justement, elles ne voyaient rien, elles se rejetaient en arrière. Ce n'était pas une femme qui passait, c'était peut-être la Reine de Cœur ou plutôt la Duchesse qui allait ouvrir la portière du carrosse, s'écrier : « Vous n'en savez pas lourd... » Mais elle disparut.

Le rideau tomba, la foule s'en alla, épuisée par ces heures d'opéra royal : les rues vides s'emplissaient, les taxis s'éloignaient. Dans les vitrines de Bond Street, il y avait des portraits du roi, avec de grandes poches sous les yeux.

À Paddington, le cortège avait quarante minutes de retard. Depuis soixante-dix minutes, le canon de Londres tonnait de minute en minute comme une grande porte claquant dans le ciel. À Windsor, personne ne savait que le cortège était en retard, les cloches sonnaient, le canon tonnait aussi, en vain. Les archevêques se regardaient. Dans l'allée qui monte à la chapelle Saint-George, un Horse Guard s'avançait, parfaitement seul, au pas de parade, entre les rires étouffés des OTC d'Oxford. Le cortège arriva : les maréchaux, leur bâton sur la cuisse, avaient une démarche épuisée de vieillards. Les prières furent dites : sur un étrange ascenseur à bras, le cercueil du roi descendit dans la crypte.

À Londres, après le Silence de deux minutes, commençait une espèce de grand dimanche : de longues files attendaient l'ouverture des cinémas. À Hyde Park, il y avait sur le sol une purée de papier, de boue, de chaises brisées, de programmes, de petites grappes de raisins noirs ou mauves. Les boursiers écoutaient un office à Saint-Paul. Mille juifs, le chapeau en tête, étaient assemblés dans l'église anglicane de Whitechapel. Dans le Strand, un jeune homme vendait des allumettes, il portait sur le cœur une pancarte avec ces mots : « Ma dernière espérance. » Sur les trottoirs de l'Embankment, des chômeurs anciens combattants dessinaient au pastel le visage du roi. Dans l'East End, les usines tournaient. Un ouvrier disait : « On nous a trouvés bons à donner notre vie pour sa Gracieuse Majesté. Mais sa mort ne vaut pas un jour de congé. » À Fleet Street, les journalistes racontaient le scandale du masseur du roi de Roumanie qui avait défilé avec les princes et les ministres, un chandail blanc sous son veston. Dans Shaftesbury avenue, les magasins où les filles de Soho achètent leur lingerie n'offraient plus que des chemises, des pantalons, des bas noirs : le deuil royal restaurait dans Londres les secrets d'un érotisme perdu.

Paul Nizan

SOURCES

DE NIZAN

Manuscrits conservés

– *Fonds Henriette Nizan* (désormais déposé à la BnF) :
Manuscrits d'*Aden Arabie*, *Antoine Bloyé* et *Chronique de septembre*.
Manuscrits divers (articles, carnets, notes…).

– *Fonds Lise Deharme* :
Manuscrit du *Cheval de Troie*.

– *Fonds Hélène Borman* :
Manuscrit partiel de *Le Goût du définitif.*

Des *lettres* de et à Paul Nizan peuvent être consultées dans les fonds ci-dessus et dans ceux de Jean-Richard Bloch, André Chamson, André Gide, Romain Rolland, Anne-Marie Todd.

On n'a pas retrouvé à ce jour le texte des cours de Paul Nizan à l'Université ouvrière, non plus que de ses conférences à la Maison de la culture et devant les cercles culturels, mais le fonds Henriette Nizan conserve le texte d'une conférence sur « Les comiques grecs : Aristophane », datée du 17 mars 1938.

Livres parus en librairie de son vivant

Révision avec Jean-Paul Sartre de la traduction (par A. Kastler et J. Mendousse) de Jaspers (Karl), *Psychopathologie générale*, Paris, Alcan, 1927, 536 p.

Aden Arabie, Paris, Rieder, 1931, 188 p. ; réédition Maspero, 1960 (avec un avant-propos de Jean-Paul Sartre).

Les Chiens de garde, Paris, Rieder, 1932 ; réédition Maspero, 1960, 166 p.

Antoine Bloyé, Paris, Grasset, 1933 ; réimpression Grasset, 1960, 317 p. ; réédition (avec une préface d'Anne Mathieu), 2005.

Traduction de Dreiser (Théodore), *L'Amérique tragique*, Paris, Rieder, 1933, 414 p.

Traduction de Fischer (Louis), *Les Soviets dans les affaires mondiales*, Paris, Gallimard, 1933, 767 p. (avec Jacques Baron).

Édition de textes sous le titre de *Marx philosophe*, dans *Morceaux choisis de Marx* (avec une introduction de Henri Lefebvre et Norbert Guterman), Paris, Gallimard, 1934, 464 p.

Le Cheval de Troie, Paris, Gallimard, 1935, 249 p. ; réédition coll. « L'Imaginaire » (avec une préface de Pascal Ory), 2005.

Présentation de *Les Matérialistes de l'Antiquité*, Paris, ESI, 1936, 178 p. ; réédition Maspero, 1965, 141 p.

Adaptation d'Aristophane, *Les Acharniens*, Paris, ESI, 1937, 77 p.

Préface à Lefebvre (Henri), *Le Nationalisme contre les nations*, Paris, ESI, 1937, 244 p.

La Conspiration, Paris, Gallimard, 1938, 250 p. ; réédition Gallimard, 1968, 272 p. ; réédition « Folio », 1973, 311 p.

Chronique de septembre, Paris, Gallimard, 1939, 252 p. ; réédition Gallimard, 1978 (avec une préface d'Olivier Todd), 229 p.

Trois films

(dont les copies sont à l'heure actuelle inaccessibles)

Deux films d'amateur, tourné vers la fin de 1929 par Jean-Paul Alphen, avec Nizan, Sartre, Simone de Beauvoir, Mme Emmanuel Berl et Rirette pour le premier ; le second (*Le Vautour de la Sierra*) suivi de peu.

Visages de la France, réalisation d'André Vigneau, sur un scénario de Paul Nizan et André Wurmser ; *lyrics* de Robert Desnos ; musique d'Arthur Honegger.

Deux recueils posthumes

Paul Nizan, intellectuel communiste. Articles et correspondance inédite (présentation de Jean-Jacques Brochier), 2 vol., Paris, Maspero, 1967-1970, 288 p. et 141 p.

Pour une nouvelle culture (textes réunis et présentés par Susan Suleiman), Paris, Grasset, 1971, 327 p.

Anne Mathieu, secrétaire générale du GIEN, éditera prochainement (aux éditions Joseph K) l'intégrale des articles de presse de Nizan.

Textes divers parus de son vivant

Un poème : *Méthode* (*Fruits verts*, n° 2-3, juillet 1924).

Trois contes :
- *Hécate ou la Méprise sentimentale* (*La Revue sans titre*, n° 2, 1923) ;
- *Complainte du carabin qui disséqua sa petite amie en fumant deux paquets de Maryland* (*La Revue sans titre*, n° 4, 1923) ;
- *Histoire de Thésée* (*Commune*, novembre 1937).

Cinq œuvres ou fragments d'œuvre :
- *Les Vacances* (*Fruits verts*, n° 1, mai 1924) ;
- *L'Église dans la ville* (*Commune*, n° 1, juillet 1933) ;

• *Présentation d'une ville* (*La Littérature internationale*, n° 4, 1934) ;
• *Ve Arrondissement* (*Cahiers de la jeunesse*, octobre 1937) ;
• *Le Marché* (*Le Point*, juin 1938).

Deux poèmes sont parus après sa mort : *La Cathédrale* et *Grèves* (*Valeurs*, n° 2, juillet 1945).

L'œuvre de Nizan a inspiré, à ce jour :
• une pièce de théâtre, *La Manifestation*, de Philippe Madral, d'après *Le Cheval de Troie* (éditée en 1978 par Gallimard) ;
• un film de cinéma, *France, mère des arts, des armes et des lois*, de Jean-Paul Aubert, d'après *Aden Arabie* (1972) ;
• un film de télévision, *Antoine Bloyé*, de Marcel Bluwal (1974).

SUR NIZAN

Exclusivement

Sartre (Jean-Paul), « Avant-propos » à la réédition d'*Aden Arabie*, Paris, Maspero, 1960, 49 p. (repris dans *Situations 4. Portraits*, Paris, Gallimard, 1964).

Ginsbourg (Ariel), *Paul Nizan*, Paris, Éditions universitaires, 1966, 128 p.

Brochier (Jean-Jacques), « Présentation » de : *Paul Nizan, intellectuel communiste*, Paris, Maspero, 1967, 70 p.

Atoll, n° 1, novembre 1967-janvier 1968, 80 p.

Leiner (Jacqueline), *Le Destin littéraire de Paul Nizan*, Paris, Klincksieck, 1970, 301 p. (thèse soutenue en 1969).

Magazine littéraire, n° 59, décembre 1971.

Redfern (W. D.), *Paul Nizan : Committed Literature in a Conspiratorial World*, Princeton, Princeton University Press, 1972, X – 233 p.

Fe (Franco), *Paul Nizan, un intellettuale comunista*, Rome, La nuova sinistra, Ed. Savelli, 1973, 112 p.

King (Adèle), *Paul Nizan, écrivain*, Paris, Didier, 1976, 210 p. (thèse soutenue en 1970).

Ishagpour (Youssef), *Paul Nizan : une figure mythique et son temps*, Paris, Le Sycomore, 1980, 253 p. ; *Paul Nizan : l'intellectuel et le politique entre les deux guerres*, Paris, La Différence, 1990, 253 p.

Cohen-Solal (Annie), *Paul Nizan, communiste impossible*, Paris, Grasset, 1980, 287 p.

Verona (Luciano), Ferrarini (Marisa), *Antoine Bloyé de Paul Nizan. Analyse socio-critique*, Milan, IULM, 1984 ; rééd. 1988.

Steel (James), *Paul Nizan, un révolutionnaire conformiste ?*, Paris, Presses de la FNSP, 1987, 415 p.

Alluin (Bernard), Deguy (Jacques) (éd.), *Paul Nizan écrivain* (actes du colloque Paul Nizan, Université Lille III, 1987), Villeneuve d'Ascq, Presses universitaires de Lille, 1988, 286 p.

Scriven (Michael), *Paul Nizan, communist novelist*, Basingstoke/Londres, Macmillan, 1988, XII-200 p.

Altman (Thierry), *Paul Nizan : les conséquences du refus* (préface d'Olivier Todd), Bruxelles, De Boeck, 1993, 162 p.

Arpin (Maurice), *La Fortune littéraire de Paul Nizan : une analyse des deux réceptions critiques de son œuvre*, Bern/Berlin/Paris, Lang, 1995, XVI-310 p.

Fakhfakh (Amel), *La Lecture du réel dans l'œuvre de Paul Nizan*, Tunis, Alif, Éditions de la Méditerranée, 1996, 229 p.

Husung (Lotte), *Paul Nizan, der « Pfahl im Fleische » Jean Paul Sartres (...)*, (thèse soutenue en 1992), Aix-la-Chapelle, Shaaker Verlag, 1997, 311 p.

Mathieu (Anne) (éd.), *Paul Nizan, écrivain et journaliste* (actes de la journée d'études du GIEN, Université de Tours, 2001), Tours, Université de Tours, 2001, 61 p.

Thornberry (Robert Samuel), *Les Écrits de Paul Nizan, 1905-1940 : portrait d'une époque*, Paris, H. Champion, 2001, 751 p.

Paul Nizan et les années trente (actes du colloque du GIEN, Nantes, 2002), ADEN, numéros 1 (décembre 2002) et 2 (octobre 2003).

À quoi s'ajoutent quelques travaux universitaires restés à ce jour inédits. Citons les pionniers :

Allio (Gilbert), Étude d'*Antoine Bloyé*, mémoire de maîtrise, université d'Aix-en-Provence, 1969, 167 ff.

Suleiman (Susan), *Nizan and the Novelist's Problem of Commitment*, Ph. D. Harvard University, 1969, 256 ff.

Lasserre (Jean), *Nizan, écrivain de combat*, thèse de 3e cycle, Université de Dijon, 1974, 349 ff.

Et maints articles : cent vingt et un comptes rendus contemporains d'œuvres de Nizan ont été recensés par le services de l'« Argus ». Nous leur ajouterons, sélectivement, les textes de :

Gérard de Catalogne (*Les Nouvelles littéraires*, 7 décembre 1928) ;

Pierre-Henri Simon (*Esprit*, janvier 1934) ;

André Ulmann (*Reflets de la semaine*, 8 décembre 1938) ;
     et les articles rétrospectifs de :

Emmanuel Berl (*L'Express*, 9 juin 1960) ;

Maurice Nadeau (*France Observateur*, 30 juin 1960) ;

Pierre Juquin (*La Nouvelle Critique*, 1960) ;

Gilbert Sigaux (*Preuves*, juillet 1960) ;

Jean-Albert Bedé (*The Romanic Review*, décembre 1967) ;

Susan Suleiman (*Critique*, novembre 1974).

Quatre films de télévision ont été à ce jour consacrés, en tout ou partie, à Nizan :

Paul Nizan, de Pierre Beuchot, 1968 (jamais diffusé à l'antenne) ;

Paul Nizan, de Jacques Nahum, Antenne 2, 1979 ;

Le Temps détruit : lettres d'une guerre, 1939-1940, de Pierre Beuchot, INA, 1984 ;

Nizan, d'Alain Wieder et Pascal Ory, réal. Jean-Claude Guidicelli, France 3, collection « Un siècle d'écrivains », 1995.

Les amateurs auront intérêt à se reporter aux numéros annuels de la revue du Groupe interdisciplinaire d'études nizaniennes, dénommée *ADEN*, et à son bulletin bibliographique (responsable : Anne Mathieu, matan@infonie.fr).

Inclusivement

Archives :

– Lycée Henri-IV.
– Lycée Louis-le-Grand.
– École normale supérieure.
– Le texte inédit de Sartre, *La Semence et le scaphandre*, publié partiellement dans *Le Magazine littéraire* de décembre 1971.

Périodiques :

Collections des périodiques dans lesquels Nizan écrivit. Collections du *Courrier de l'Ain*, du *Franc parler*, du *Journal de l'Ain* et de *L'École émancipée* pour l'année 1932.

Livres :

Gide (André), *Retouches à mon retour de l'URSS*, Paris, Gallimard, 1937.

Téry (Simone), *Le Cœur volé*, Paris, Denoël, 1937.

Sartre (Jean-Paul), *Les Chemins de la liberté*, (trois volumes), Paris, Gallimard, 1945-1949.

Lefebvre (Henri), *L'Existentialisme*, Paris, le Sagittaire, 1946.

Rossi (Amilcare), *Physiologie du parti communiste français*, Paris, Self, 1948.

Aragon (Louis), *Les Communistes*, Paris, La Bibliothèque française (six volumes), 1949-1951.

Sartre (Jean-Paul), *Situations I*, Paris, Gallimard, 1947.

Rossi (Amilcare), *Les Communistes français pendant la drôle de guerre*, Paris, Plon-Les Îles d'or, 1951.

Connolly (Cyril), *Ideas and Places*, Londres, Weidenfeld and Nicolson, 1953.

Etiemble, *Hygiène des lettres*, tome I, Paris, Gallimard, 1952.

Beauvoir (Simone de), *Mémoires d'une jeune fille rangée*, Paris, Gallimard, 1958.

Lefebvre (Henri), *La Somme et le reste*, Paris, La Nef de Paris, deux volumes, 1959.

Beauvoir (Simone de), *La Force de l'âge*, Paris, Gallimard, 1960.

Merleau-Ponty (Maurice), *Signes*, Paris, Gallimard, 1960.

Deharme (Lise), *Les Années perdues. Journal (1939-1949)*, Paris, Plon, 1961.

Beauvoir (Simone de), *La Force des choses*, Paris, Gallimard, 1963.

Racine (Nicole), *Les Écrivains communistes en France 1920-1938*, Paris, thèse de 3e cycle dactylographiée, 1963.

Sartre (Jean-Paul), *Les Mots*, Paris, Gallimard, 1963.

Aragon (Louis), *Les Communistes*, in *Œuvres romanesques croisées* (avec Elsa Triolet), quatre volumes (tomes 23-26), Monaco/Paris, Jaspard, Polus et Cie/Robert Laffont, 1966-1967.

Frank (Nino), *Mémoire brisée*, Paris, Calmann Lévy, deux volumes, 1967 et 1968.

Contat (Michel) et Rybalka (Michel), *Les Écrits de Sartre*, Paris, Gallimard, 1970.

Bernard (Jean-Pierre A.), *Le Parti communiste français et la question littéraire 1921-1939*, Grenoble, Presses universitaires de Grenoble, 1972 (thèse soutenue en 1966).

Lacouture (Jean), *André Malraux, une vie dans le siècle*, Paris, Le Seuil, 1973.

Daix (Pierre), *Aragon, une vie à changer*, Paris, Le Seuil, 1975.

Mazauric (Lucie), *Avec André Chamson*, tome 2 : *Vive le Front populaire !*, Paris, Plon, 1976.

Courtois (Stéphane), *Le PCF dans la guerre*, Paris, Éditions Ramsay, 1980.

Aron (Raymond), *Le Spectateur engagé*, Paris, Julliard, 1981.

Aron (Raymond), *Mémoires*, Paris, Julliard, 1983.

Verona (Luciano), *L'analisi socio-critica del romanzo*, Milan, Cisalpino-Goliardica, 1988.

Nizan (Henriette), *Libres mémoires* (avec Marie-José Aubert), Paris, Robert Laffont, 1989.

Jerzewski (Roland), *Zwicken anarchistischer Fronde und revolutionärer Disziplin (…)*, Stuttgart, M & P, 1991.

Ory (Pascal), *La Belle Illusion. Culture et politique sous le signe du Front populaire*, Paris, Plon, 1993.

Sirinelli (Jean-François), *Deux intellectuels dans le siècle. Sartre et Aron,* Paris, Fayard, 1995.

Gandillac (Maurice de), *Le Siècle traversé : souvenirs de neuf décennies*, Paris, Albin Michel, 1998.

Novello (Neil), *Eversori e martiri : attraverso Arnaud, Conrad, Genet, Nizan*, Bologne, Pendragon, 2002.

Trespeuch (Anna), *Dominique et Jean-Toussaint Desanti : une éthique à l'épreuve du vingtième siècle*, Paris, L'Harmattan, 2003.

Charpentier (Pierre-Frédéric), *Les Intellectuels français de la Drôle de guerre à la défaite (1939-1940)*, thèse de doctorat, Université Paris 1, 2005.

INDEX
DES NOMS DE PERSONNES

Les personnages de roman sont d'ordinaire plus vivants que la plupart des vivants ; on les a donc inclus dans cette liste. Bien entendu, les occurrences de Paul-Yves et de Rirette n'ont pas été recensées : c'est tout le livre.

Abd el Krim, 78
Abdul Karim (Sir), 57
Abetz (Otto), 154, 162
Adam (Georges), 210
Alain (Alain Chartier, dit), 30, 31, 74, 113, 223
Albert, 68, 127, 129
Alexandrowski, 166
Alphen (Jean-Paul), 51, 63, 66
Alphen-Strauss (Robert), 62
Altman (Georges), 196
Annunzio (Gabriele d'), 32
Anouilh (Jean), 147
Apollonios de Rhodes, 75
Apollonios de Tyane, 70
Aragon (Louis), 8, 11, 29, 32, 33, 85, 109, 112, 114, 116, 119, 121, 126, 132, 136, 146, 147, 172, 178, 179, 188, 200, 201, 204, 207, 209, 212, 217, 220, 223
Arban (Dominique), 207
Ariane, 69, 137, 138
Aristophane, 113, 123, 139
Aristote, 64
Aron (Raymond), 8, 11, 27, 40, 41, 46, 61, 62, 65, 66, 151, 185, 210, 222
Arouet (François) : voir Politzer (Georges)
Asmus, 80
Astaire (Fred), 209
Aurélien, 129
Aymé (Marcel), 151

B…, 201
Babel (Isaac), 115, 144
Baier (Lothar), 7
Balzac (Honoré de), 9, 114, 131, 135, 186
Barbé-Celor (groupe), 96
Barbey d'Aurevilly (Jules), 205
Barbusse (Henri), 77, 106, 117, 132, 148, 150
Baron (Jacques), 108

Barrès (Maurice), 32, 47, 54, 87, 131, 220, 222.
Bartali, 169
Bartok (Bela), 223
Beauvoir (Simone de), 8, 11, 31, 37, 39, 42, 44, 52, 66, 72, 96, 116, 177, 179, 184, 201, 210, 214
Becque (Henri), 156
Bédé (Jean-Albert), 55
Beethoven (Ludwig von), 222
Benda (Julien), 84, 159, 210, 222
Berdiaeff (Nicolas), 92, 184
Bergère, 143
Bergson (Henri), 31, 74, 205
Berl (Emmanuel), 46, 66, 85, 87, 90, 217, 222
Berl (Mme), 66
Bernanos (Georges), 54
Bernard, de Clairvaux, 97
Bernard (Claude), 65
Bert (Paul), 91
Berthe, 128, 129
Besse (André) junior, 57
Besse (Antonin), 11, 54, 55, 57, 58, 59, 85
Besse (famille), 56, 58, 59
Beuchot (Pierre), 217
Bibesco (princesse), 75
Billy (André), 210
Bismarck (Otto von), 183
Blanzat (Jean), 140
Bloch (Jean-Richard), 11, 34, 46, 51, 55, 114, 146, 150, 206
Blondel (Maurice), 74
Bloyé (Anne-Marie), 17
Bloyé (Antoine), 20, 24, 68, 97, 118, 126, 128, 133, 136, 174, 175, 193, 220
Bloyé (Jean-Pierre), 175
Bloyé (Marie), 175
Bloyé (Pierre), 23, 45, 52, 61, 128, 129, 140, 184
Blum (Léon), 40, 92, 126, 152

Bluwal (Marcel), 216
Bonnet (Georges), 202, 211
Boo (Louis), 199
Bor'hou : voir Sartre
Bossuet (Bénigne), 97, 200
Bost (Jacques-Laurent), 210
Bost (Pierre), 210
Botticelli (Sandro), 75
Bouglé (Camille), 44
Boukharine (Nicolas) 88, 111, 114, 116, 143
Bourgeois (Léon), 91
Bourget (Paul), 35, 126
Bourgin (Hubert), 49
Bramble (colonel), 191
Brasillach (Robert), 90, 155, 188, 217, 222
Breton (André), 29, 37, 159, 200, 202, 209, 210, 211
Briant (Théophile), 142
Brinon (Fernand de), 154
Brisson (Pierre), 210
Brochier (Jean-Jacques), 183
Brown (John) : voir Morhange (Pierre)
Bruhat (Jean), 95, 104, 123, 146, 172, 209
Brulard (Henry), 191
Brun (Louis), 141
Brun, 74
Brunet, 145, 197, 198, 214
Brunschvicg (Léon), 11, 37, 44, 85, 89, 92, 143, 205
Buisson (Ferdinand), 91
Byron (Lord), 32

C (Monsieur) : voir Besse (Antonin)
Caillois (Roger), 210
Calderon (Pedro), 156
Caldwell (Erskine), 160
Camus (Albert), 210
Canguilhem (Georges), 62
Capa (Robert), 151
Capron (Marcel), 211
Carré, 96, 102, 133, 135, 175, 184
Carrillo (Santiago), 147
Carroll (Lewis), 171
Cartier-Bresson (Henri), 171
Casanova (Danielle), 11, 148, 177, 179, 200
Casanova (Laurent), 11, 177, 179, 209
Catalogne (Gérard de), 47
Catherine (ouvrière), 128, 130, 131, 134, 174 (voir aussi Rosenthal, Catherine)
Céline (Louis-Ferdinand), 158, 159, 224

Chabrier (professeur), 26
Chalais, 197
Chamberlain (Arthur Neville), 12, 165
Chamson (André), 11, 141, 148, 150, 187, 189
Chaplin (Charlie), 147
Charles XII, 182
Chateaubriant (Alphonse de), 211
Chazournes (Félix de), 216
Chéreau (Patrice), 216
Chevalier (Maurice), 146
Cholokhov (Mikhaïl), 122
Clarke (W. L.), 56
Claudel (Paul), 43, 61, 189
Clausewitz (Karl von), 182
Cléopâtre, 200
Clotis (Josette), 177
Clouet, 35
Cocteau (Jean), 42, 81, 159
Coëtlogon (comtesse de), 194
Coëtlogon (famille de), 194
Coëtlogon (Philippe de), 194
Cogniot (Georges), 106
Cohen (Albert), 170
Colomb (Christophe), 86
Conrad (Joseph), 55
Constantin, 153
Corneille (Pierre), 40, 190
Cosinus (savant), 25
Courbet (Gustave), 136
Cox (Miss), 58
Crémieux (Benjamin), 204, 205, 206
Cromwell, 200

Dabit (Eugène), 71
Daladier (Édouard), 12, 211
Daudet (Léon), 48
Daux (proviseur), 30
Deborine, 80
Deharme (Lise), 52, 109, 191
Delacroix (H.), 44
Delagrange, 48
Delbos (Yvon), 12, 170
Del Dongo (Fabrice), 172
Démocrite, 94, 204
Déroulède (Paul), 223
Descartes (René), 42, 92
Descaves (Lucien), 141, 142
Desnos (Robert), 149
Dicéopolis, 139, 186

Dickens (Charles), 139
Diderot (Denis), 76, 80
Dinamov, 112
Dionysos (dieu), 69, 139
Dionysos (homme), 78
Doriot (Jacques), 50, 96, 161, 202
Dos Passos (John), 83, 112, 160, 214
Dostoïevski (Fedor), 88, 132, 160, 162, 163, 183, 184, 190
Dovjenko (Aleksandr), 115, 156
Doyle (Conan), 157
Drayer (Theodor), 147
Dreiser (Theodore), 107
Dreyfus (Alfred), 186
Drieu La Rochelle (Pierre), 46, 110, 132, 160, 161, 162, 203, 217, 223, 224
Dubois (Léon), 199
Duchesse (La), 202
Duclos (Jacques), 11, 95, 120, 159, 177, 178, 181, 199, 200
Duhamel (Georges), 46, 55
Duhamel (Marcel), 108, 177
Dumas (Alexandre) père, 186
Dumas (Georges), 43
Dumas (L.), 44
Dunne (Irène), 192
Durkheim (Émile), 74
Durtain (Luc), 147, 150
Duruy (Mme Victor), 26

Ehrenbourg (Elya), 114, 115, 150
Eisenstein (Serge), 156
Eluard (Paul), 33, 220
Engels (Friedrich), 89
Épicure, 76, 94, 204, 223
Ernst (Max), 71, 72

Fabra (Carlos), 198
Fanny, 54
Fantômas, 25
Fargue (Léon-Paul), 33
Farrère (Claude), 28
Faulkner (William), 160
Faure (Élie), 147
Faust, 224
Fauvel (Hélène), 61, 64
Febvre (Lucien), 147
Fels (M. de), 185
Felzer (Annette), 205, 206

Felzer (Michel), 205
Ferdonnet (Paul), 223
Ferry (Jules), 61, 91, 100
Fields (Gracie), 192
Fignolleau (Elisa), 16
Fischer (Louis), 108
Fombeure (Maurice), 210
Foster, 150
France (Anatole), 28
Francis (Robert), 140
Frank (Nino), 71
Frazer (Sir James George), 43
Frederix (Pierre), 142
Freinet (Célestin), 92
Fréminville (M. de), 31
Freud (Sigmund), 42, 181
Fréville (Jean), 106, 126
Fried, dit Klement, 96, 114
Friedmann (Georges), 11, 17, 30, 41, 46, 71, 77, 78, 79, 101, 105, 124, 131, 203

Gallimard (Gaston), 141
Gandillac (Maurice de), 45
Garaudy (Mme), 208
Garaudy (Roger), 207, 208
Garbo (Greta), 249
Garland (Judy), 209
Garmy (René), 106
Gaulle (Charles de), 66, 92, 126, 152, 201, 219
Gengis Khan, 118
George V, 12, 171, 191
George VI, 12, 170
Georgin (Charles), 26
Gide (André), 28, 60, 76, 90, 109, 112, 113, 150, 151, 153, 154, 155, 163, 184
Gilles, 129
Ginzburger (Roger), futur Pierre Villon, 11, 185, 186, 187
Giono (Jean), 71, 147, 159, 223
Giraudoux (Jean), 13, 28, 32, 33, 35, 151, 156, 157, 169, 185, 188, 222, 223
Gitton (Marcel), 202, 211
Goasmat (Jean-Marie), 12, 169
Gobineau (Joseph-Arthur, comte de), 157
Goblot (Edmond), 74
Godard (Jean-Luc), 216
Goebbels (Joseph), 161
Goemans (Camille), 78
Gogol (Nicolas), 156

Gold (Michael), 107
Gorki (Maxime), 114, 144
Grant Robertson (Sir Charles), 46
Grasset (Bernard), 141
Gréard (Octave), 91
Green (Anne), 148
Green (Julien), 148, 157
Grunebaum-Ballin (Paul), 66
Guderian (Heinz), 12, 192, 193
Guéhenno (Jean), 11, 84, 85, 109, 113, 123, 141, 148, 210
Guérin (Alain), 207
Guillemin (Henri), 36, 40
Guillemin (Jacques) : voir Sartre (Jean-Paul)
Guilloux (Louis), 101, 142
Guitry (Sacha), 56
Guterman (Norbert), 11, 77, 80, 82, 83, 92, 108
Guyader (Anne), 148

Halbwachs (Maurice), 43
Hammett (Dashiell), 157, 160
Heidegger (Martin), 33, 43, 72, 110, 163, 173
Hélène, 13
Henriot (Philippe), 224
Héraclite, 204
Hérault de Séchelles (Marie-Jean), 35
Herbart (Pierre), 154
Herbaud (André), 41, 42
Herr (Lucien), 40, 43
Herriot (Édouard), 40, 112
Hikmet (Nazim), 71
Hitler (Adolf), 12, 165, 177, 178, 182, 188, 194
Hobbes (Thomas), 80
Holbach (baron d'), 80
Hölderlin (Friedrich), 32
Honegger (Arthur), 149
Honnert (Robert), 153
Hugo, 179
Husserl (Edmund), 43
Hutchings (sergent), 219
Hutton (private),196
Huxley (Aldous), 150
Hyde (Mister), 163

Ibsen (Henrik), 156
Isabelle, 205

Ishaghpour (Youssef), 47

Janderrin (Mlle), 62
Jaspers (Karl), 43
Jaurès (Jean), 40, 62, 174
Jeanson (Henri), 210, 211
Jéhovah, 158
Jerphanion, 40
Joliot-Curie (Frédéric et Irène), 179
Josette, 205
Jouhandeau (Marcel), 20
Jourdain (Francis), 66, 96, 148
Jourdain (Frantz), 66, 148
Jourdain (Lulu), 148
Jouve (Pierre-Jean), 107
Joyce (James), 71
Jurien, 61

Kafka (Frantz), 160
Kamenev, 116
Kant, 42
Kastler (Alfred), 43
Keaton (Buster), 71
Keats (John), 43
Kessel (Joseph), 54
Kierkegaard (Sören), 42, 173, 189
Kim, 64
Kipling (Rudyard), 55
Kirilov, 162
Kirov (Sergeï M.), 111, 115, 116, 144
Kolsov (Mikhaïl), 113
Kouo Mo Jo, 112
Koyré (Alexandre), 72

Labiche (Eugène), 138
Labriola (Arturo), 46
La Bruyère (Jean de), 85
Lacan (Jacques), 107, 159
Lacretelle (Jacques de), 157, 216
La Fontaine (Jean de), 151
Laforgue (Jules), 32, 35
Laforgue (Mme), 19
Laforgue (Philippe), 17, 33, 45, 51, 61, 68, 70, 131, 132, 134, 135, 136, 140, 174, 175
Lagache (Daniel), 40, 41, 62
Lahy-Hollebecque (Mme), 148
Lalande (André), 41, 44, 45, 89
Lalande (Joseph-Jérôme), 100

Lalou (René), 151
Lamachos, 139
Lamour (Philippe), 48
Lange, 49, 98, 127, 128, 129, 130, 133, 186
Langevin (Paul), 179
Lanson (Gustave), 41
La Rocque (colonel de), 141
La Tour d'Auvergne, 15
Launay (Pierre-Jean), 142
Lauridon, 48
Laval (Pierre), 219
Lazareff (Pierre), 146
Lear (Edward), 191
Le Chatelier (M.), 31
Leclerc (Guy), 211, 212, 213
Lefebvre (Henri), 11, 77, 78, 79, 80, 81, 82, 83, 101, 108, 130, 200, 202, 203, 206, 210, 212, 213
Lefranc (Georges), 49
Léger (Alexis), dit parfois Saint-John Perse, 43, 169
Léger (Fernand), 209
Leiris (Michel), 71, 210
Lemarchand (Jacques), 210
Lénine, 46, 48, 60, 63, 81, 83, 89, 98, 105, 108, 144, 156, 179, 182, 205, 222
Leroux (Gaston), 157
Lescure (Jean), 210
Levent, 129
Leverrier (Madeleine), 12, 185, 187
Lévi-Strauss (Claude), 44, 209
Lévy (Pierre-Gaspard), 11, 71, 151
Lévy-Bruhl (Lucien), 44
Liebknecht (Erta), 148
Liebknecht (Karl), 148
Lindbergh (Charles), 41
Litvinov (Maxime), 113
Lloyd (Harold), 35, 37
Locoche (Marius), 199
Long (Marguerite), 63
Lope de Vega (Felix), 156
Loy (Mirna), 192
Lucelles, 28, 47
Lucrèce, 75, 94, 204
Ludkiewicz, 112
Lurçat (Jean), 149

McCarthy (Joseph), 214
Madaule (Jacques), 152
Madral (Philippe), 216

Maeterlinck (Maurice), 156
Maheu (René), 33, 41, 210
Maigret (commissaire), 185
Maillard, 127, 129
Malet (Léo), 148
Mallarmé (Stéphane), 159
Mallet-Stevens (Robert), 63
Malraux (André), 9, 55, 60, 90, 109, 114, 122, 129, 130, 136, 141, 150, 151, 152, 153, 162, 177, 185, 188, 217, 221, 223
Malraux (Clara), 114
Man (Henri de), 141
Mandel (Georges), 181
Mann (Heinrich), 150
Mann (Thomas), 46, 150
Manstein (von), 192
Marcel (Gabriel), 74, 90, 123
Marcelle, 61, 68
Marie (la petite) : voir Bloyé (Marie)
Marie-Louise, 128, 129
Marius, 54
Martin (lieutenant), 196
Martin-Chauffier (Louis), 11, 148, 152, 189, 209
Marx (Karl), 42, 46, 51, 60, 75, 81, 89, 106, 108, 109, 122, 146, 157, 182, 202, 205, 210, 213
Mary (reine), 202
Maspero (François), 215
Massart, 132, 199, 202, 224
Massis (Henri), 77
Mauriac (François), 20, 147, 158, 210
Maurois (André), 122, 157, 171
Maurras (Charles), 48, 223
Mauss (Marcel), 43
Maxence (Jean-Pierre), 126
Maydieu (Père), 152, 153
Mayer (lieutenant-colonel Émile), 66, 126
Mendès France (Pierre), 33
Mendousse (J.), 43
Ménélas, 13
Merleau-Ponty (Maurice), 202, 210
Mesnil : voir Guterman (Norbert)
Métour (Eugène), 29, 30
Métour (M.) père, 24, 29
Meursault, 129
Meyerhold (Vsévolod), 138, 144
Michaux (Henri), 71, 107
Minotaure (Le), 163
Mirbeau (Octave), 171
Mistinguett, 64

Mistral (Frédéric), 106
Molière, 156
Moncey, 80
Monfreid (Henry de), 54
Montaigne (Michel de), 151
Montherlant (Henri de), 147, 151, 159
Morand (Paul), 35, 54, 56, 170, 171, 222
Morgan (Claude), 212
Morhange (Pierre), 11, 76, 77, 78, 79, 80, 81, 82, 83, 202
Mounier (Emmanuel), 110, 152, 153
Moussinac (Jeanne), 113
Moussinac (Léon), 11, 110, 138, 147, 172, 185, 186
Moyse (Marianne), 61
Mussolini (Benito), 12, 48

Napoléon, 182
Napoléon III, 15
Neruda (Pablo), 147
Nietzsche (Frédéric), 32, 42, 54, 161
Nisus et Euryale, 40
Nizan (Anne-Marie), 8, 11, 67, 172, 209
Nizan (Clémentine), née Métour, 11, 16, 18, 20, 23, 29, 123, 194
Nizan (général), 143
Nizan (Jean-Pierre), 15, 17
Nizan (Patrick), 11, 67, 172, 190, 209
Nizan (Pierre), 11, 18, 25, 124
Nizan (Yvonne), 16
Nougé (Paul), 78
Novalis, 32

O'Neill (Eugène), 156
Ophüls (Max), 209
Ordonowna (Hanka), 170
Orfilat (Edith), 204, 205
Orfilat (les), 205
Orfilat (Patrice), 205
Ovide, 59
Oswald (Marianne), 8, 148

Pagnol (Marcel), 178
Parain (Brice), 106, 128, 210, 211
Pâris, 13
Parmentier (commandant), 188
Parodi (D.), 45, 89
Pascal (Blaise), 200
Paul (ouvrier communiste), 129, 139, 174

Paul (saint), 97
Paulhan (Jean), 210, 211
Pauline, 61
Paulo, 59
Pécaut (Félix), 91
Péguy (Charles), 223
Péri (Gabriel), 11, 147, 172, 178, 206, 208
Péron (Alfred), 41
Perrini (famille), 177
Pétain (Philippe), 92
Peter Pan, 65
Petitjean (Armand), 189, 222
Peyré (Joseph), 54, 142
Philippe : voir Laforgue (Philippe)
Pilniak (Boris), 83, 144
Platon, 42, 63
Pluvinage (Mme), 19
Pluvinage (Serge), 19, 23, 61, 131, 132, 135, 174, 175, 186, 203
Poe (Edgar), 157
Politzer (Georges), 43, 77, 78, 79, 80, 82, 90, 101, 104, 105, 106, 130, 177, 200, 204, 205, 206, 220, 222
Politzer (Maï), 11, 205, 206
Pothecary (sergent), 196
Poulaille (Henri), 113
Pozner (Vladimir), 109, 114
Prestage (lieutenant-colonel), 12, 192, 195, 196
Prévert (Jacques), 207
Prévost (Claude), 207
Prezzolini (Giuseppe), 46
Prométhée, 224, 225
Proust (Marcel), 33, 62, 126, 141, 155, 157, 171
Pygmalion, 224
Pythagore, 70

Rabelais (François), 147, 151
Racine (Jean), 9, 40, 75
Radek, 114, 116, 143
Ramadier (Paul), 213
Rappoport (Charles), 82
Rastignac, 28
Régnier, 117, 131, 132, 144, 175, 176
Reine de Cœur (la), 202
Relly (major), 57
Rémy (Tristan), 130
Renard (Jules), 171
Renoir (Jean), 66, 146, 147, 169

R'hâ, 27
Ribemont-Dessaignes (Georges), 71
Richard (Élie), 147
Rimbaud (Arthur), 54, 55, 159
Rivet (Paul), 44
Rivière (Jacques), 76
Robertfrance (Jacques), 107
Robin (Léon), 44
Rolland (Romain), 78, 112, 211, 220, 213
Romains (Jules), 32
Roosevelt (Franklin Delanoe), 107
Roquentin, 129
Rosen : voir Rosenthal (Bernard)
Rosenthal (Bernard), 31, 39, 45, 61, 67, 68,
    69, 88, 131, 132, 133, 135, 138, 174, 175,
    176, 190, 220
Rosenthal (Catherine), 68, 132, 134, 135,
    140, 190
Rosenthal (Mme), 19
Rosenthal (Marie-Anne), 39, 69, 138
Rosenthal (M.), 133
Rossi (Tino), 20
Rougemont (Denis de), 110
Rouget de Lisle (Claude), 106
Rousseau (Jean-Jacques), 80
Roux (François de), 142
Roy (Jules), 91

Sadoul (Jacques), 179,
Saint Esprit (Le), 39
Saint-Exupéry (Antoine de), 159, 217, 221
Saint « Jean » Perse : voir Léger (Alexis)
Salvemini (Gaetano), 46
Sartre (Jean-Paul), 9, 11, 17, 22, 26, 28, 29,
    30, 32, 33, 34, 39, 40, 41, 42, 43, 44, 47,
    51, 52, 53, 56, 57, 59, 62, 65, 66, 67, 70,
    71, 72, 96, 116, 128, 136, 143, 145, 155,
    158, 160, 163, 177, 179, 184, 188, 197,
    200, 202, 209, 210, 212, 213, 214, 215,
    221, 222, 223, 224
Sassot (Gustave), 201
Sauvage, 63
Scève (Maurice), 75
Schelling (Friedrich von), 78
Schlumberger (Jean), 210
Schumann (Maurice), 90
Scott (Miss), 58
Ségur (comtesse de), née Rostopchine, 157
Seignobos (Charles), 74
Senil (professeur), 28

Serge : voir Pluvinage (Serge)
Servèze (Gérard), 109
Shakespeare (William), 114, 139, 166
Shelley (Percy), 32
Siegfried (André), 126
Simenon (Georges),156
Simon, 70, 131, 135
Sinclair (Upton), 112
Singer (Isaac), 9
Snow (Edgar), 147
Socrate, 42
Sorel (Georges), 32, 51, 161
Sorel (Julien), 28
Soupault (Philippe), 210
Spinoza (Baruch), 43, 46, 59, 63, 64, 76
Spuller (Jacques-Eugène), 91
Staline (Joseph), 11, 105, 113, 117, 144,
    163, 177, 178, 179, 182, 183, 187, 188,
    224
Stanley (Henry Morton), 54
Stavroguine, 173
Stein (Karl, baron von), 182
Steinbeck (Joseph), 160
Stendhal, 146, 182, 190, 222
Stravinski (Igor), 223

Tabouis (Geneviève), 164, 181, 191
Tardieu (André), 40, 75
Taro (Gerda), 151, 172
Tasca (Angelo), 89
Téry (Simone), 11, 68, 109, 148
Teste, 63
Texcier (Jean), 210
Théodose, 153
Thérive (André), 126, 136, 143, 155
Thésée, 137, 138
Thibaudet (Albert), 155, 163
Thomas (Édith), 148
Thoreau (Henry David), 43
Thorez (Maurice), 11, 96, 104, 105, 106,
    143, 146, 177, 178, 179, 180, 200, 201,
    204, 209, 219
Timour, 139
Tisné (Pierre), 141
Todd (Emmanuel), 8, 218
Todd (Olivier), 217
Tolstoï (Léon), 139
Tonkin (sergent), 196
Tournoël (Jacques), 90
Tracy (Spencer), 209

Treint (capitaine), 96
Triolet (Elsa), 11, 114, 200, 206, 220
Trotsky (Léon), 79, 97, 117, 202, 211
Troyat (Henri), 142
Tucker (Sophie), 172
Tzara (Tristan), 29

Ubu (roi), 225
Ulmann (André), 209
Unik (Pierre), 109

Vaillant-Couturier (Paul), 96, 108, 109, 110,
    146, 152, 163, 172
Valéry (Paul), 53, 76, 90, 223
Valois (Georges), 47, 48, 49, 50
Van der Meersch (Maxence), 142
Van Gennep (Arnold), 44
Varèse (Edgar), 71
Vautel (Clément), 33, 81
Vertov (Dziga), 184
Véry (Pierre), 157
Vicarios, 197, 198, 214, 215
Vigneau (André), 149

Vigo (Jean), 108
Viollis (Andrée), 148, 180, 187
Volkoff (Vladimir), 170
Voltaire, 80
Voruz (général), 192

Wagner, 68
Wagner (Richard), 54, 62
Wahl (Jean), 74, 222
Watteau (Antoine), 75
Weill (Kurt), 172
Weitling, 82
Weir (private), 196
Wells (H. G.), 26
Weygand (Maxime), 193
Werth (Alexander), 164, 181, 191
Woolf (Virginia), 150
Wurmser (André), 149

Zay (Jean), 92
Zenkl, 166
Zinoviev, 111, 116
Zola (Émile), 46

TABLE DES MATIÈRES

Préface à la nouvelle édition 7
Dramatis personae 11

Paul-Yves 15
« J'avais vingt ans... » 37
Misère de la philosophie 73
L'Église 95
Écrire 121
Dire 145
L'Ankou 173
Une conspiration 199
Prométhée, enchaîné ? 219

Notes 227

Reconnaissance de 1980 244

Annexes 245
I. Généalogie simplifiée de Paul-Yves Nizan 247
II. Repères chronologiques 248
III. Documents inédits, et une prime 251

Sources 263

Index 273

Achevé d'imprimer
en janvier 2005
sur les presses
de l'imprimerie Tournai Graphic
en Belgique (UE)

En couverture :
© Archives IMEC

© Éditions Complexe 2005
Diffusion Promotion Information
24, rue de Bosnie
1060 Bruxelles

 n° 985

Si vous désirez recevoir le catalogue des ÉDITIONS COMPLEXE,
découpez ce bulletin et adressez-le à :

ÉDITIONS COMPLEXE
24, rue de Bosnie
1060 Bruxelles
BELGIQUE

Nom . . . .
Prénom . . . .
Adresse . . . .
. . . .
Profession . . . .
Âge . . . .
Livre duquel vous avez tiré ce bon . . . .
. . . .

Suggestions :
. . . .
. . . .
. . . .
. . . .

Nom et adresse des personnes auxquelles vous nous suggérez de faire
parvenir notre catalogue :
. . . .
. . . .
. . . .
. . . .